YENİLENME CEHDİ

CEHDİ

KIRIK TESTİ - 12

M. Fethullah Gülen

YENİLENME CEHDİ

CEHDİ

KIRIK TESTİ - 12

M. Fethullah Gülen

Yenilenme Cehdi

Kırık Testi - 12

Copyright © Nil Yayınları, 2012

*Bu eserin tüm yayın hakları **Işık Yayıncılık Ticaret A.Ş.**'ne aittir.
Eserde yer alan metin ve resimlerin, Işık Yayıncılık Ticaret A.Ş.'nin önceden
yazılı izni olmaksızın, elektronik, mekanik, fotokopi ya da herhangi bir kayıt
sistemi ile çoğaltılması, yayımlanması ve depolanması yasaktır.*

ISBN

978-975-315-489-5

Yayın Numarası

437

Görsel Dizayn Ofset Matbaacılık Tic. Ltd. Şti.
Atatürk Bulvarı Deposite İş Merkezi A5 Blok K: 4 No: 405
İkitelli OSB / Başakşehir / İSTANBUL
Tel: (0212) 671 91 00 pbx
Faks: (0212) 671 91 90

Kasım 2012

Genel Dağıtım
Gökkuşağı Pazarlama ve Dağıtım
Merkez Mah. Soğuksu Cad. No: 31
Tek-Er İş Merkezi Mahmutbey/İSTANBUL
Tel: (0212) 410 50 60 Faks: (0212) 445 84 64

Nil Yayınları
Bulgurlu Mahallesi Bağcılar Caddesi No:1
Üsküdar/İSTANBUL
Tel: (0216) 522 11 44   Faks: (0216) 522 11 78
www.nil.com.tr

İçindekiler

Takdim Yerine

Salih amel ve faydalı işlerdeki her güzel başlangıç, neticeye ermenin ilk şartı ve ilk sebebi olması itibarıyla çok önemlidir; fakat bu durum, o güzelliğin sürekliliği ve devamı adına yeter şart değildir. Zira nice güzel başlangıç vardır ki, "baharı görmeden hazana" ermiş ve geride bir sürü yıkık rüya bırakarak tarihin tozlu sayfaları arasında kaybolup gitmiştir.

O hâlde bir "rüşeym" gibi varlık sahnesine çıkıp hayata göz kırpan her hamle ve aksiyon, kendi olarak geleceğe yürüyebilmesi, meyve verecek bir ağaç hâline gelmesi ve bu keyfiyette hayat ve canlılığını koruyabilmesi adına daha başka dinamiklere ihtiyaç duyacaktır. Kanaatimizce bu dinamiklerin en önemlisi *kendini yenileyebilme irade ve cehdidir.* Zira kendini yenileme, devamlı var olabilmenin ilk şartı ve en mühim esasıdır. Evet, her şey, kendini yenileyerek canlı kalır ve varlığını sürdürür; yenileme durunca da canı çekilmiş ceset gibi, çürümeye, hebâ olup dağılmaya terk edilmiş olur.

Bu noktada dikkat edilmesi gereken en önemli husus yenilenmenin doğru anlaşılmasıdır. Kendini yenileme, kesinlikle yenilik hayranlığı ve yenilenme fantezisi ile karıştırılmamalıdır. Zira gerçek yenilenme, kök ve çekirdekteki safvet korunarak, verâset yoluyla geçmişten süzülüp gelen bütün kıymetlerin hâlihazırdaki düşünce ve irfan buğularıyla sentezleri yapılarak daha yeni, daha berrak tefekkür iklimlerine ulaşmaktır. Evet, kendini yenileme, tamamen metafizik çizgide cereyan eden bir hâdise ve ruh plânında bir diriliştir; mukaddeslerine, tarihine sımsıkı bağlılık içinde bir diriliş... Başka bir ifadeyle, eksiksiz tam bir yenileşme, ancak, ruh, zekâ, his ve iradenin müşterek gayretleriyle mümkündür. Ruh gücünü, bütünüyle kullanmak, geçmişten gelen bilgileri eksiksiz değerlendirmek, sürekli olarak ilham ve mâneviyat esintilerine açık kalabilmek, körü körüne taklitlere takılıp kalmamak ve her zaman nizamiliği takip etmek... İşte mantıkî yenileşmenin birkaç dinamiği bunlardır.

İnsan, gençlik döneminde çelik çavak ve zinde bir hayat yaşar. Olgunluk dönemine geldiğinde ise her şey yerli yerine oturur ve o, mantık ve muhakeme insanlarının hayatını yaşamaya durur. Fakat bir dönem de gelir ki, duygu ve düşünceler solmaya, sönmeye ve partallaşmaya başlar. Bu, olgunluk ve ruhta oturaklaşma demek değildir. Aksine bu durum, daha önce size çok şey ifade eden çizgilerin matlaşması, renk atmasıdır.

Esasında, insanın yaşadığı bu değişim ve dönüşümler şahs-ı manevî ve toplumlar için de geçerlidir; onlar da gürül gürüldürler hayatlarının baharında; çevrelerine güller gibi gülücükler salarlar gençliklerinde ve olgunluk çağlarında; renk atar ve sararıp solarlar kendi hazanlarında. Kendi iç dinamiklerini iyi kullanmak suretiyle, kimileri uzun ömürlü kimileri de kısa, yürürler mukadder akıbetlerine..

Bu itibarla, ister ferdî, ister içtimaî hayatta, gözler hep zirveleri kollamalı, kanatlar "daha yukarılar" deyip her zaman gergin bulunmalı, himmetler "ulü'l-azmâne" bir çizgi takip etmelidir ki, zirvelere ulaşma, şahikalarda dolaşabilme mazhariyeti de gerçekleşebilsin. Yoksa, duraklama ve çözülüp dağılma mukadder demektir. Kur'ân, kendi eser-i mucizesi sayılan aydınlık çağın o güzidelerden güzide topluluğuna: *"Mü'minlerin kalblerinin, Allah'ı ve O'nun tarafından indirilen hakikatleri duyarak haşyet hissedip, yumuşayıp daha derin bir dirilişe erme vakti hâlâ gelmedi mi..!"*[1] diyerek onları çerçevesi verilmeye çalışılan böyle bir "ba'sü ba'de'l-mevt"e çağırmaktadır. Bu çağrıya uyarak mü'min, canlılığını korumak için her zaman yükselip derinleşme aşk u heyecanı içinde bulunmalı, mefkûresi adına hep yüksekleri kollamalı ve tamamiyet peşinde olmalıdır ki sıyanet görsün, devrilmesin ve yaşadığı sürece de hep taze kalabilsin...

Ayrıca, tekarub-u zaman ve tekarub-u mekânın hayatımıza hükmetmeye başladığı, dolayısıyla yeryüzünde herhangi bir yerde ortaya çıkan bir değişim ve dönüşümün baş döndürücü bir hızla her tarafa ulaştığı bugünkü dünyada, öze bağlılık ve sadakat içinde, değişen şartları ve konjonktürü sürekli takip etmek, ciddî bir kritiğe tâbi tutmak ve değişen şartlara göre kendini tekrar ber tekrar gözden geçirip yenilemek daha bir ehemmiyet arz etmektedir. Bu itibarla da geleceğin vaat ettikleri, zaruretleri ve kendine has kuralları bizi, belli noktalara zorlayıp, belli hususlara yönlendirip; mukavemet edilmez, karşı durulmaz, söz dinletilmez sürpriz hâdiselerin şaşkınlığına düşürmeden; düşürüp sendeletmeden, sersemleştirmeden kendimiz olarak yerimizi almamız lâzımdır ki, zamanın dişleri ve hâdiselerin insafsız dişlileri arasında kalıp ezilmeyelim.. ezilmeyelim ve gönüllerimiz imanla dopdolu, gözlerimiz de ümitle pırıl pırıl, takılıp yollarda kalmadan hep istikbale yürüyelim.. evet yürüyelim ki, mevcudiyet ve bekâmız adına karşı koymaya çalıştığımız bugünkü olumsuz istihâleleri unutturacak daha büyük *"değişim"* ve *"dönüşüm"* dalgalarına kapılıp çer çöp gibi şuraya-buraya sürüklenmeyelim.

Esasında içinde bulunduğumuz çağın şartları ne olursa olsun, elimizde, ezelden gelip ebede giden, zamanüstü olan, dolayısıyla kendisi için eskiyip partallaşmanın, sararıp solmanın söz konusu olmadığı her daim terutaze Kur'ân hakikatleri bulunmaktadır. Bu sebeple o yüce beyanın müntesipleri olarak bizler, elimizdeki hazinenin kıymetini bilip zinde ruh, aktif sabır, canlı dimağ ve sağlam iradelerle yola koyulduğumuzda, Allah'ın izni ve

---

[1] Hadîd sûresi, 57/16.

inayetiyle, bir baştan bir başta bütün yeryüzüne yeni bir ses, yeni bir soluk olarak yepyeni bir medeniyet tasavvuru sunabiliriz.

Evet, vahyin ışıktan tayfları altında, bunalımdan bunalıma sürüklenen beşer coğrafyasına, her zaman ve her mekânda, her sınıf insanın ihtiyacını karşılayacak ve bütün hayatı kucaklayacak olan böyle bir medeniyet telakkisini sunmamız her an için mümkündür. Ancak hiçbir zaman unutulmamalıdır ki, böyle büyük bir projeyi hayata taşıyacak olan da insan unsurudur. Bu insan, düşünen, muhakeme eden, akıl kadar tecrübeye, tecrübe kadar akla ve ikisi kadar da ilhama ve vicdana açık bir anlayışta olmalıdır. O, ilimden sanata, teknolojiden metafiziğe, her sahada söz sahibi ve kendini alâkadar eden her mesele ile içlidışlı olma yollarını araştırmalıdır. Aynı zamanda o, öze saygısı içinde kendini yenilemesini bilen, inşa ruhuna sahip ve her türlü şablonculuğun da karşısında bulunmalıdır. Çelik iradeli ve aşk u heyecanla dopdolu bu yeni insan, doyma bilmeyen ilim aşkı, her gün daha bir başkalaşan mârifet tutkusu ve idrak üstü ledünnî derinlikleriyle, ak devrin aydınlık insanlarıyla omuz omuza ve her gün yeni bir miracın süvarisi olarak da ruhanîlerle atbaşı, insanlık yolunda koşturup durmalıdır.

İşte kanaatimizce, Kırık Testi Serisi'nin on ikinci kitabı *"Yenilenme Cehdi"*, böyle bir insan modelinin tekevvünü adına bir ömür boyu çırpınıp duran dertli bir dimağ ve muzdarip bir gönlün duygu ve düşüncelerini ifade etmektedir. Bu vesileyle, yayınevi olarak, Muhterem Hocamıza gönül dolusu şükranlarımızı sunar; sıhhat ve afiyet içerisinde daha nice eserlere vesile olmasını Rabbimiz'den niyaz ederiz. Hayırlı okumalar!

Nil Yayınları

Dindarlık ve Dinî Hassasiyet

Soru: *Dindarlık ve dinî hassasiyet tabirlerinin ifade ettikleri mânâlar nelerdir? İzah eder misiniz?*

Cevap: Dindarlığın, nazarî planda, dinî düsturlara şu veya bu ölçüde saygılı olmaktan dini kabullenip ona sahip çıkmaya; amelî planda da dini yaşamaktan onu hayata hayat kılmaya kadar değişik mertebe ve dereceleri vardır. Mesela bazıları bir ilmihal bilgisi seviyesinde inanılması gerekli olan hususlara inanır ve o ölçüde ibadet ü taatlerini yerine getirirler. Kimileri ise, hem nazarî hem de amelî planda dini daha engince ele alır, bu yaklaşımla onun emrettiklerine ittiba edip nehyettiklerinden uzak dururlar. Öyle ki bunlar haramlardan içtinap etme ve farzları edanın yanında, harama düşme endişesiyle şüpheli şeylere karşı dahi tavır alır, hayatlarını sürekli takva mülâhazasına bağlı götürmeye çalışırlar. Dini daha şuurluca yaşayanlar ise ibadet ü taatlerini her zaman Cenâb-ı Hakk'ın teftiş ve takdirine sunuyor gibi eda eder, hayatlarını hep ihsan şuuru içinde yaşarlar. Bu açıdan dindarlığın seradan Süreyya'ya kadar çok farklı mertebeleri vardır. Bu arada şunu ifade edelim ki, dindarlık ilk mertebesiyle dahi kesinlikle hafife alınmayacak ölçüde insan için hayatî derecede bir kıymete sahiptir.

Dinî hassasiyet ise, başta şahsî hayatını milimi milimine dinin ölçülerine muvafık yaşamak, daha sonra da yakın daireden uzak daireye doğru aile efradı, yakın çevresi içinde, gözünün içine bakan ve etrafında halkalanan insanların dini yaşamaları mevzuunda fevkalâde hassasiyet göstermek, duyarlı olmak ve ölesiye bir titizlik sergilemek demektir. Başka bir ifadeyle dinî hassasiyet, bir Hak dostunun:

"Keşke sevdiğimi sevse kamu halk-ı cihan!
Sözümüz cümle heman kıssa-i cânan olsa..!"
(Taşlıcalı Yahya)

mısralarıyla seslendirdiği arzu ve iştiyakla hayatını sürdürmektir.

"Keşke Gönüllerde Allah Sevgisini Tutuşturabilsem!"

Dinî hassasiyet sahibi bir mü'minin diğer insanlar hakkındaki duygu ve düşüncesi şudur: Keşke şu kardeşlerime Allah'ı anlatıp onların gönüllerinde Allah sevgisini tutuşturabilsem! Keşke onlarda maiyyet arzusu uyarabilsem! Keşke onlar ellerini her kaldırdıklarında: اَللّٰهُمَّ عَفْوَكَ وَعَافِيَتَكَ وَرِضَاكَ وَتَوَجُّهَكَ وَنَفَحَاتِكَ وَأُنْسَكَ وَقُرْبَكَ وَمَحَبَّتَكَ وَمَعِيَّتَكَ وَحِفْظَكَ وَحِرْزَكَ وَكِلَاءَتَكَ وَنُصْرَتَكَ وَوِقَايَتَكَ وَحِمَايَتَكَ وَعِنَايَتَكَ "Allah'ım! Senden, Senin yüce affını, afiyet vermeni, hoşnutluğunu, teveccühünü, ilâhî nefhalarını, dostluğunu, yakınlığını, yüce şanına yaraşır şekildeki muhabbetini, maiyyetini, hıfz u sıyanetini, koruyup kollamanı, yardımınla zaferler nasip etmeni, himaye edip gözetmeni... istiyorum!" diye Cenâb-ı Hakk'a yalvarıp yakaracak ölçüde O'na yakın olsalar.

Böyle bir hassasiyete sahip olan bir mü'min derecesine göre sadece yakın çevresine değil, belki bütün bir ülke halkına, hatta bütün bir insanlığa bu ufku taşıyabilmenin, herkeste böyle bir heyecan uyarabilmenin hesabını yapacaktır. Onun derdi ve davası, Hazreti Ruh-u Seyyidi'l-Enâm'ın nâm-ı celîli anıldığı zaman burunların kemikleri sızlayacak ölçüde herkesin delice Efendiler Efendisi'ni (aleyhissalâtü vesselâm) sevmesini sağlamaktır. Diğer yandan o, insanların kaymaları, düşmeleri ve sürçmeleri karşısında ızdıraptan iki büklüm hâle gelir ve "Acaba, insanları mezelle-i akdam noktalardan uzak tutabilmek adına daha ne yapabilirim, ne yapmam gerekir?" diyerek oturup kalkıp bu mevzuda stratejiler üretme gayreti içinde olur. Hâsılı o, toplumu irşad etme, kaymaları önleme, dinden kopup gitmelerin önüne geçme istikametinde fevkalâde hassas ve duyarlı bir hayat yaşar.

Başkalarını Diriltme Hassasiyeti

Bu istikamette o, ruh u revan-ı Muhammedî'nin (sallallâhu aleyhi ve sellem) sadece kendi ülkesinin minarelerinde şehbal açmasını yeterli bulmaz; bunun ötesinde *"Benim adım Güneş'in doğup battığı her yere ulaşacaktır."*[2] hadis-i şerifini kendisi için bir hedef, bir ufuk olarak görür ve hayatını bu gayeye bağlı götürmeye çalışır. Bu ufkun peşinden koşarken de o, hiçbir zaman kendi darlığına takılmaz, "Benim gibi bir adam ne yapabilir ki?" demez; "Allah küçüklere büyük işler gördürür." mülâhazasıyla her zaman azimli, her zaman gayretli davranır ve hep sorumluluk ruhuyla hareket eder. O, "Bir yerde imanla dolu bir sine varsa, o sine, bir yolunu bulup oradaki bütün gönüllere ruhunun ilhamlarını duyurabilir." anlayışına sahiptir. Evet, bilinmesi gerekir ki, eğer bir insanın himmeti bütün bir millet olursa, Allah, bütün bir milletin yapabileceği işi o şahsa yaptırır.[3] Hazreti İbrahim'e ve İnsanlığın İftihar Tablosu'na (aleyhi elfü elfi salâtin ve selâm) yaptırdığı gibi böyle ulvî bir misyonu o insana da müyesser kılar.

İşte bütün bunlar, dindar olmanın ötesinde dinî hayatta fevkalâde hassas olmanın ifadesidir. Diğer bir tabirle buna, başkalarını diriltme ve ihya etme hassasiyeti de diyebilirsiniz. Bu açıdan denilebilir ki, dindarlıkla dinî hassasiyet birbirinden farklıdır. Ancak bunların hemhudut oldukları yerler de vardır. Dindarlığın son hududu olan, şüpheli şeylerden sakınma,[4] kaçırdığı bir namazdan dolayı kendini âdeta cinayet işlemiş bir mücrim gibi

2   Bkz.: Müslim, *fiten* 19; Tirmizî, *fiten* 14; Ebû Dâvûd, *fiten* 1.
3   Bkz.: Bediüzzaman, *Tarihçe-i Hayat* s.95 (İlk Hayatı).
4   Bkz.: Tirmizî, *kıyâmet* 19; İbn Mâce, *zühd* 24.

görme ve böyle bir hassasiyet ufkunda memur olduğu şeyleri kusursuz bir şekilde kemal-i hassasiyetle yerine getirme, aynı zamanda; Allah'ın emrettiği fiilleri işlediği zaman tahdis-i nimet mülâhazasıyla bundan inşirah duymanın yanında, "İnşallah işin içine riya karıştırmamışımdır, inşallah onu süm'a ile kirletmemişimdir!" endişesini taşıma gibi hususlar, dinî hassasiyetin de başlangıcı demektir. Çünkü bu enginlik ve derinlikte hassasiyete sahip olan bir mü'min, böyle bir hassasiyetin gereği olarak duyup hissettiklerini başkalarına da duyurmak, mazhar olduğu nimetleri başkalarına da ulaştırmak ister.

Öncelikle Benlik Âbidelerimizi Yerle Bir Edelim

Bu ufkun insanları, daha ziyade muzdarip dimağlardır. Bunlar otururken kalkarken hep mefkûrelerini düşünür, onun fikir çilesini çekerler. Hatta –bağışlayın– ıtrahat esnasında bile, zihnî aksiyonlarını devam ettirir, yeni yeni düşünceler üretir ve akıllarına gelen bu düşünceleri ilk fırsatta hemen bir yere kaydeder, kaydetme fırsatı bulamadıklarında ise, daha sonra değerlendirmek üzere onları kafalarının nöronlarına yerleştirirler. Dava ızdırabı, bu muzdarip ruhları, bazen namazda sehiv yaşatacak ölçüde sarar. Terminolojide böyle bir kavram olmasa da, biz mukarrabînin sehivlerini işte böyle bir yüksek mülâhazaya bağlıyoruz. Mesela biz, Fahr-i Kâinat Efendimiz'in (sallallâhu aleyhi ve sellem) namazlarındaki birkaç sehvi[5] hakkında şöyle düşünürüz: "Maalîye açık olan Hazreti Ruh-u Seyyidi'l-Enâm (aleyhi elfü elfi salâtin ve selâm) kim bilir ne tür yüksek mülâhazalar arkasında koşuyordu ki, namaz bir mânâda o hâle göre küçük kaldı." Zaten O (aleyhissalâtü vesselâm), vazifesine göre Mirac'ı bile küçük görmüş, ulaşılmazlara ulaştıktan sonra vazifesi icabı geriye dönmüştü.[6] Nitekim Abdülkuddûs'ün Miraç hakkındaki

---

5   Birincisi için bkz.: Buhârî, *salât* 88, *ezân* 69; Müslim, *mesâcid* 97-99. İkincisi için bkz.: Buhârî, *sehv* 1; Nesâî, *sehv* 21.
6   Bkz.: İsrâ sûresi, 17/1; Buhârî, *bed'ü'l-halk* 6, *menâkıbü'l-ensâr* 42; Müslim, *îmân* 264.

sözleri bu hakikati izah eder gibidir. O der ki: "Vallahi Hazreti Muhammed (aleyhissalâtü vesselâm) erişilmezlere erdi, görülmezleri gördü. Öyle yerlere ulaştı ki, oraya giden bir insanın geriye dönmesi mümkün değildir. Vallahi ben oralara gitseydim geriye dönmezdim!" Bu iki mülâhazayı değerlendiren bir başka Allah dostu ise şöyle der: "İşte veli ile Peygamber arasındaki fark!" Yani veli, fenâ fillâh, beka billâh, maallah, yolunda yükselir gider; fakat Peygamber, yükseldiği en yüksek zirvelerden sonra insanların elinden tutarak onları da oralara götürme adına geriye, onların arasına döner.

Hazreti Ömer Efendimiz'in namazındaki sehvi de aynı mülâhazaya bağlayabiliriz. Hazreti Ömer (radıyallâhu anh) namazını bitirdikten sonra sahabe efendilerimiz namazı yanlış kıldığını hatırlattıklarında, O, Irak'a i'lâ-yı kelimetullah için asker sevk ettiğini söylemişti.[7] Görüldüğü üzere bu büyük kametlerin hayatlarının her alanında hâkim olan i'lâ-yı kelimetullah vazifesi, namazın boşluklarında bile onların kafasına girmiştir. Bu, kendi dinine sahip çıkma mevzuunda fevkalâde bir hassasiyetin ifadesidir. Din konusunda bu derece hassas olan bir insanın, ne haramlara açık durması ne de farzlarda kusur ve çatlama meydana getirmesi mümkün değildir.

Hâsılı, pörsümüş duygularla ve aradan çıkarma mülâhazasıyla ibadetlerini yerine getiren bir topluluğun ruhumuzun heykelini dikmesi ve yeniden bir diriliş kahramanı olması mümkün değildir. Şayet biz milletçe göz alıcı, inşirah verici ve insanı büyüleyen bir ruh âbidesi ikame etmek istiyorsak, öncelikle elimize bir balta alarak kendi benlik âbidemizi yıkmalıyız. Daha sonra da taşı ve toprağı dinin emir ve nehiyleri, harcı da Cenâb-ı Hakk'ın rızası olan bir âbide ikame etmeliyiz ki bir daha yıkılmasın. Dolayısıyla "Kıl namazını, tut orucunu, karışma kimsenin işine!.." düşüncesine sahip bir anlayış kesinlikle tasvip edilemez ve böyle bir anlayışın i'lâ-yı kelimetullah vazifesi yerine getirmesi de mümkün değildir.

---

7   Buhârî, *amel fi's-salât* 18 (bâb başlığında); İbn Ebî Şeybe, *el-Musannef* 2/186.

Mefkûre Muhacirleri ve Onlara Sahip Çıkan Civanmert Gönüller

Soru: *Hazreti Lût'tan sonra peygamberlerin, güçlü aileler arasından gönderilmesi[8] esprisine bağlı olarak, bütün sermayeleri ihlâs ve samimiyetten ibaret bulunan günümüzün hicret kahramanları için, hizmetin şahs-ı mânevîsi bir rükn-ü şedid sayılır mı? İzah eder misiniz?*

Cevap: Hazreti İbrahim'in yeğeni olan Hazreti Lût (aleyhisselâm),[9] bugünkü Lût Gölü havzasında yer alan ve içlerinde Sodom ve Gomore'nin de bulunduğu muhite peygamber olarak gönderilmişti. Çağımızda bazı ülkelerde tecviz edilen hatta insan haklarını korumanın bir gereği gibi algılanarak hakkında kanunlar vaz' edilen bir fiil-i müstehcen o muhitte çok yaygınca irtikâp ediliyordu. Kur'ân-ı Kerim siyak ve sibak esprisine bağlı olarak değişik âyet-i kerimelerde farklı versiyonlarıyla bu hususu anlatmıştır.[10] Cenâb-ı Hak, onların helâk edilmesinden önce bir mucize olarak Hazreti Lût'a (alâ nebiyyinâ ve aleyhissalâtü vesselâm) melekleri göndermiştir. Melekler de bütün görkem ve

---

8 Bkz.: Tirmizî, *tefsîru sîre (12)* 1; Ahmed İbn Hanbel, *el-Müsned* 2/533
9 es-Sa'lebî, *el-Keşf ve'l-beyân* 6/283; el-Beğavî, *Meâlimü't-tenzîl* 3/251; el-Kurtubî, *el-Câmi' li ahkâmi'l-Kur'ân* 13/339.
10 Bkz..: Hicr sûresi, 15/51-77; Şuarâ sûresi, 26/160-175; Neml sûresi, 27/53-58; Kamer sûresi, 54/33-39.

çalımlarıyla gökçek yüzlü birer insan şeklinde son bir imtihan unsuru olmak üzere Hazreti Lût'un yanına gelmiştir. Bu duruma şahit olan Hazreti Lût'un kavmi, onlara karşı da saldırganlık tavrına girince artık söz ve nasihat bitmiş, o azgın topluluk bütün bütün imtihanı kaybetmiş ve yerin dibine batırılmışlardır. Cenâb-ı Hak gök taşlarıyla veya gökten gelen meteorlarla recm ederek onları cezalandırmıştır.[11]

İşte bu kavim içindeki o tefessüh etmiş fertler, Hazreti Lût'un yanına gelen melekleri görünce, o müstehcen fiili işlemek için ağızlarında salya, harıl harıl koşarak geldiklerinde Hazreti Lût (aleyhisselâm) bu manzara karşısında şöyle demiştir: لَوْ أَنَّ لِي بِكُمْ قُوَّةً أَوْ آوِي إِلَى رُكْنٍ شَدِيدٍ *"Ah keşke size karşı yetecek bir gücüm olsaydı veya sağlam bir rükne dayansaydım."*[12] Her hâlde o büyük peygamberin yerinde kim olsa böyle söylerdi. Fakat hiç kimse bir peygamber gibi bu meseleyi bu ölçüde gayet mevzun bir şekilde vaz' edemezdi. Bu münasebetle Resûl-i Ekrem Efendimiz (sallallâhu aleyhi ve sellem), Hazreti Lût'un orada mütecavizlere karşı acz u fakrının bir dua gibi kabul edildiğini ifade sadedinde şöyle buyurmuştur: فَمَا بَعَثَ اللهُ تَعَالَى مِنْ بَعْدِهِ نَبِيًّا إِلَّا فِي ثَرْوَةٍ مِنْ قَوْمِهِ *"Allah ondan sonra her peygamberi kavminden kalabalık bir cemaat içinde gönderdi."*[13] Yani Cenâb-ı Hak, Hazreti Lût'tan (alâ nebiyyinâ ve aleyhissalâtü vesselâm) sonraki peygamberleri bir kabile ve aşiret içinde göndererek, kavmi kendisine hücum ve saldırıda bulunduğu zaman, mütecaviz ve saldırganların hemen ona ulaşmasına imkân vermemiş, kabile ve aşiretiyle o peygamberi koruma altına almıştır.

Esbabın Perdedarlığı ve İnayet-i İlâhî

Mesela İnsanlığın İftihar Tablosu (aleyhissalâtü vesselâm) Mekke'de çok güçlü olan Benî Hâşim'dendi. Dedesi, Abdülmuttalib, Mekke'de müşarun bi'l-benan yani parmakla gösterilen bir

11 Bkz.: Hûd sûresi, 11/69-83.
12 Hûd sûresi, 11/80.
13 Tirmizî, *tefsîru sûre (12)* 1; el-Buhârî, *el-Edebü'l-müfred* s.212.

insandı. Abdülmuttalib'in vefatından sonra onun yerine Resûl-i Ekrem Efendimiz'in amcası Ebû Talib geçmişti. Allah Resûlü (aleyhi ekmelüttehâyâ) çocukluk ve gençliğini onun vesâyetinde geçirmişti. Dolayısıyla Efendimiz'e bir fiske vurma meselesi dahi bütün Benî Haşim'i ayaklandırmaya yeterdi. Bunun için Mekke müşrikleri, Peygamber Efendimiz'e (aleyhi elfü elfi salâtin ve selâm) saldırmaktan korkuyorlardı. İşte Allah (celle celâluhu) sebepler âlemi içinde icraat-ı sübhaniyesine esbabı bu şekilde perde kılıyor ve böylece Habib-i Edib'ini himaye ve sıyanet buyuruyordu.

Yâsîn Sûre-i Celilesi'nin ikinci sayfasında anlatılan hâdiseyi de bu mevzu ile ilgili düşünebiliriz. Burada Cenâb-ı Hak, tefsirlerin çoğuna göre Antakya olduğu ifade edilen şehre[14] iki elçi gönderdiğini ancak belde halkının bu elçileri yalanladıklarını ifade ettikten sonra şöyle buyuruyor: فَعَزَّزْنَا بِثَالِثٍ *"(Onları) bir üçüncü ile destekledik."*[15] Cenâb-ı Hak üçüncü bir elçi göndermekle, onların kuvve-i mâneviyelerini takviye ediyor ve onlara yalnız olmadıklarını göstermiş oluyor. Zira ikiye üçüncünün eklenmesi, gerektiğinde bir dördüncüsünün de gelebileceğini gösterir. Böylece onlar bu tâziz sayesinde tebliğ vazifelerini daha rahat yapma imkânına kavuşmuş olurlar ki, bu da onlar için bir rükn-ü şedid sayılır. Peygamberler tarihine bakıldığında söylediğimiz bu hususa delil olabilecek daha başka misaller de zikredilebilir. Biz bu misalleri o sahanın mütehassıslarına havale edip sorunun ikinci kısmına geçmek istiyoruz.

Evet, günümüzün karasevdalıları, adanmış ruhlar da yüreklerinde insanlık aşk u muhabbetiyle dünyanın dört bir yanına seferler tertip ediyorlar. Bazen oluyor ki, bir ülkeye birkaç kişi hatta bazen tek başına bir insan gidiyor. Bunlar gittikleri ülkelerde çok farklı kültürlerin çocuklarıyla karşı karşıya kalıyorlar. Muhataplarıfarklı ortamlarda yetişmiş ve farklı değerleri olan insanlar. Farklı dili konuşuyor, farklı dinlere inanıyor, farklı değerleri öne çıkarıyorlar. Dolayısıyla bu insanlar farklı ortam ve

---

14   Bkz.: ez-Zemahşerî, *el-Keşşâf* 4/10; er-Râzî, *Mefâtîhu'l-ğayb* 26/45.
15   Yâsîn sûresi, 36/13.

farklı coğrafyalarda değişik zorluk, sıkıntı ve meşakkatlere maruz kalabilirler. İşte bu noktada soruda dikkat çekildiği üzere hizmetin şahs-ı mânevîsi onlar için bir rükn-ü şedid yani yıkılmaz, sağlam bir dayanak, güvenilir bir liman olabilir. Zaten bu harekete destek veren Anadolu insanı, hatta siyasî inisiyatifi elinde bulunduran bir kısım devlet ricali gittikleri her yerde hizmet etmeye çalışan bu arkadaşlara sahip çıkmışlardır. Aynı şekilde yatırım için oralara giden, oralarda iş yapan insanlar da bu arkadaşların yalnız olmadıklarını gösterecek ölçüde onlara destek olmuştur. Böylece bu arkadaşlar, bize sahip çıkılıyor duygu ve düşüncesi içerisinde, gittikleri yerlerde kendilerini yalnız hissetmemiş, bu durum da muhatap oldukları insanlar üzerinde çok olumlu tesirler meydana getirmiştir.

Gönüllere İnşirah Salan Dil Olimpiyatları

Bu açıdan bakıldığında her yıl ülkemizde tertip edilen dil olimpiyatları da dünyanın dört bir yanında hizmet eden hizmet erleri için bir rükn-ü şedid sayılabilir. Çünkü çok farklı ülkelerden gelen öğrenciler Türkçe konuşuyor, konuştukları bu dille sevgi, barış ve hoşgörü adına insanlığın özlediği ve beklediği bir manzara ortaya koyuyorlar. Halkı ve devlet ricaliyle ülkemizin insanı da bu öğrencilere ve onlara vesile olanlara yürekten sahip çıkıyorlar. Her sene daha da genişleyen bir daire içinde icra edilen bu aktivitelere eskiden sadece İstanbul ve Ankara ev sahipliği yaparken, şimdilerde Bursa, Balıkesir, Edirne, Kayseri, Konya, Van, Sivas, Denizli, Trabzon, Adana, Erzurum, İzmir, Kırklareli, Gaziantep, Diyarbakır, Şanlıurfa, Karaman, Afyon, Samsun, Mersin, Antalya, Sakarya ve daha başka iller de bu Olimpiyatlara sahip çıkıyorlar. Önümüzdeki yıllarda kim bilir daha kaç vilâyet bu aktivitelere kucak açacak ve böylece dünyanın dört bir yanından gelen öğrenciler, gelecek adına ümit vaat eden şiir, türkü ve şarkılarıyla içlere inşirah salmaya devam edecek. İşte içlerinde idarecilerin de bulunduğu bütün bir milletin bu işin arkasında durup ona alkış tutması dünyanın değişik yerlerinde hizmet veren arkadaşların kuvve-i mâneviyesini takviye edecek ve onlar için bir moral ve güç kaynağı olacaktır.

Mevzu ile alâkalı ayrı bir husus olarak şunu da ifade etmek istiyorum: Seyyidina Hazreti Lût'un لَوْ أَنَّ لِي بِكُمْ قُوَّةً أَوْ اٰوِي إِلٰى رُكْنٍ شَدِيدٍ sözünden hareketle şöyle bir sonuca ulaşabiliriz: Allah yolunda mücahede ve mücadelede bulunan herkes mutlaka arkasını sağlam bir dayanağa dayamalıdır. Zira kuvve-i mâneviyenin takviye edilmesi ve muhatapların güveninin kazanılması adına bu güveni verebilecek bir kuvvet kaynağının, bir dinamonun bulunması çok önemlidir. Mesela dünyanın dört bir yanında hizmet veren eğitim müesseselerini Türkiye'deki idarecilerin samimî ve gönülden ziyaret ve destekleri, bu fedakâr insanların her zaman arkalarında olduklarını ifade etmeleri, aktivitelerine iştirak etmeleri şimdilerde zılliyet planında bir dünya hâdisesi hâline gelmiş bu hareket için çok önemli bir takviyedir. Hiç şüphesiz bir mü'min için en büyük dayanak Cenâb-ı Hakk'ın havl ve kuvveti, kudret ve inayeti, riayet ve kilâetidir. Fakat unutulmaması gerekir ki, esbap dairesi içinde bulunuyoruz ve sebeplere riayetle mükellefiz. Dolayısıyla esbabı görmezlikten gelemeyiz.

Bu arada şunu ifade edeyim ki, her ne olursa olsun, biz kendi duygu ve düşüncemizi, ruhumuzun ilhamlarını başka gönüllere duyurmaya çalışırken kesinlikle iddiadan içtinap etmeli, dayatma arzu ve temayülünden mutlaka kaçınmalı ve hatta dayatma gibi algılanabilecek tavır ve davranışlardan uzak durmalıyız. Fevkalâde yumuşak bir üslûpla, duygu ve düşüncelerimizi muhataplar tarafından hüsnükabul görecek tarzda sunmaya dikkat etmeliyiz. Hatta bizim onlara vereceğimiz güzel ve faydalı şeyler yanında onlardan da alacağımız, istifade edeceğimiz bir kısım güzel ve faydalı şeylerin olduğunu/olacağını unutmamalıyız. Zira günümüzde küreselleşen dünyada değişik coğrafyalarda çok önemli şeyler inkişaf etmiş ve gelişmiş olabilir. Başkalarından alacağımız farklı fikir ve değerlendirmeler, duygu ve düşünce dünyamızda bizi yeni terkiplere götürebilir. O hâlde bize düşen insanlığa faydalı olabilecek her türlü güzelliği alıp onlardan istifade etmeye çalışmak olmalıdır.

Gül Alınıp Gül Satılan Pazar Yerleri

Kendi güzelliklerimizi gönüllere duyurma meselesine gelince, bu güzellikleri hâlimizle, eğitim sistemimizle, kültür lokallerimizle ve varsa yayın organlarımızla arz edip ortaya koymaya çalışırız. Güzellik teatisinde bulunurken bu durumu âdeta herkesin elindekini teşhir edebileceği bir pazar yeri hâline getirme gayreti içinde oluruz. Böylece müşterisini bulan kıymet ve değerler, talebe bağlı olarak insanlara ulaşmış olur. Yoksa geçmişten tevarüs edilen değerler mecmuasını başkalarına dayatma, dayatıp tepeden bakma mülâhazasıyla meseleleri sunma kat'iyen doğru değildir. Hiçbir zaman hatırdan çıkarılmaması gerekir ki, sizin değerleriniz muhataplarınızın çok ciddî ihtiyaç duyduğu bir keyfiyette olsa da, üslûp hatası yapıldığı takdirde, dıştan gelen her türlü güzelliğe karşı insanlar tepki verir, tepki gösterir. İşte böyle bir tepkiye sebebiyet vermemek için karşılıklı alışverişte bulunuyor gibi, bir taraftan başkalarından alacağımız güzel ve faydalı şeyler olduğunu unutmamalı, diğer taraftan da teşhir edeceğimiz güzellikleri muhatabın hoşnutluk ve kabulüne bağlı sunmalıyız.

Aslında küreselleşen bir dünyanın böyle bir etkileşime çok ciddî ihtiyacı vardır. Zira neticesi gidip kavgaya dönüşebilecek anlaşmazlık ve uzlaşmazlıkları ancak karşılıklı kültür alışverişinde bulunmak suretiyle engelleyebilir; engelleyip insanlık çapında bir sulh atmosferi oluşturabiliriz. Farklı kültür ve medeniyetler arasında bu türlü diyalog köprüleri ve sıcak bir ortam oluşturulmadığı takdirde, farklılık ve uyuşmazlıklar insanlığı, telâfisi mümkün olmayan kavga ve savaşlara sürükleyebilir. Günümüzde ortaya çıkacak böyle bir kavga ve vuruşma ise, ne Birinci ne de İkinci Cihan Harbi'ne benzer. Hiç şüphesiz böyle bir savaş, çok daha öldürücü ve tahrip edici olur. Zira atom bombası veya hidrojen bombasıyla yapılan bir harbin galibi olmaz. Böyle bir savaş bütün bir insanlığın sonu demektir.

İşte böyle bir tehlikeye karşı insanlığı korumak için; farklı anlayış ve kültürler arasında barış köprüleri oluşturmak, bazı şeyleri onlara ulaştırmanın yanında onlardan da bazı şeyleri almak ve böylece farklı toplum ve kültürlerin birbirine karşı yabancı ve vahşi olmadıklarını göstermek gerekir. Bu yapılabildiği takdirde farklı kültür ve anlayışlar arasında kavgaya götürücü ve ciddî anlaşmazlıklara sebebiyet verici farklılıkların bulunmadığı ortaya konmuş, yumuşama ve uzlaşmaya çok ciddî ihtiyaç duyulduğu bir dönemde insanlık adına çok önemli ve hayatî bir hizmet gerçekleştirilmiş olacaktır.

Kirlenen Şuuraltı Müktesebatıyla Mücadele

Soru: *Zihin ve kalbimizde önceden yer etmiş bulunan menfî şuuraltı müktesebatın kötü tesirlerinden nasıl kurtulabiliriz?*

Zihnimizi, ruhumuzu, his dünyamızı, mantık ve muhakememizi kirleten veya bir yönüyle mantık-muhakeme mekanizmamızı engelleyici bir malzeme, bir dolgu gibi karşımıza çıkan, dolayısıyla bizi rahatsız edebilecek sonuçlar doğurabilen müktesebat, sevimsiz müktesebattır. Bu tür müktesebat, insanın mânevî duygularını dumura uğratır, letâifini kirletir. Bu sebeple insan, iradesinin hakkını vererek, elden geldiğince onlardan sıyrılıp kurtulmaya çalışmalıdır. Bu tür çirkin ve zararlı müktesebat, kastımızın olmadığı, kasta iktiran etmeyen bir durum ve manzaranın sonucu da ortaya çıkmış olabilir. Fakat unutulmaması gerekir ki, o menfi şuuraltı müktesebat artık bizim için bir imtihan vesilesidir. Dolayısıyla bunlar, günahı çağrıştıran, ona sevk eden, hata ve günah duygusunu tetikleyen bir saik olarak görülmeli ve ona göre tedbir alınmalıdır. Mesela göz, bir yerde, olumsuz bir manzarayla karşı karşıya kalmıştır ve hafıza merkezlerinden biri o fotoğrafı kaydetmiştir. Şuuraltına atılan o fotoğraf zamanla şuur üstüne çıkabilir. Bu durum insanı fasit hayallere, çirkin hatıralara, kaygan zeminlere çekip sürükleyebilir. O hâlde insan –biraz önce ifade edildiği gibi– elden geldiğince bu tür menfi müktesebata karşı iradesinin hakkını verip onları kontrol altında tutmaya çalışmalıdır. Nitekim Kur'ân-ı Kerim, böylesine çirkin hatıralar insanın içinde uyanıp canlandığında hemen o atmosferden sıyrılıp uzaklaşılmasını tavsiye buyurmuştur.[16]

Ölümcül Virüsler ve Koruyucu Hekimlik

Mesela haram bir manzarayla karşı karşıya kalmanın zihinde hâsıl ettiği bir fotoğraf veya kulaklara çarpıp içeriye girmiş ve hafızada iz bırakmış çirkin bir söz her an insanı bir kötülüğe çağırabileceğinden insan bu duruma hiç hayat hakkı tanımaksızın hemen ondan sıyrılmaya bakmalıdır. Çünkü geçen zamanla birlikte onlar mevcudiyetlerini hissettirir ve tabir caizse insana bazı şeyleri dayatırlar. Tıpkı virüs gibidir onlar. Nasıl ki fizikî bünye zayıf düştüğü an mikroplar, insan bedeni üzerinde hemen hükmünü icra etmeye başlar; aynen öyle de, insanın mâneviyat adına zayıf düştüğü, mâneviyattan uzak kaldığı durumlarda, şuuraltı zemininde üreme imkânı bulan virüsler hemen harekete geçer, hücuma başlar ve insanı esir almaya çalışırlar. Onun için bazı mâneviyat büyükleri hayatlarını, herhangi bir fenalığa niyet olsa dahi, o fenalığı icra imkânı bulamayacakları şekilde planlamışlardır. Başka bir ifadeyle, bu büyük insanlar, baştan aldıkları tedbirlerle öyle bir yerde durmuşlardır ki, bir anlık bir gafletle fenalık yapma niyeti olsa dahi, onlar onu yapamaz olmuşlardır. Mesela günah ortamından uzak kalabilmek için, halvet ve uzlette yaşamayı tercih etmişlerdir. Onlar kötülüklerin gelip kendilerine zarar vermemesi için inzivayı bir set ve serhat gibi görmüş ve böylece günahlardan korunmak istemişlerdir. Ne var ki, dini yaşamakla beraber onu anlatma vazifesiyle mükellef bulunan inanan insanlar ve bilhassa dava-yı nübüvvetin vârisleri için, takip edilmesi gereken esas yol, esas mükemmellik halk içinde Hak'la beraber olmaktır. Tasavvufta buna celvet denilmiştir. Evet, halkın içinde

---

16 Bkz.: A'râf sûresi, 7/200-201; Fussilet sûresi, 41/36.

Hak'la beraber olmak, peygamberane bir tavırdır. Bulunduğu yeri elden geldiğince kendisine benzetmesi bir mü'minin temel görevidir. Mü'min, gönlünün nasıl olmasını arzu ediyorsa içinde yaşadığı atmosferi de öyle temiz hâle getirmeli, orada fenalık faktörlerini bütünüyle izale etmeye çalışmalıdır.

Sinsi Düşmanlara Karşı Kapatılan Delikler

Hani, Hicret esnasında, Sevr Mağarası'nda Hazreti Ebû Bekir Efendimiz için anlatılan bir menkıbe vardır. Bu menkıbeye göre, Allah Resûlü (aleyhissalâtü vesselâm) ve Hazreti Ebû Bekir (radıyallâhu anh) Sevr Mağarası'na ulaştıklarında, önce, Hazreti Ebû Bekir, zararlı hayvan olup olmadığını araştırmak ve içerisini temizlemek için mağaraya girer; girer ve akrep, yılan ve benzeri hayvanların zarar vermesine engel olmak için, yırttığı cübbenin parçalarıyla oradaki delikleri tıkar. Peygamber Efendimiz (sallallâhu aleyhi ve sellem), mağaraya girer ve bir müddet istirahate çekilir. Ne var ki, Hazreti Ebû Bekir'in delikleri kapamada kullandığı bez, son deliği kapatmaya yetmemiştir. Bunun üzerine o, o son deliği de ayak topuğu ile kapatır. İşte bu sırada bir yılan gelir ve Hazreti Ebû Bekir'in ayak topuğunu ısırır.

Sahih kaynaklarda aslı olmayan bu meselenin faslının bize ifade ettiği bazı hakikatler vardır. Bunlardan birisi Hazreti Ebû Bekir Efendimiz'in sadakatidir. Zira hakikaten bir yılanın saldırma tehlikesi bulunsaydı, Hazreti Ebû Bekir (radıyallâhu anh), ne yapar eder, her türlü tehlike ve meşakkati göze alır, İki Cihan Serveri'ne zarar gelmesin düşüncesiyle yılanın ağzına ayağını basardı. Bu yönüyle burada Hazreti Sıddîk'in sadakati vurgulanmaktadır.

Menkıbeden çıkarabileceğimiz ikinci bir mânâ ve mesaj ise şudur: Mü'min bulunduğu atmosferde Allah'la irtibatına, dinî ve mânevî hayatına zarar verebilecek her türlü tehlikeye karşı bütün menfezleri kapamalıdır. Buna muhtemel tehlike menfezleri de dahildir. Mü'min, icabında kendi varlığıyla o deliği tıkamalı ve Allah'a şöyle yalvarmalıdır: "Allah'ım! Ben bu noktada dünyevî hayatım itibarıyla her şeyimi kaybedebilirim ama ne olur yâ Rabbi, Seninle irtibatıma, kulluk şuuruma zarar verebilecek her türlü tehlikeden beni koru, muhafaza buyur; buyur da ruhumun âbidesi daima dimdik dursun, eğilecekse sadece ve sadece Senin karşında eğilsin."

Biraz önce ifade edildiği üzere bu vak'anın aslının her zaman münakaşası yapılabilir, fakat faslından istinbat edeceğimiz mânâlar itibarıyla mezkûr hâdise, bize örnek bir sadakat modeli sergilemenin yanında, temkin ve tedbir adına da önemli bir ders vermektedir. O ders de şudur: "Mü'min bulunduğu yer ve muhiti kendi rengine boyar ve o muhitte, kendi duygu ve düşüncesini yaşayabileceği bir atmosfer oluşturur."

Kötü Arkadaş ve Karayılan

Şimdi asıl konumuza dönecek olursak çirkin hayal ve hatıralardan sıyrılma adına yapılabilecek bazı hususları şu şekilde hulâsa edip maddeleştirebiliriz:

1. Resûl-i Ekrem Efendimiz (sallallâhu aleyhi ve sellem), öfke gibi insanı helâke sürükleyecek müfsit bir duygu ve düşünce insanı sardığı zaman, onu izale adına bir çare olarak şöyle buyurmuştur: إِنَّ الْغَضَبَ مِنَ الشَّيْطَانِ وَإِنَّ الشَّيْطَانَ خُلِقَ مِنَ النَّارِ وَإِنَّمَا تُطْفَأُ النَّارُ بِالْمَاءِ فَإِذَا غَضِبَ أَحَدُكُمْ فَلْيَتَوَضَّأْ *"Öfke şeytandandır, şeytan da ateşten yaratılmıştır, ateş ise su ile söndürülmektedir; öyleyse biriniz öfkelenince hemen kalkıp abdest alsın."*[17] Burada Efendimiz, bir hâl ve tavır değişikliğinden bahsetmektedir. İnsan psikolojisi açısından mesele tahlil edildiği zaman hadis-i şerifte tavsiye edilen bu hususun, öfkeyi kontrol adına başvurulabilecek müessir bir yol ve çare olduğu görülecektir. Bu hadis-i şeriften hareketle biz de diyebiliriz ki, insan günah atmosferinden sıyrılmak için mutlaka hâl, tavır, zemin ve ortam değişikliğine gitmelidir. Böylece o, öncelikle kafasındaki fâsit hatıra ve hayallerin dayatmasından sıyrılacak, daha sonra da farklı ortam ve

---

17   Ebû Dâvûd, *edeb* 4; Ahmed İbn Hanbel, *el-Müsned* 4/226.

farklı ahvalde farklı duygu ve düşünceler içine girerek o menfiliklerin iz ve tesirini zihin ve kalbinden silip atabilecektir.

2. Mü'min, her zaman salih arkadaşlara sahip olmalı, onlarla beraber bulunmalı, onlarla oturup kalkmalıdır. Hep arz etmişimdir, dinî ilimleri tedris edecek talebeye henüz Arapça eğitimine başlanmadan önce, "Kötü arkadaş karayılandan daha kötüdür. Onun tesirine girersen seni Cehennem'e sürükler. İyi arkadaş ise seni alır Cennet'e götürür." şeklinde ifade edebileceğimiz Farsça bir beyit öğretilirdi.

Evet, iyi arkadaş edinme çok önemlidir. Çünkü insan her zaman kendi kendine ayakta duramaz. İnsanı çadıra benzetecek olursak, o, varlık çadırının hem orta direği, hem de çevre kazıkları olamaz. Kişi, bir orta direk gibi kendi varlık çadırını omuzlarına aldığı zaman bir iki arkadaşının da o çadırın çevresini tutan kazıklar gibi olmasını istemelidir. Zira ancak böyle bir yapı ayakta durabilir. Kubbedeki taşlar baş başa verince dökülmez. Bu açıdan Efendimiz (aleyhissalâtü vesselam), اَلرَّاكِبُ شَيْطَانٌ وَالرَّاكِبَانِ شَيْطَانَانِ وَالثَّلَاثَةُ رَكْبٌ *"Bir yolcu şeytandır, iki yolcu da iki şeytandır. (Çünkü bir fenalıkta ittifak etme imkânı vardır.) üç yolcu ise rekbdir, cemaattir."* buyurur.[18] Peygamber Efendimiz (aleyhi ekmelüttehâyâ), bize böyle bir atmosfer tavsiye ettiğine göre, mü'min, atmosferini o hâle getirmelidir. O zaman bize düşen, her zaman salih ve sadık arkadaşlarla beraber olmaktır.[19] Böylece biz, bir hataya meylettiğimizde onlar hemen bizi ikaz edecek, bir yanlış karşısında bizi düzeltme gayreti içinde olacaklardır. Kim bilir belki de çok defa sevdiğimiz o arkadaşlardan hicap edip fena his ve heveslerimizi baskı altına alacak, kötü duygu ve mülâhazalardan uzak duracağız.

Müsaadenizle burada iç dünyamla alâkalı bir hususu antrparantez arz etmek istiyorum. Bazı hatalarımdan dolayı salih arkadaşlarım beni ikaz ettiklerinde, belki biraz utanmış, biraz hicap duymuşumdur. Belki nefsime ağır gelmiş de olabilir. Fakat hâsıl

---

18 Tirmizî, *cihâd* 4; Ebû Dâvûd, *cihâd* 86.
19 Bkz.: Tevbe sûresi, 9/119.

ettiği netice açısından meseleye baktığımda hep Rabbime hamdetmiş, o arkadaşlarıma karşı da gönlüm teşekkür duygularıyla dolmuştur. Zaten Üstad Hazretleri de "Benim boynumda veya koynumda bir akrep bulunduğunu biri söylese veya gösterse, ondan darılmak değil, belki memnun olmak lâzım gelir."[20] diye ikazda bulunmuyor mu? Salih bir mü'min, diğer mü'min kardeşine "Gözlerine, kulaklarına çok dikkat etmiyorsun!" diye ikazda bulunursa, o mü'min, belki yokuş aşağı giden bir arabanın fren yemesi gibi bir hayli sarsılır, bir sağa bir sola yalpalar ama ebedî hayat açısından meseleye baktığında esasen bu durumun hiç de önemli olmadığını görür. Çünkü aldığı bu tembihle, kendisine gelmiş ve fâsit bir daire içine düşmekten kurtulmuş olacaktır. İşte bu, salih arkadaşlarla beraber olmanın mükâfatıdır.

3. Mü'min bir ömür boyu hep inandığı değerlere ait duygu ve düşüncelerle oturup kalkmalı, onlarla dolup taşmalı, sürekli okuyup düşünmeli, hayatında hiçbir boşluğa fırsat vermeksizin her zaman temel kaynaklardan beslenmesini bilmelidir. Ayrıca bu istikamette ciddî bir teveccüh ve dua ile her zaman; "Allah'ım! Ne olur, günah ve isyandan bizi muhafaza buyur! Bizi gör ve gözet! Tut elimizden tut ki edemeyiz Sensiz!" itirafında bulunarak, Cenâb-ı Hak'tan sıyanet, inayet, kilâet, vekâlet ve riayet istemelidir. Nitekim Hazreti Ruh-u Seyyidi'l-Enâm (aleyhi ekmelüttehâyâ), يَا حَيُّ يَا قَيُّومُ بِرَحْمَتِكَ أَسْتَغِيثُ أَصْلِحْ لِي شَأْنِي كُلَّهُ وَلَا تَكِلْنِي إِلَى نَفْسِي طَرْفَةَ عَيْنٍ *"Ey Hayy u Kayyum! Rahmetine iltica edip yardımı Senden istiyorum. Her türlü hâlimi ıslah eyle ve beni göz açıp kapayıncaya kadar olsun nefsimle baş başa bırakma!"[21] diye dua buyurarak bize bu mevzuda takip edilmesi gereken ufku göstermektedir.

Son bir husus olarak şunu ifade edeyim ki, böylesine yürekten ve samimî bir şekilde Allah'a teveccühte bulunanlar şimdiye kadar takılıp yollarda kalmadıkları gibi, salih ve sağlam refik edinenler de Allah'ın inayetiyle hiçbir zaman zayi olmamışlardır.

---

20 Bkz.: Bediüzzaman, *Mektubat* s.66 (On Altıncı Mektup, Üçüncü Nokta).
21 en-Nesâî, *es-Sünenü'l-kübrâ* 6/147; el-Bezzâr, *el-Müsned* 13/49.

Küsme Hastalığı ve Çaresi

Soru: *Günümüzde insanların birbirlerine küsmeleri ve bu küskünlüklerini uzun süre devam ettirmeleri çok yaygın bir hastalık hâlinde. Şahsî, ailevî ve içtimaî problemlere yol açan böyle bir hastalığın tedavisi adına neler yapılabilir? İzah eder misiniz?*

Cevap: Küsme; birisine karşı kırılma, araya mesafe koyma, ona karşı tavır alma, kalben, ruhen ve hissen onunla irtibatını kesme, alâkadar olması gerektiği yerde alâkadar olmama hâlidir. Küskünlük çoğu zaman daha başka olumsuz davranışları da beraberinde getirir. Mesela arkadaşına küsen bir insan sadece küs durmakla kalmaz, bu ruh hâli içinde zamanla o arkadaşı hakkında verip veriştirmeye başlar. Hatta bu durum bazen gıybete, iftiraya kadar gider. Küs durduğu insanın, ayağının kaymasından, kapaklanıp düşmesinden memnun olur. İşin daha da vahim yanı, kişi bütün bu olumsuzlukları irtikâp ederken, nefsinin avukatlığını yüklenip kendisini haklı görme ve gösterme yolunda olduğundan nasıl azim bir hata ve günah içinde bulunduğunun farkında değildir. Oysaki bütün bunlar Allah nezdinde çok mahzurlu ve ahiret hayatı adına da insanın kayıp gitmesine sebep olacak mezmum fiillerdir.

Bu mevzuda Resûl-i Ekrem Efendimiz'in (sallallâhu aleyhi ve sellem) ikaz ve tavsiyeleri çok önemlidir. Mesela bir hadis-i şeriflerinde O şöyle buyurur: لَا يَحِلُّ لِمُسْلِمٍ أَنْ يَهْجُرَ أَخَاهُ فَوْقَ ثَلَاثَةِ أَيَّامٍ

"Bir Müslüman'a, kardeşine üç günden fazla küsmesi helâl değildir."[22] Demek ki, bir mü'min, ne olursa olsun küslüğünü, dargınlığını en fazla üç gün devam ettirebilir. Bu arada hemen şunu ifade edelim ki, eğer dargınlık meşru bir esas ve mesnede, Fıkıh Usûlü'ndeki ifadesiyle sağlam bir menata dayanmıyorsa üç gün bile küs durmak helâl olmaz. Evet, insan, küsmeyi gerektiren sebepler hakikî ve meşru olduğu takdirde –ancak o zaman– üç gün küs durabilir. Böyle bir küskünlüğü de Sahib-i Şeriat üç günle sınırlamıştır. Zira bu süre içinde sizin hafakanlarınız dinecek, köpüren hissiyatınız yatışacak, kırgınlığınız zayıflayacak ve sakin bir ruh hâli içinde, küstüğünüz kişinin haklarını yeniden mülâhazaya alacaksınız. Bunun neticesinde kardeşlik duygu ve düşüncesi ruhunuzda bir kere daha canlanacak, açtığınız mesafeyi kapatacak ve o kardeşinizle yeniden sarmaş dolaş olacaksınız. İşte hadis-i şerif, belli ölçüler vermek suretiyle bize küskünlük ruh hâlinden kurtulmak için böyle bir yolu talim etmektedir.

Hakikî ve Mecazî Küslük

Her ne kadar şimdiye dek hakikî ve mecazî diye bir tabir ve tasnifle meselenin üzerinde durulmamış olsa da, şahsın niyet ve maksadına göre biz küsmeyi böyle bir tasnif içinde ele alabiliriz. Buna göre, hakikî mânâda küsme mezmum bir hâl olsa da, mecazî mânâda küsme yer yer başvurulabilecek stratejik bir yol, stratejik bir hamledir. Mesela bir insanın kendi evlatlarına karşı, "Senden böyle bir şey beklemiyordum!" diyerek muvakkaten bir tavır alması mecazî bir küsmedir. Asr-ı Saadet'te yaşanan İlâ Hâdisesi'ne[23] de bu nazarla bakabilirsiniz. Bu noktada daha önce mükerreren arz ettiğim bir hatıramı müsaadenizle bir kez daha hatırlatmak istiyorum. İlkokul öğretmenim bir kere bir hâdiseden dolayı kulağımdan tutup, "Sen de mi?" demişti. Zannediyorum bana otuz tane değnek vursaydı bu kadar müessir olmazdı. Çünkü onun bu sözünde hem takdir, hem bir

---

22 Buhârî, *edeb* 57, 62, istîzân 9; Müslim, *birr* 23, 25, 26.
23 Bkz.: Tahrîm sûresi, 66/1-5; Buhârî, *ilim* 27, *savm* 11, *mezâlim* 25, *nikâh* 83, 91, 92, *talâk* 21, *eymân* 20; Müslim, *talâk* 30.

alâkayı hatırlatma, hem de benim o alâkayı kopardığıma/kopa-racağıma dair bir tembih vardı. Muallimimin bu davranışı, belki bir tavır almaydı ama onun bu tavrı, olumsuz bir yolda olduğumu hatırlatıp benim o yoldan dönmemi sağlayacaktı. İşte mecazî küsmeden kastımız budur. Yani ikaz edilecek şahsa karşı ölçülü bir tavır ve mesafeli bir duruş sergilemenin olumlu ve pozitif bir hedefe varma istikametinde bir metot olarak kullanılmasıdır.

Anne-Baba Hakkı ve Mecazî Küsme

Ancak, anne baba bundan istisna edilmelidir. Zira Cenâb-ı Hak onlar hakkında şöyle buyurmaktadır: وَقَضَى رَبُّكَ أَلَّا تَعْبُدُوا إِلَّا إِيَّاهُ وَبِالْوَالِدَيْنِ إِحْسَانًا إِمَّا يَبْلُغَنَّ عِنْدَكَ الْكِبَرَ أَحَدُهُمَا أَوْ كِلَاهُمَا فَلَا تَقُلْ لَهُمَا أُفٍّ وَلَا تَنْهَرْهُمَا وَقُلْ لَهُمَا قَوْلًا كَرِيمًا *"Rabbin, O'ndan başkasına iba-det etmemenize; anneye-babaya ihsanda bulunmanıza hükmet-ti; şayet onlardan biri veya her ikisi birden senin bakım ve görü-münde yaşlılığa ererlerse, sakın onlara 'öff' bile deme ve (hele asla) onları azarlama; onlara hep gönül alıcı sözler söyle!"*[24] Bu âyet-i kerimeyi namazda her okuyuşumda içime bir hançer sap-lanmış gibi oluyor. Çünkü kim bilir bilemediğimiz hangi tavırları-mız onları rencide etti. Üzerimde onca hakları olan, babam, an-nem, dedem, ninem, ablam, halam kim bilir benim hangi kaba ve nezaketsiz tavırlarımdan dolayı rencide oldular. Bütün bun-ları mülâhazaya alınca her defasında sineme bir zıpkın saplan-mış gibi hissederim. Bu sebeple, büyüklerim aklıma geldiğinde, رَبَّنَا اغْفِرْ لِي وَلِوَالِدَيَّ *"Rabbimiz! Beni, anne-babamı affeyle!"*[25] di-ye dua ediyor, ayrıca acaba bana geçmiş olan üzerimdeki hak-larını telâfi ettirebilir miyim diye, Cenâb-ı Hak imkân verdiği öl-çüde birilerini onlar adına umreye, hacca gönderiyorum.

Dolayısıyla anne-baba ve büyüklerimize karşı küsmenin mecazîsi bile kullanılmamalıdır. Evet, insan onlara karşı kesin-likle gönül koymamalı; kırgınlığına sebebiyet verecek çok ciddî

24 İsrâ sûresi, 17/23.
25 İbrahim sûresi, 14/41.

hususlar olsa bile yine de onlara karşı kırılmamalı; kendisi çok rencide edilse dahi kat'iyen onları rencide etmemelidir. Bilâkis her zaman onların gönülleri hoş tutulmalıdır. Yoksa bir gün gelir, insan yaptığı hataların farkına varır, ama iş işten geçmiş olur. Zira o gün itibarıyla artık o, hatalarını telâfi edemeyeceği bir noktada bulunuyordur. Bu açıdan insan hayatını öyle tanzim etmeli ki, zikzaklar yapmak suretiyle sonunda, "Keşke şöyle yapmasaydım da böyle yapsaydım!" demesin. Çünkü İnsanlığın İftihar Tablosu (aleyhissalâtü vesselâm) "keşke" demenin mahzurlu olduğunu ifade ediyor.[26] "Keşke" bir yönüyle kadere taş atma demektir. Bu sebeple gerekirse insanın yanında bir menajeri olmalı ve onu daha sonra "keşke" diyebileceği yanlışlıklar hususunda ikaz etmeli, yönlendirmelidir. Hani eskiden büyük hükümdarlar, yanlarında bazı insanlar bulundururlarmış. Bu şahıslar, çok ölçü ve endaze bilmediğinden padişaha karşı rahatlıkla ulu orta konuşurlarmış. Fakat padişah kendilerine bu konuda ruhsat verdiğinden dolayı bundan rahatsızlık duymaz, bilâkis onların bu tembihinden hizaya gelir ve yeniden kendi frekansına girermiş. Aynen bunun gibi günümüzde de insanlar yanlarında sürekli kendilerine tembihte bulunacak, onlara doğruyu gösterecek ve bir ibre vazifesi görecek bazı kimseler bulundurmalı ve netice itibarıyla keşke diyeceği eğriliklere girmemeli, yanlışlıklara düşmemelidir. Çünkü bu tür eğrilikler vicdan azabı şeklinde kendilerini hissettirseler bile bu, telâfi edilmesi gerekli olan şeyi telâfi edemez.

Asıl konumuza dönecek olursak, hayrı netice verecek, bizi veya karşımızdakini hayırlı bir yöne yönlendirebilecek hususlarda yumuşak bir nazlanma makbul olabilir ve mecazî küsme kategorisi içinde değerlendirilebilir. Bu hâli şefkat tokadına da benzetebilirsiniz. Mesela bir anne veya baba, evladını bir yanlışlıktan döndürmek için, onun kulağını hafifçe çekmek, sırtına hafif bir şekilde dokunmak suretiyle bir taraftan çocuğunun hâl ve hareketinden, gidişatından memnun olmadığını ifade ederken, diğer taraftan da yaptığı bu ikaz ve tembihi bir şefkat ambalajı içinde sunmaya çalışır. Fakat bilinmesi gerekir ki, bunlar epey bir mümarese gerektiren tavır ve davranışlar, yol ve metotlardır. İzdivaç

---

[26] Bkz.: Müslim, *kader* 34; İbn Mâce, *muladdime* 10.

yapacak insanlara evlenmeden önce iyi ve yeterli bir eğitim verilmediğinden dolayı maalesef bu tür konularda çok ciddî yanlışlıkların yapıldığını görüyoruz. Evet, eş hukuku, çoluk çocuk hukuku, anne-baba hukuku nedir, bunlar bilinmiyor. Bilinmeyince de çok ciddî hatalar irtikâp ediliyor. Bundan dolayı ben, evlenme mevzuunda insanların iyi bir eğitime tâbi tutulması ve ancak bunun akabinde kendilerine bir belge verildikten sonra evlenmelerine müsaade edilmesi gerektiği kanaatindeyim.

İbadet Sevabı Kazandıran Amel

Bir nebze de hakikî küsme üzerinde duralım: Bazen etrafımızdaki insanlar hakikaten bizi küstürecek davranışlar ortaya koyabilirler. Ama bu tür durumlarda bile Allah'a ve ahirete imanın gereği; kendimize, kendi hissiyatımıza rağmen küsmeme istikametinde bir cehd ve gayret içinde olmalıyız. Unutulmamalı ki, bir insanın küsebileceği bir yerde küsmemesi ona ibadet sevabı kazandırır. Çünkü o kişi orada nefsiyle yaka paça oluyor, iç tuğyanlarına ve taşkınlıklarına karşı başkaldırıyor ve neticede iradesinin hakkını veriyor demektir. Hazreti Pîr'in üçlü sabır tasnifini hatırlayacak olursak, bunlardan bir tanesi de belâ ve musibetlere karşı dişini sıkıp sabretmektir.[27] İşte böyle bir mevzuda sabretme, bir yönüyle bu kategoriye gireceğinden insana ibadet sevabı kazandıracağı rahatlıkla söylenebilir. Evet, bazen küsmeyi gerektirecek elli türlü sebeple karşı karşıya kalabiliriz. Fakat biz bütün bunları birer musibet olarak görüp onlara karşı dişimizi sıkıp sabretmesini bilmeliyiz. Bize küsseler bile biz küsmemeli; incitseler bile biz başkasını incitmemeliyiz. Zira bizi kırıp incittiklerinde, onlara karşı aynıyla mukabelede bulunmayıp belli bir esneklikle hareket ederek, kalkıp bir yolunu bularak o insanlara sarılabilirsek, din ve insanlık adına çok önemli bir fedakârlık yapmış, çok önemli bir fazileti yerine getirmiş oluruz.

Küsmenin içtimaî hayata bakan yönüne gelince; farklı dünya görüşüne sahip insanlar arasında ve bilhassa bunun siyasî

---

27   Bkz.: Bediüzzaman, *Sözler* s.287 (Yirmi Birinci Söz, Birinci Makam).

hayata yansıması noktasında günümüzde ciddî küskünlükler, kırgınlıklar, gönül koymalar yaşanabiliyor. Siyasî âlemdeki bu tavırları, makam, mansıp, paye ve ikbal hesapları daha bir tetikliyor. Öyle ki, muhalifini yıpratma adına, söylenmemesi gereken sözler söyleniyor, hilâf-ı vâki beyanlara giriliyor, neticede ciddî küskünlük ve dargınlıklar yaşanıyor. Hâlbuki makam-mansıp arzusuyla hareket edilmediği takdirde, milletimize, insanlığa hizmet adına herkesin iş ve vazife yapabileceği bir yol ve saha olduğu, herkesin koşabileceği bir kulvar bulunduğu görülecektir. Evet, bir toplumun mensubu olarak hepimiz, bu toplumun menfaat ve maslahatı adına, farklı farklı kulvarda olsa da netice itibarıyla aynı istikamete yönelip her zaman el ele olabilir, omuz omuza verebilir ve aynı hedefe doğru koşabiliriz. Bu koşuda rekabet hissi ve falanları geçelim mülâhazası da olmaz/olmaması gerekir. Belki cereyan eden bu yarış tenafüs dediğimiz, "Bu güzelliklerden ben de geri kalmayayım, en azından ben de koşturan şu insanlar kadar bir performans sergileyeyim." mülâhazasına bağlı olmalıdır. Dolayısıyla yol böyle geniş olunca burada sürtünme, kırılma, küsme de olmaz.

İman ve Kur'ân'ın güzelliklerini gönüllere duyurma niyet ve amelinde de aynı husus geçerlidir. Zira, Cenâb-ı Hak: وَالَّذِينَ جَاهَدُوا فِينَا لَنَهْدِيَنَّهُمْ سُبُلَنَا "*Şayet onlar insanların gönülleri ile Benim aramdaki engelleri bertaraf ederek gönülleri Allah'la buluşturma mücahedesi içinde bulunurlarsa, Ben de tek yolla değil, pek çok yolla onları Kendime ulaştırırım.*"[28] buyuruyor. Hazreti Pîr, bir yerde اَلطُّرُقُ إِلَى اللهِ بِعَدَدِ أَنْفَاسِ الْخَلَائِقِ "*Allah Teâlâ'ya giden yollar mahlûkatın solukları sayısıncadır.*"[29] hakikatini nazara veriyor.[30] Evet, Allah'a ulaştıran yollar pek çok olduğuna göre insan biriyle olmazsa öbür yolla Allah'a ulaşabilir. Meseleyi sofî bakış açısına göre misallendirecek olursak şöyle de diyebiliriz: Nakşî yolu da, Kadirî yolu da, Şâzilî, Rufaî, Bedeviye, Halidî ve Melâmî yolu da hepsi O'na ulaşır. Bu açıdan, farklılıklar küsme mevzuu

---

28 Ankebût sûresi, 29/69.
29 Bkz.: İbn Arabî, *el-Fütûhâtü'l-Mekkiyye* 3/549; el-Âlûsî, *Rûhu'l-meânî* 1/396, 6/165, 14/160.
30 Bkz.: Bediüzzaman, *Mesnevî-i Nuriye* s.229 (Nokta, İkinci Burhan).

yapılmamalı, bu tür mevzularda kıskançlık ve rekabete girilmemeli ve aynı zamanda, "alan ihlâl edildi", "alanımıza girildi" gibi mülâhazalara prim verilmemelidir.

Evet, inanan gönüller olarak biz, kardeşlerimize karşı olabildiğince yumuşak ve mülâyim olmalı, yutağı incitmeden gırtlaktan aşağı akabilecek duygu ve düşüncelere sahip bulunmalı ve bu duygu ve düşünceleri de aynı yumuşaklık ve mülâyemet içinde sunmasını bilmeliyiz.

"Allah'ın Eli Cemaatle Beraberdir"

Her ne kadar küsme çok çirkin, çok mezmum bir fiil ise de, kendini ilme, insanlığa adamış fedakâr ruhlar arasında da bazen vuku bulabilir. Bundan dolayı topluma ve hayata dair değişik branşlarda dargınlık ve küskünlükleri gidermeye matuf ekipler oluşturulmasında ciddî yarar görüyorum. Zira Hazreti Pîr'in ifadesiyle vifak ve ittifak, yani insanların anlaşıp uzlaşmaları tevfik-i ilâhînin en önemli bir vesilesidir.[31] Bunu teyit eden bir âyet-i kerimede şöyle buyruluyor: يَدُ اللهِ فَوْقَ أَيْدِيهِمْ *"Allah'ın eli onların ellerinin üzerindedir."*[32] Yani Allah'ın himayesi, inayeti, riayeti, kilâeti, lütfu, ihsanı onların üzerindedir. Resûl-i Ekrem Efendimiz (sallallâhu aleyhi ve sellem) bu âyet-i kerimeyle alâkalı buyuruyor ki: يَدُ اللهِ مَعَ الْجَمَاعَةِ *"Allah'ın eli cemaatle beraberdir."*[33] Bir başka hadis-i şerifte ise Hazreti Ruh-u Seyyidi'l-Enâm (aleyhi elfü elfi salâtin ve selâm) şöyle buyuruyor: مَنْ أَرَادَ بُحْبُوحَةَ الْجَنَّةِ فَلْيَلْزَم الْجَمَاعَةَ *"Her kim Cennet'in göbeğine otağını kurmak isterse, toplumdan ayrılmasın."*[34] Yani ihtilâf ve iftiraklara düşmesin. Zira toplumdan, heyetten kopan aynı zamanda Allah'ın inayetinden de uzaklaşmış olur. Evet, küskünlük, dargınlık, hazımsızlık, çekememezlik veya bazı şeyleri içine sindiremediğinden

---

31 Bkz.: Bediüzzaman, *Lem'alar* s.189 (Yirminci Lem'a, Birinci Nokta), s.202 (Yirmi Birinci Lem'a, İkinci Düstur).
32 Fetih sûresi, 48/10.
33 Tirmizî, *fiten* 7; İbn Hibbân, *es-Sahîh* 10/438.
34 Tirmizî, *fiten* 7; Ahmed İbn Hanbel, *el-Müsned* 1/26; el-Bezzâr, *el-Müsned* 1/269.

dolayı bir heyetten cüda düşen aynı zamanda Allah'ın inayetinden de cüda düşmüş demektir.

Küçük Diye Bir Şey Yoktur

Bütün bunların hepsini birden mütalâaya alacak olursak, kırgınlık, dargınlık ve küsmelerin ne kadar büyük bir felâket olduğu; insanları barıştırma ve uzlaştırmanın ise o ölçüde ne büyük sevaplı bir iş olduğu anlaşılır. Zaten dinimizde temelde hiçbir hayrı, hiçbir iyiliği hafife almamak esastır. Zira Allah (celle celâluhu) insanları bazen yapmış oldukları küçük amellerle Cennet'in göbeğinde rü'yet yamaçlarında bir yere oturtarak onlara duyulmadık şeyleri duyurabilir, görülmedik şeyleri gördürebilir. Mevzu ile alâkalı bir hadis-i şerifte buyruluyor ki: اتَّقِ اللهَ عَزَّ وَجَلَّ وَلَا تَحْقِرَنَّ مِنْ الْمَعْرُوفِ شَيْئًا *"Takva dairesi içinde ol ve mâruftan yani Allah'ın hoş gördüğü şeylerden hiçbir şeyi hafife alma!"*[35] Hâdiselere bu bakış açısıyla baktığımızda aslında küçük diye bir şey olmadığını anlarız. İnsanlığın İftihar Tablosu (aleyhissalâtü vesselâm), aynı hususu anlattığı değişik hadis-i şeriflerinde ise, insanın kardeşinin yüzüne gülümsemesinin,[36] ona güzel bir söz söylemesinin,[37] eşinin ağzına koyduğu lokmanın,[38] insanların gelip geçtiği yoldan onlara eziyet verebilecek bir engeli kaldırıp atmanın[39] sadaka olduğunu ifade buyuruyor. Yani şayet yolda bir hendek varsa, siz bir arabanın tekerleği o hendeğin içine girmesin diye oraya bir taş koymak veya insanların ayağına batmasın diye bir dikeni yoldan kaldırıp atmak suretiyle ibadet yapmış oluyorsunuz. İşte bu türlü basit gibi görülebilecek amellerin hangisiyle insanın Cennet'in göbeğinde otağını kuracağı belli değildir.

Konuyla ilgili bir menkıbe arz edeyim: Harun Reşid'in zevcesi Zübeyde Hanım önemli hizmetler yapmış büyük bir

35 Ahmed İbn Hanbel, *el-Müsned* 5/63; el-Bezzâr, *el-Müsned* 9/380; en-Nesâî, *es-Sünenü'l-kübrâ* 5/486; et-Tayâlisî, *el-Müsned* s.167.
36 Bkz.: Müslim, *birr* 144; Tirmizî, birr 45; Ahmed İbn Hanbel, *el-Müsned* 3/360.
37 Bkz.: Buhârî, *cihâd* 128, *edeb* 34; Müslim, *zekât* 56.
38 Bkz.: Buhârî, *îmân* 41, cenâiz 37, vesâyâ 2, menâkıbü'l-ensâr 47; Müslim, *vasıyyet* 5.
39 Bkz.: Buhârî, *cihâd* 128, *edeb* 34; Müslim, *zekât* 56.

kadındır. Bir dönem hacılar Arafat ve Müzdelife'ye giderken suları Mekke'den sırtlarına alıp öyle gidiyorlarmış. O anamız o günün şartlarında Mekke'den Mina, Müzdelife ve Arafat'a kadar su yolları ve çeşmeler yaptırarak çok önemli bir hayra vesile olmuştur.[40] Milyonlarca insanın o sudan içmesine ve abdest almasına imkân hazırlamıştır. Elbette Cenâb-ı Hak böyle önemli bir hizmeti boşa çıkarmaz. Ben altmış sekizde hacca gittiğimde o büyük kadının yaptırdığı bu çeşmeleri görmüştüm. Osmanlılar bu su yolunu takviye ederek onu çok uzun bir dönem koruma altına almışlardır.

İşte bu kadar büyük bir hizmet yapan anamızı rüyada görünce, kendisine: "Cenâb-ı Hak sana nasıl muamele yaptı?" diye soruyorlar. O da şöyle cevap veriyor: "Ben şöyle şöyle ameller yapmıştım. Fakat benim kurtulmama vesile olan amelim şu oldu. Bir gün ezan-ı Muhammedî minarelerde çınlayınca, o esnada 'Ezanı dinleyelim!' deyip yanımdakileri susturdum. İşte öbür âleme gittiğimde bana: 'Allah bundan dolayı seni bağışladı.' dediler."[41]

Evet, bu dünyada bize çok küçük ve basit gibi gelen bir meselenin Cenâb-ı Hak katında nasıl bir kıymeti olduğunu biz bilemiyoruz. Allah'ın (celle celâluhu) hangi amelle bizden hoşnut olacağını, hangi amelle rıdvanıyla serfiraz kılacağını, hangi vesileyle Cennetiyle bizi sevindireceğini bilemeyiz. Bu açıdan büyük-küçük demeden O'nun emrettiği her şeyi yerine getirmeye çalışmalıyız.

Barış Heyetleri

Bütün bunları küsleri barıştırma mevzuunun önemine dikkat çekmek için size arz ettim. Fakat bir kez daha ifade edeyim ki, mesele çok önemli olduğundan dar alanlı bırakmayarak bu iş için ekipler oluşturulması gerekir. Bu konuda tecrübe sahibi, muhataplarının karakterlerini doğru okuyabilecek ölçüde insan psikolojisine vâkıf, mantık, muhakeme ve ifade kabiliyetleri

40 İbnü'l-Cevzî, *el-Muntazam* 10/277; İbn Hallikân, *Vefeyâtü'l-a'yân* 2/314.
41 Bkz.: Halil İbn Şâhîn, *el-İşârât* s.871.

güçlü insanlardan heyetler oluşturup küskünlük ve dargınlığın pençesinde bulunan insanlara yardımcı olunmalıdır. Her ne kadar toplumda din, diyanet noktasında belli bir boşluk, belli bir cehalet yaşansa da, insanımız Allah'a ve Peygamber'e bağlı, dinine, diyanetine saygılıdır. Bu sebeple herkese hitap eden dinimizin evrensel prensip ve dinamikleri kullanılarak aradaki küskünlükler giderilebilir, kırgınlıklar telâfi edilebilir ve yeniden insanların birbiriyle kucaklaşmaları sağlanabilir.

Arabuluculuk diyebileceğimiz bu misyon, bu vazife mahallî olabileceği gibi daha geniş dairede de yapılabilir. Yani böyle güzel bir vazifeyi mahallede, köyde, şehirde yapabileceğiniz gibi, meseleyi daha geniş daireye taşıyarak ülke çapında da yerine getirebilirsiniz. Hatta meseleyi daha da ileriye götürerek uluslararası münasebetler açısından da değerlendirebilirsiniz. Bu konuya katkısı olanlar için Allah Resûlü'nün (sallallâhu aleyhi ve sellem) vaat ettiği fazilet ve sevap şu şekildedir: أَلَا أُخْبِرُكُمْ بِأَفْضَلَ مِنْ دَرَجَةِ الصِّيَامِ وَالصَّلَاةِ وَالصَّدَقَةِ قَالُوا بَلَى قَالَ إِصْلَاحُ ذَاتِ الْبَيْنِ وَفَسَادُ ذَاتِ الْبَيْنِ الْحَالِقَةُ *"Size oruç, namaz ve sadakanın derecesinden daha üstün olan şeyi haber vermeyeyim mi? Evet (Ey Allah'ın Resûlü, söyleyin!) dediler. İnsanların arasını düzeltmektir. Çünkü insanların arasındaki fesat bozukluk (dini kökünden) kazır."*[42]

Esasında, günümüzde Anadolu insanının dünya çapında gerçekleştirmeye çalıştığı diyalog faaliyetlerini bu kategoride değerlendirebilirsiniz. Evet, "diyalog" deyip dünyanın dört bir yanına açılma, küs milletleri birbiriyle barıştırma, bu mevzuda sürekli strateji oluşturma, taktik geliştirme ortaya çıkabilecek ihtilâfların, savaşların, hercümerçlerin önünü alma adına çok önemlidir. Günümüzde ihtilâf ve tefrikaya karşı mücadelenin en önemli yolu ise eğitim faaliyetleridir. Yani siz barış, hoşgörü, diyalog gibi insanî fazilet ve evrensel değerler noktasında mükemmel fertler yetiştireceksiniz. Öyle ki onlar, birkaç dil bilmenin yanında değişik fenlerde ihtisas sahibi olacak ama aynı zamanda insanî değer ve faziletlerle meşbu, yaşatma idealiyle dopdolu

---

[42] Tirmizî, *kıyâmet* 56; Ebû Dâvûd, *edeb* 50.

hâle gelecekler. Bulundukları her yerde insanlığa faydalı olmak için doktoralar, post doktoralar yapacaklar. İşte her yerde parmakla gösterilecek bu insanlar ortaya çıkan fitne ve azgınlıkların önüne geçmede frenleyici unsurlar olacak ve bu konuda önemli bir misyon eda edecekler. Bu, bir yönüyle küresel çapta bir barıştırma ve uzlaştırma meselesidir. Dolayısıyla mikro planda veya lokal olarak ele alınan bu meselenin uluslararası çapta da ele alınması gerekir.

Devlet ricali, farklılıkların bir kavga vesilesi olmaması için, medeniyetler ittifakı düşüncesiyle bir araya gelerek belli konularda anlaşıp müşterek hareket edebilirler. Elbette ki böyle bir hareket, insanlık adına çok önemlidir, takdir edilmesi ve alkışlanması gereken bir faaliyettir. Fakat böyle bir anlayış, toplumların kılcal damarlarına kadar inmemişse yani toplum tabanında benimsenmemiş, sindirilmemiş, içselleştirilmemişse bu tür ceht ve gayretler bir mânâda havada kalır. O sebeple meseleyi halklara mâl etmenin yollarını aramak gerekir. İsterseniz siz buna devlet ricalinin başlattıkları hareketi halka mâl etmek suretiyle rical-i devlete yardımcı olma gözüyle de bakabilirsiniz. Meselenin kalıcılığı da ancak buna bağlıdır.

Soğuk harp döneminde uzun zaman komünist dünya ile kapitalist dünya kavga ettiler. Aradaki küçük ülkelerden bazıları o pakta, bazıları da diğer pakta dahil oldular. Bu ülkelerin her biri, böyle bir ayrışma ve kutuplaşma neticesinde yıllar boyu çok değişik sıkıntı ve zorluklar yaşadılar. İnsanın aklına geliyor ki, acaba o günlerde fikir adamı, feylesof veya düşünürler tarafından bu meselenin kavgasız da olabileceği gür bir sesle ifade edilebildi mi? Acaba böyle bir uzlaştırma iradesi ortaya kondu mu; böyle bir uzlaştırma tavrı oldu mu? Olmadı gibi geliyor bana. Aksine devletlerin birbirini yemesi mevzuunda farklı kışkırtmalar yaşandı. Birileri kendi adamlarını kışkırtırken öbürleri de yine kendi adamlarını kışkırttı ve böylece bir silâh yarışına girildi. Her bir pakt bir yeri işgal ederek oraya nüfuz etti ve insanlara yıllar boyu sürecek korku ve dehşet yaşattılar. Muhabere ve muvasala imkânlarının geliştiği, öldürücü silâhların daha güçlü hâle geldiği bir dönemde bence bu meseleyi uluslararası platforma taşımak suretiyle milletleri birbiriyle barıştırma yollarını araştırmak önemli bir ibadettir.

Tertemiz Kalble Ötelere Yürümek

Küsleri birbiriyle barıştırmak suretiyle arabuluculuk yapmak aynı zamanda Allah ahlâkı ile ahlâklanma[43] demektir. Zira bir kısım hadis-i şeriflerde Cenâb-ı Hakk'ın bazı kulları arasında tabir caizse arabuluculuk diyebileceğimiz bir icraat-ı sübhaniyesi ifade ediliyor. Mesela bu dünyada bir insan bir başkasının hakkını yemiş olarak ahirete intikal etti diyelim. Fakat hak yiyen bu insan nezd-i ulûhiyette değerli bir insan. Ahirette Cenâb-ı Hak, hak sahibine diyor ki: *"Senin bu kulumdan alacağın var. Ama sen Benim bu kuluma hakkını helâl edersen Ben de sana şunları şunları vereceğim."* İşte böyle bir davranışı biz dünyadaki ferdî, ailevî ve içtimaî hayatımıza alıp uygulayarak o ahlâk-ı ilâhî ile ahlâklanabiliriz. Evet, eğer Allah (celle celâluhu) ahirette insanlar arasında böyle bir muamelede bulunuyorsa, bu bizim için de çok önemli bir referanstır. Kanaatimce biz, bu ilâhî ahlâkı değerlendirmeli ve her zaman içimizdeki küsleri barıştırma gayreti içinde olmalıyız.

Ben kimseye küstüğümü hatırlamıyorum. Kırk, elli senedir aleyhimde yazı yazan insanlar var. Bu insanlar, gülsem de aleyhimde yazıyorlar, ağlasam da aleyhimde yazıyorlar. İkisinin ortasında duruyor olsam, muhakkak onunla da alâkalı bir şey bulup yazıyorlar. Ben bu insanlara küsmedim/küsmem, bilâkis onların hâline acırım. Demek ki yazacak başka mevzu bulmada zorluk çekiyorlar, diye düşünürüm. Tabiatımda olmadığı için böyle insanlar hakkında hiçbir zaman, "Yuvarlansın ve Cehennem'e gitsinler." demedim. Hatta bir zamanlar yakın birisi, olmadık gadr u cefada bulunduğunda bir ara aklımdan Allah'ın onu cezalandırması geçti. Çünkü yakının gadr u cefası insana çok daha fazla dokunur. Fakat buna rağmen ben odama girdim ve "Yahu

---

43 Bkz.: el-Kelâbâzî, *et-Taarruf* 1/5; el-Gazzâlî, *İhyâu ulûmi'd-dîn* 4/306.

ne hakla!" dedim. Allah şahit, hıçkıra hıçkıra ağladım. Çünkü bir insanı Cehennem'e mahkûm etmek kolay bir şey değildir. Onun sana yaptığı kötülük seni Cehennem'e mahkûm etme değil ki! Kaldı ki öyle bile olsa o seni Cehennem'e attı diye sen de onu Cehennem'e atamazsın. Bu açıdan bence küsmenin, darılmanın, birilerine karşı hınç duymanın bir anlamı yoktur. Allah huzuruna kalbimiz temiz ve hiçbir kimseye karşı içimizde gıll u gış olmadan gitmeliyiz. Biz, Arapçadan dilimize geçen bu ifadeyi, içimizde kıl kadar bir şey olmadan şeklinde anlarız. Fakat bunun mânâsı esasen içimizde hiç kimseye karşı olumsuz, negatif bir şeyin olmaması demektir. Canın cânana koşması gibi, Allah'ın sizi beklemesine cevap olarak siz de O'na tertemiz bir gönülle gitmelisiniz.[44] Fuzulî ne hoş söyler:

> *"Canımı cânan eğer isterse minnet cânıma*
> *Can nedir kim, ânı kurban etmeyem cânânıma..."*

Bence, "Sen hep böyle arınmış olarak yaşadın, gel artık!" davetine saf, duru ve tertemiz bir hâlde gitmek lâzım. Rabbim, hepimize ötelere yürürken, böyle bir ufuk, böyle bir anlayış nasip eylesin. Âmin!

---

[44] Bkz.: Şuarâ sûresi, 26/88-89.

Büyük Bir Günah: Gulûl

S **oru:** Âl-i İmrân Sûresi'ndeki; وَمَا كَانَ لِنَبِيٍّ أَنْ يَغُلَّ وَمَنْ يَغْلُلْ يَأْتِ بِمَا غَلَّ يَوْمَ الْقِيَامَةِ ثُمَّ تُوَفَّى كُلُّ نَفْسٍ مَا كَسَبَتْ وَهُمْ لَا يُظْلَمُونَ "Emanete hıyanet etmek, bir peygamberin yapacağı iş değildir. Her kim hıyanet edip de ganimetten veya kamuya ait hâsılattan bir şey aşırır, bunu da gizlerse, kıyamet gününe o vebalini aldığı şeyler, boynuna asılı olarak gelir. Sonra her kişiye kazandığı şeylerin mükâfatı veya cezası eksiksiz verilir. Ve onlar aslu haksızlığa uğratılmazlar."[45] âyet-i kerimesiyle çirkinliği anlatılan ve kebâirden kabul edilen "gulûl"[46] ne demektir? "Gulûl"ün çerçevesini ve günümüz insanının söz konusu âyet-i kerimeden alması gereken mesajları lütfeder misiniz?

Cevap: Umumî mânâsıyla gulûl, hakkı olmayan bir şeye el uzatma, ondan yararlanma, emanete hıyanet etme demektir. Daha hususî çerçevede ise, taksimat yapılmadan önce ganimet malından bir şeyler aşırma, kamu malından gizlice bir şeyler alma, devlet malında suistimalde bulunma mânâlarına gelir.

İffetin Eşsiz Kahramanı

Âyet-i kerimenin başında وَمَا كَانَ لِنَبِيٍّ buyrulmuş, bütün peygamberleri içine alan umumî bir ifade kullanılmıştır. Böyle bir üslûbun tercih edilmesiyle şu iki önemli hususa dikkat çekilmiştir:

---

45 Âl-i İmrân sûresi, 3/161.
46 Bkz.: Buhârî, *cihâd* 189, *hums* 8; Müslim, *îmân* 182, *cihâd* 32.

Bir; sadece Hazreti Muhammed Mustafa (sallallâhu aleyhi ve sellem) değil, hiçbir nebi gulûle girmemiştir. Evet, ne Hazreti Âdem, ne Hazreti Nuh, ne Hazreti Hud, ne Hazreti Salih, ne Hazreti Musa, ne Hazreti İsa ne de diğer peygamberler (aleyhimüsselâm), içinde umumun hakkı bulunan hiçbir şeye el uzatmamışlardır. Onlar ancak yüzde yüz hakları olduğuna inandıkları şeyleri almışlardır.

İki; peygamberlerden hiçbirisi gulûle girmediğine göre, bütün bu şecere-i mübarekenin en münevver meyvesi olan Hazreti Muhammed Mustafa'nın (sallallâhu aleyhi ve sellem) gulûle girmesinin söz konusu olamayacağı evleviyetle anlaşılır. Zira peygamberlik halkası bir tesbihin taneleri konumundaysa, İnsanlığın İftihar Tablosu (aleyhissalâtü vesselâm) o tesbihin imamesidir. Tesbih ancak O'nunla tesbih olmuş, O'nunla tamamlanmıştır. Zira varlık O'nunla başlamış,[47] O'nunla kemale ermiştir. Neyin nerede başlayıp nerede bittiği O'nunla anlaşılmıştır. Eşya ve hâdiseler O'nunla şerh edilmiş, O'nun sayesinde doğru okunabilmiş ve mârifet adına değerlendirilerek onlardan doğru mânâlar çıkarılabilmiştir. O hâlde her güzel hasleti zirvede temsil eden İnsanlığın İftihar Tablosu (aleyhi elfü elfi salâtin ve selâm) iffetin de serdarı, sernüması, serkârı, pîşuvası ve rehnümasıdır.

Âyet-i kerime için muhtelif nüzul sebepleri rivayet edilmiştir. Bunlardan biri de, bu âyetin Uhud muharebesi münasebetiyle nazil olduğu şeklindedir. Buna göre bir kısım toy insanlar, belki ekseriyeti itibarıyla da münafıklar –hâşâ ve kellâ– Resûl-i Ekrem Efendimiz'in (sallallâhu aleyhi ve sellem) savaşta elde edilen ganimetleri alarak kendi hesabına değerlendireceği şeklinde uygunsuz düşüncelere kapılmışlardı.[48] İşte âyet-i kerime beliğ bir ifadeyle daha başta bütün hayatını kemal-i hassasiyetle yaşayan O Kâmet-i Bâlâ için gulûlün asla söz konusu olamayacağını ifade ediyor. Esasında sadece şu vak'a dahi O'nun o baş döndüren iffetini gösterme adına yeterlidir: Düşünün ki,

---

47 Bkz.: es-Suyûtî, *el-Hâvî* 1/325; el-Halebî, *es-Sîratü'l-Halebiyye* 1/240.
48 Bkz.: es-Sa'lebî, *el-Keşf ve'l-beyân* 3/196; el-Beğavî, *Meâlimü't-tenzîl* 1/366; ez-Zemahşerî, el-Keşşâf 1/461;

Aleyhissalâtü Vesselâm Efendimiz ruhunun ufkuna yürüdüğü zaman mübarek kalkanı bir Yahudi'nin elinde rehin bulunuyordu. Evet, O, eşlerinin nafakalarını temin edebilmek için kalkanını bir Yahudi'ye vermiş, ondan borç para almıştı.[49] Zira O, kendi iç dünyasında hayat-ı seniyyelerini çok engin ve derince yaşadığı gibi, hakkında en küçük bir şüphenin meydana gelmemesine de kemal-i hassasiyetle dikkat ediyordu.

Gayr-i Meşru Harcamalara Meşru Görünen Kılıflar

Âyet-i celilenin devamında وَمَنْ يَغْلُلْ يَأْتِ بِمَا غَلَّ يَوْمَ الْقِيَامَةِ buyruluyor. Gulûl, ganimet mallarından gizlice bir şeyler alma mânâsına geldiği gibi, insanın hakkı olmadığı hâlde el uzattığı her şey gulûl kategorisine girer. Mesela insanın, iş başına geçtiği zaman bir kısım spekülasyonlarla mal edinmesi, tahsisât-ı mestureden (örtülü ödenek) kendi hesabına bir şeyler kaydırması ve bu tür haksızlıkları irtikâp ederken, bir de kılıf bularak, "Ben de burada çalışıp çabalıyorum. Ben olmasaydım bunca birikim yapılamazdı." gibi ifadelerle gayr-i meşru fiilleri meşru gibi gösterek kendi hesabına bazı şeylerden istifade etmesi gibi hususların hepsi gulûl kategorisi içine girer. Hatta hakkı ve liyakati olmadığı hâlde milletin idaresine talip olan bir insan da milletin hukukunu gallediyor, onların hukukuna tecavüz ediyor demektir.

"Vaz-ı hâs, mevzûun leh âmm" şeklinde anlaşılması gereken bu âyet-i kerimeye göre madem peygamberler bunu yapmamışlardır, o hâlde ümmetleri de yapmamalıdırlar. Bu mevzuda onlar, hep kararlı olmalı ve hep doğru çizgiyi takip etmelidirler. Aksi takdirde âyet-i kerime onların gallettikleri şeylerle birlikte kıyamet gününde Allah'ın huzuruna getirileceklerini haber veriyor. Dolayısıyla âyet-i kerimeye, Allah (celle celâluhu) enbiya-i izâmın şahsında ümmet-i Muhammed'i talim buyuruyor, şeklinde bakabiliriz. Nitekim Allah Resûlü (sallallâhu aleyhi ve sellem) bu âyet-i kerimenin tefsiri, tebyini sayabileceğimiz bir hadis-i şeriflerinde bir

---

49 Buhârî, *cihâd* 89; Tirmizî, *büyû'* 7; İbn Mâce, *rühûn* 1.

gün sahabe-i kirama gulûlden bahsetmiş, onun ne kadar büyük bir günah olduğunu ifade etmiş ve sonra da şöyle buyurmuştur: لَا أُلْفِيَنَّ أَحَدَكُمْ يَوْمَ الْقِيَامَةِ عَلَى رَقَبَتِهِ بَعِيرٌ لَهُ رُغَاءٌ يَقُولُ يَا رَسُولَ اللهِ أَغِثْنِي أَقُولُ لَا أَمْلِكُ لَكَ شَيْئًا قَدْ أَبْلَغْتُكَ *"Sakın sizden birini, kıyamet günü, boynunda böğürmekte olan bir deve olduğu hâlde Bana gelmiş: 'Ey Allah'ın Resûlü, bana yardım et!' diye yalvarıyor ve kendimi de cevaben: 'Senin için hiçbir şey yapamam, Ben sana tebliğ etmiştim!' der bulmayayım..."* Hazreti Ruh-u Seyyidi'l-Enâm (aleyhi elfü elfi salâtin ve selâm) hadis-i şerifin devamında bu tarz hayvanları ve ganimet mallarını tek tek zikrederek onlar için de aynı hususları dile getirmiştir.[50]

Âyet-i kerimenin sonunda ise şöyle buyruluyor: ثُمَّ تُوَفَّى كُلُّ نَفْسٍ مَا كَسَبَتْ وَهُمْ لَا يُظْلَمُونَ *"Sonra her nefse kazandığı şeyler (kazanılan bu şeyler, seyyie veya hasene, kötülük veya iyilik, güzellik veya çirkinlik olabilir) tastamam verilir. Ve onlar asla haksızlığa uğratılmazlar."* Cenâb-ı Hak hepimizi gulûl gibi bir çirkinlikle öbür tarafa gitmekten, hakkı olmayan şeylere el uzatmaktan muhafaza buyursun. Bazı dönemlerde bankaların boşaltılması, milletin malının çarçur edilmesi, devletin sırtına yüklenen borçlarla insanların fakr u zaruret içine itilmesi gibi hâdiselere bakılacak olursa, gulûlün uzak durulması gereken nasıl büyük bir günah olduğu daha iyi anlaşılır, zannediyorum.

Gulûle Düşmemek İçin Her Daim Muhasebe

Esasında bu mevzuda adanmış ruhların daha bir hassas, daha bir dikkatli olması gerekir. Mesela, hizmet veya ibadet ü taat için bile bir araya gelinmiş olsa, oturulan şu halının üzerinde oturma hakkımızın olup olmadığını içten içe alıp vermiyorsak, bunun hesap ve muhasebesini yapmıyorsak, bu mevzudaki hassasiyetimiz sönmüş demektir. Ben size "böyle bir hakkınız yok" demek istemiyorum. Çünkü bu müesseseleri yapanlar, buralarda hizmet edilmesi niyet ve mülâhazasıyla yaptılar

---

50 Buhârî, *cihâd* 189; Müslim, *imâret* 24.

ve yine aynı düşünceye binaen bu halıları aldılar. Bu ayrı bir meseledir. Fakat biz muhasebemizi yaparken şu soruları kendimize sormamız gerekiyor: "Acaba bizim bu halılar üzerinde secde etme hakkımız var mı? Acaba bunların aşınması bizim için bir vebal olur mu? Acaba çanağına kaşık çaldığımız bu yemekler bizim için meşru mudur, onları hak ediyor muyuz?" İşte bu mevzudaki endişe, tereddüt ve hassasiyet çok önemlidir. Zira ağzına koyduğu bir lokmanın nereden geldiğini, kime ait olduğunu, bunun, kendisi için meşru olup olmadığını araştırması ve bu konuda kılı kırk yararcasına kemal-i hassasiyetle yaşaması bir mü'mine düşen çok önemli bir vazifedir.

Siz dinimize, milletimize hizmet adına değişik hizmet sahaları içinde bulunabilirsiniz. Fakat ben, şu an aklıma "Kimse Yok mu Derneği" geldiği için onu misal vereyim. Bilindiği ve görüldüğü üzere "Kimse Yok mu", günümüzde çok önemli bir hizmet îfa ediyor. Dünyanın her neresinde bir kırılma ve çatlama olsa hemen onu tamir etmek ve ona bir sargı sarmak için bütün imkânlarıyla seferber oluyor. Ancak unutulmamalıdır ki, dünyanın farklı yerlerinde yaşayan insanların yardımına koşan bu kurumun arkasında milletin himmeti vardır. Çünkü televizyonlar bu konuda reklam yapıyor, telefonlarla yardımın önü açılıyor ve böylece falan 3 kuruş, filan 5 kuruş vererek yardıma koşuyor. Derken yapılan bu yardımlar teraküm edip birikiyor, belli bir yekûn teşkil ediyor. Şimdi aslında böyle bir yerde çalışan bir insanın şayet imkânı varsa bu çalışmayı, herhangi bir ücret talep etmeksizin, herhangi bir karşılık beklemeksizin sırf Allah rızası için yapması gerekir. Fakat burada vazifeli olan bir şahsın başka bir geliri yoksa ona belli ölçüde bir maaş takdir edilebilir. Ancak takdir edilen bu maaşın da mukannen (miktarı belirlenmiş ödenek, tahsisat) olması gerekir. Yoksa, "Nasıl olsa burada böyle bir imkân var. O hâlde biz de, çalışanlara üst seviyede bir gazetecinin aldığı kadar maaş verelim. Çünkü biz dünyanın birçok farklı ülkesine giderek ciddî fedakârlıklara katlanıyoruz. Dolayısıyla alacağımız bu yüksek maaş bizim hakkımızdır!" şeklindeki bir düşünce gulûlün bir başka şeklidir.

Burada yapılması gereken bu organizasyonu yöneten ekip veya kurulun tespit ettikleri belli kurallar çerçevesinde, "Senin hakkın budur. Ancak bu kadar maaş; şu kadar harcırah alabilirsin" vs. demeleridir. Artık bunun dışında ekstradan bir şey alınması caiz değildir. Aksi takdirde insan, hak yolunda bulunuyorken kaybeder, Allah'a doğru giderken –hafizanallah– şeytanın çelmesine hedef olur ve netice itibarıyla doğru yolda yürüme imkân ve fırsatı yakalamışken dökülüp yollarda kalır.

Topluma Hesap Verme Ahlâk ve Disiplini

Okul, üniversiteye hazırlık kursu, kültür lokali vs. daha başka kurumların başındaki sorumlu kişiler de aynı şekilde hassas davranmalıdır. Zira insanımız, bir gün bir yerde bir cana ihtiyaç olsa çok rahatlıkla, "benim canımı alabilirsiniz" diyecek kadar bu insanlara güven duymaktadır.

Bir yerde bir arpanın yedide biri kadar bile olsa bir gulûl yaşandığında ahirette onun hesabı sorulur. Nitekim Kur'ân-ı Kerim, وَمَنْ يَعْمَلْ مِثْقَالَ ذَرَّةٍ شَرًّا يَرَهُ *"Kim zerre ağırlığınca bir şer irtikâp etmişse mutlaka onun karşılığını görür."*[51] buyurarak arpanın yedide birinden daha küçük günahların bile hesabının sorulacağını ifade ediyor. Çünkü zerre maddenin en küçük parçası demektir. Eskiden buna molekül deniyordu. Sonra atom oldu. Sonra da atom parçaları oldu. Hatta siz buna iyon ya da eter de diyebilirsiniz. İşte âyet-i kerimeye göre sizin mikroskop veya "X" ışınlarıyla göremeyeceğiniz kadar küçük olan kötülüklerin hesabını da Allah (celle celâluhu) soracaktır.

Asrımızın başında hayatını iman hizmetine vakfetmiş olan o büyük zat da, ömrünü böyle bir hassasiyet içinde geçirmiştir. Toplumdaki güveni sarsmama adına çok defa topluma hesap vermiştir. Mesela bir yerde, "Şu üstümdeki sakoyu, yedi sene evvel eski olarak almıştım. Beş senedir elbise, çamaşır, pabuç, çorap için dört buçuk lira ile idare ettim." diyerek hakkında şüphe ve töhmetlerin oluşmasına fırsat vermemiştir. Ardından

---

[51] Zilzâl sûresi, 99/8.

bir tavuğu olduğunu, kış olmasına rağmen onun her gün yumurta verdiğini, tavuğun yazın kuluçkadan çıkan küçük yavrusunun da yumurtlamaya başladığını anlatmıştır.[52] Bütün bunlar basit bir hikâye anlatımından ibaret değildir. Esasında Üstad Hazretleri bu ifadeleriyle topluma hesap vermiştir.

Ben, bizim köyün eşrafından birisi olan Hacı Münir Bey'den dinlemiştim. Üstad Hazretleri Erek Dağı'ndan derdest edilip götürülürken kıtmirin köyüne getiriliyor ve orada dedemin hanında misafir kalıyor. Hacı Münir Bey, Üstad'ın o anki durumunu şu ifadeleriyle anlatıyor: "Onun hâlini görünce gözlerim doldu. Çünkü ayakkabıları yırtılmış olduğundan ayakları ve çorapları su içindeydi. Ben o lastik ayakkabıları alıp eve gittim ve evden ona yeni bir çift ayakkabı getirdim. –Kim bilir onu da ne zorluklarla kabul ettirdi.– Daha sonra ona bir iftar vaktinde çorba ve komposto getirdim. O, çorbadan birkaç kaşık aldı ve sonra, 'İsraf olmasın bu kompostoyu da sahurda yeriz.' dedi." Demek ki, Üstad'ın o günkü imkânları itibarıyla yeni bir çift lastik ayakkabı alacak durumu bile yoktu. İşte Hazreti Pîr, kemal-i hassasiyetle böyle bir hayat yaşamış, halkın güven ve itimadını sarsmamak için elinden gelen her şeyi yapmış ve bize de bu konuda örnek olmuştu.

Topluma ait değişik ünitelerde belli konumu olan insanların hayatlarını böyle bir hassasiyet içinde yaşamaları gerekir. İnanan insan olarak bizim en büyük kredimiz, halkın güvenidir. Değirmenin suyu halktan geliyor. Halk, "bunların hayatında spekülasyonun zerresi dahi yoktur" inancında olduğu için bu işe sahip çıkıyor. Dolayısıyla eğer siz hakkınız olmayan şeylere el uzatmak suretiyle bir gulûle girerseniz, öncelikle bu güveni yıkmış olursunuz. Diğer yandan, halk size güvenecek, siz ise onlara hıyanet edeceksiniz. Böyle bir hıyanetin hesabını Allah insana sorar. Ama bu öyle bir hesap sormadır ki, insan onun hesabını verebilir mi, veremez mi veya nasıl verir bilemiyoruz? Mahşerdeki bu hâl, hiç şüphesiz Efendiler Efendisi'ni de mahzun, mükedder ve mahcup edecek bir durumdur.

---

[52] Bkz.: Bediüzzaman, *Mektubat* s.70 (On Altıncı Mektup).

Bu mevzuda dinimizin bize sunduğu öyle temel değer ve disiplinler vardır ki, bu da ayrıca üzerinde durulması gereken bir husustur. Evet, Cenâb-ı Hak bize Kur'ân-ı Kerim, Sünnet-i Sahiha, Din-i Mübin-i İslâm ve onun hayata hayat olması gibi çok büyük nimetler ihsan etmiştir. Eğer biz başımızın üzerinden sağanak sağanak boşalan bunca nimetten sonra hâlâ kendi ruhumuzun heykelini ikame edemiyorsak, hayatımızı boşa geçirmiş ve onu heder etmişiz demektir. Dolayısıyla ahirette Hazreti Ruh-u Seyyidi'l-Enâm'ı (aleyhi ekmelüttehâyâ) mahcup etmek istemiyor, dünyada da güzel işler adına akıp gelen ihsan ve bereketin devam etmesini arzuluyorsak, bu mevzuda fevkalâde hassas davranmak mecburiyetindeyiz.

Bunun için ben 40-45 senelik arkadaşlarıma, "Sizin şahsî bir eviniz ve arabanız dahi olmasın!" demiştim. Ben o ölçüde hassas bir insan değilim. Fakat size bir hâlimi arz edeyim. Nice defa ellerimi açıp Rabbime şöyle yalvarmışımdır: "Allah'ım bahtına düştüm. Sana kurban olayım. Benim kardeşlerime dünyevî imkân verme." Çünkü bir yerde onlarda az bir fazlalık görülse derler ki: "Demek ki bu, bir yerlerden bir şeyler alıyor." Rabbime hamdolsun, şu anda onların her biri, bir yerde bir işçi olarak çalışıyor. Ve ben –yedi cihan şahit– bu durumdan hiç rahatsız değilim. Çalışsınlar ve çalışırken de o çalışmanın ağırlığı altında kalsınlar ve sonra da –Allah uzun ömür versin– bu hâl üzere vefat etsinler. Ben buna hiç üzülmem. Ben onların –Rabbim muhafaza buyursun– kirli bir şekilde ölüp gitmelerine, arkalarından dedikodu yapılmasına üzülürüm. Çünkü bu, milletimizin gönülden sahip çıktığı bir mefkûrenin itibar ve kredisini yeme demektir.

Muvaffakiyet Hırsızları

Son bir husus olarak şunu ifade edeyim ki, gulûl sadece maddî değil, mânevî bir kısım hususlarda da ortaya çıkabilir. Mesela Üstad Hazretleri, bir yerde, bir taburun zaferine terettüp eden ganimetin o birliğin komutanına verilemeyeceğini, bunun ordunun bütün efradına taksim edilmesi gerektiğini, aynı şekilde zafere terettüp eden mânevî ganimet ve şerefin de komutana değil, bütün orduya ait olduğunu ifade eder.[53] Bu açıdan bir heyetin ortaya koyduğu başarıları sahiplenmek de bir taraftan şirk, diğer taraftan gulûldür. Yani bir insanın, "benim plan ve projelerim, benim firaset ve düşüncelerim" diyerek milyonların cehd ve gayretiyle ortaya çıkan başarıları sahiplenmesi, "ben yaptım" mülâhazasıyla bu başarılara yöneltilen teveccühleri ve halkın itibarını galletmesi büyük bir tehlikedir. Hele onun bu sahiplenmesine binaen başkaları da onun yüzüne karşı, "Maşallah, Allah sizi başımızdan eksik etmesin. Allah size çok uzun ömürler ihsan eylesin. Allah size, daha nice zaferlere imza atma imkânı bahşeylesin!" gibi pohpohlamalarda bulunuyor; bunun üzerine o da bütün bunlara sahip çıkıyorsa, bu da ayrı bir saygısızlık ve terbiyesizliktir. Dolayısıyla hiç kimsenin milyonlarca insanın göbeğini çatlatırcasına ortaya koyduğu gayretlere terettüp eden semereyi sanki kendi yapmış gibi sahiplenmesi ve ona gösterilen teveccühleri hakkıymış gibi görerek kabul etmesi doğru değildir. Böyle bir tavır gulûldür, azim bir günahtır, emanete hıyanettir.

---

[53] Bkz.: Bediüzzaman, *Lem'alar* s.167 (On Yedinci Lem'a, On Üçüncü Nota).

Adanmış Ruhların
Aşkın Mesai Anlayışı

S **oru:** *Hakka adanmış bir gönlün mesai anlayışı nasıl olmalıdır? Fedakârlığın mesaiye bakan yanı hakkındaki mülâhazalarınızı lütfeder misiniz?*

Cevap: Hak ve hakikat yolunda ortaya konan mesai ile bu yolda kullanılması için sarf edilen mal, mülk ve serveti, daha umumî bir ifadeyle infakı, temel felsefeleri itibarıyla aynı kategoride mütalâa edebiliriz. Nasıl ki Mekkî anlayış ve telakki içinde infak mevzuu, mutlak ifade edilmiş, mesele ıtlaka bağlanmıştır. Yani, وَمِمَّا رَزَقْنَاهُمْ يُنْفِقُونَ *"Kendilerine rızık olarak ne lütfetmişsek ondan infak ederler."*[54] âyet-i kerimesinde de görüldüğü üzere, Cenâb-ı Hakk'ın bize lütfettiği nimetlerden verebildiğimiz kadar verme bir ufuk ve hedef olarak gösterilmiştir. Aynı şekilde tam bir adanmışlık ruhuyla hareket edip hakka hizmet yolundaki mesaimizi Mekkî anlayış ve telakki içindeki ıtlaka bağlayarak harcama da böyle bir fedakârlık ufkunun neticesidir. Ancak bu noktada şu önemli hususun göz ardı edilmemesi gerekir: Biz terğib ve teşvik adına adanmış bir ruh için bazen, "verebildiği

---

54 Bakara sûresi, 2/3.

kadar vermeli", "bir küheylan gibi kalbi duruncaya kadar koşmalı" deriz. Terğip için böyle bir üslûp tercih edildiği/edilebileceği gibi, hakikaten bazı ahvalde insanın elinde avucunda ne varsa hepsini verme gayreti içinde olması, bir küheylan gibi çatlayıncaya kadar koşması gerekebilir. Fakat umumiyet itibarıyla gerek infakta gerekse mesai tanziminde tabiat-ı beşeriye nazar-ı itibara alınmalıdır. Yani bizim bir insan olduğumuz, evimizin barkımızın bulunduğu, çoluk-çocuğun medar-ı maişetlerini temin etmek zorunda olduğumuz ve benzeri mukteza-i beşeriyet unutulmamalı, teklif edilen hususların götürülür olmasına dikkat edilmelidir. Evet, hakikaten küheylanlar gibi çatlayıncaya kadar koşan; koşarken bir yerde farkına varmaksızın kalbi duran müstesna bazı kametler de olabilir. Fakat herkesten böyle bir fedakârlık beklenmemeli ve herkes böyle bir performans ve böyle bir programa tâbi tutulmamalıdır. Biz umumun durumunu nazar-ı itibara alarak işlerimizi programlamalı ve ona göre meselelerimizi takdim etmeliyiz.

Hayatı Programlamada Veraset-i Nübüvvet Yolu

Resûl-i Ekrem Efendimiz (sallallâhu aleyhi ve sellem) mevzu ile irtibatlandırabileceğimiz bir beyanında şöyle buyuruyor: إِنَّ الدِّينَ يُسْرٌ وَلَنْ يُشَادَّ الدِّينَ أَحَدٌ إِلَّا غَلَبَهُ *"Şüphesiz ki bu din kolaylıktır. Kim bu dini zorlaştırırsa din ona galip gelir."*[55] Yani din temelde bir insanın götüremeyeceği kadar ağır ve zor değildir. Mesai tanzimiyle, a'malin taksimiyle, birbirimizden destek alarak rahatlıkla onun altından kalkabiliriz. Ama bir insan şayet dini altından kalkılmaz bir hâle getirirse unutmamalıdır ki yenik düşen kendisi olacaktır. İnsan meseleyi öyle ele almalı ki, gençliğinde de, olgun yaşında da, ihtiyarlığında da, o meseleyi götürebilsin; götürebilsin ve aynı zamanda sadece fert olarak değil; aile ve cemiyet olarak da dinini yaşayabilsin.

---

[55] Buhârî, îmân 29; Nesâî, îmân 28.

Hayatını bütünüyle hak ve hakikate hizmet yoluna vakfeden, gözü dine hizmetten başka hiçbir şeyi görmeyen, dünyadan tamamen tecerrüt etmiş insanlar her zaman bulunabilir. Şayet bu insanlar, bu sübjektif hâllerini başkalarına tâmim etmez, herkesi böyle bir mükellefiyet altına sokma teşebbüsünde bulunmazlarsa, yaptıkları bu tercihte bir mahzur olmayabilir. Sofiler arasında da dünyadan el etek çekerek hayatlarını inzivada geçirmiş Halvetîler vardır. Onlar göz açıp kapayıncaya kadar bile olsa, gözlerinin içine başka hayal girmesin diye dünyaya bütünüyle kapılarını kapatmışlardır. Fakat unutulmamalıdır ki, veraset-i nübüvvet yolu bu değildir. Biz o büyük insanların büyüklüklerini takdirle karşılar ve öper başımıza koyarız. Fakat Hazreti Ruh-u Seyyidi'l-Enâm (aleyhi elfü elfi salâtin ve selâm), kendi çizgisindeki insanlara mesajını duyururken halk içinde bulunup onlardan gelen sıkıntılara katlanmanın, tek başına inzivaya çekilmekten daha hayırlı olduğunu ifade buyurmuştur.[56] Bu açıdan herkesin milletini yükseltme istikametinde bir kısım vazife ve sorumlulukları olacaktır ve kişiye düşen bu sorumluluğu en güzel şekilde yerine getirmek olmalıdır. Hem insanın kendisinin yükselmesi bir yönüyle milletinin ve gelecek nesillerin de yükselmesine bağlıdır. Dolayısıyla insan, toplumu nazar-ı itibara alacak büyük ve küllî projeler geliştirmeli ve bu projeleri gerçekleştirmeye matuf bir gayret içinde olmalıdır. Fakat bütün bunları yapmanın yanında öyle bir mesai tanzimine gitmeli ki, din ve diyanet, kalb ve ruh hayatı adına eksik ve noksanlıklara düşmesin, Allah yolunda gücünün yettiğince koşturmaktan geri kalmasın. O hâlde hayatın hiçbir safha ve hiçbir ünitesinde boşluk bırakmayacak ölçüde herkes kendine düşen vazifeyi yapmalı, iyi bir mesai tanzimine ve iş bölümüne gidilerek kim neyi, en mükemmel şekilde yapabiliyorsa orada rantabl olmaya çalışmalıdır.

Abdullah İbn Amr İbni'l-Âs Hazretleri, sahabe-i kiram arasında zühd ve takvada çok ileri gidenlerden birisi olduğu gibi aynı zamanda Resûl-i Ekrem Efendimiz'i (sallallâhu aleyhi

---

56 Bkz.: Tirmizî, *kıyâmet* 55 (2507); İbn Mâce, *fiten* 23.

ve sellem) çok iyi dinleyen ve doğru okuyanlardan birisidir. Bu büyük sahabî, gecelerini kıyamda gündüzlerini ise oruç tutarak geçirir. Belki kimi zaman savm-i visal dediğimiz iki üç gün yemek yemeden oruç tutar. Peki, böyle bir ibadet hayatı insanı ne hâle getirir? Evlenmişse aile hukukunu ihmale bâdi olur. Mesela sabaha kadar kendisini namaz kılmaya veren bir insan, çocuklarını görme, oturup onlarla sohbet imkânını bulamayabilir. Sorumlu olduğu daha başka vazifelerde de kusurları olabilir. Nitekim Hazreti Abdullah'ın bu hâli Allah Resûlü'ne (aleyhi ekmelüttehâyâ) ulaştığında, ona gecenin bir kısmında uyuyup bir kısmında namaz kılmasını, bazen oruç tutup bazen tutmamasını, zira Allah'ın onun üzerindeki hakkının yanında, nefsinin, ehlinin, misafirinin de hakkı bulunduğunu ifade ederek her hak sahibine hakkını vermesi gerektiğini ihtar eder.[57] Peygamber Efendimiz (sallallâhu aleyhi ve sellem) bu uyarısıyla objektif olan ve insanın götürebileceği mükellefiyete dikkat çekmenin yanında aynı zamanda iyi bir mesai tanzimi ve a'mal taksimi yapılması gerektiğine de işaret buyurmaktadır.

Tekrar başa dönecek olursak; gerek hizmet anlayışımızda gerekse infak telakkimizde dengeli olmalıyız. Mesela bir fabrikatör düşünelim ki, bir yardım kuruluşuna geldi ve oradaki görevlilere, "Ben bu sene fabrikamı bütünüyle bağışlamak istiyorum. İstediğiniz gibi kullanabilirsiniz." dedi. Hatta onun yanında beşon fabrikatörün de aynı şekilde fabrikasını getirip ortaya koyduğunu düşünelim. Böyle bir durumda istihdam açısından nasıl bir boşluk meydana gelir? O yardım kuruluşu tarafından bu fabrikalar tam olarak işletilebilir mi, işletilemez mi? Fabrikalarını bağışlayan bu insanlar bundan sonra her sene yapmayı düşündükleri hayrı yapabilirler mi? İşte bütün bunları hesaba katmalısınız. Siz öyle bir talepte bulunacaksınız ki, iş sahibinin kurduğu o sistem ve fabrika işlemeye devam edecek. O şahıs her sene hayır faaliyetlerine omuz verebilecek, hayır faaliyetlerinin sponsor ve finansörü olmayı sürdürebilecek. Aksi takdirde yani

---

57 Buhârî, *teheccüd* 20, *savm* 54-57, *ehâdîsü'l-enbiyâ* 37, *nikâh* 89, *edeb* 68; Müslim, *sıyâm* 181.

elindekinin tamamını birden verdiğinde bir sonraki sene herkes verirken o sadece bakmakla yetinmek durumunda kalacaktır.

İyi Bir Mesai Tanziminin Vaat Ettikleri

Hakka hizmet yolundaki mesai anlayışında fedakârlık ruhunun yanı sıra mesai tanzimi de çok önemlidir. İnşirah Sûresi'nin sonunda işaret buyrulduğu gibi ibadet ü taat ve Allah'la münasebetten dünya işlerine, dünya işlerinden Allah'la münasebete geçmek suretiyle iş farklılığıyla dinlenebiliriz.[58] Bir yerdeki ruhî yorgunluğu bedenî hareketle savmaya, bedenî yorgunluğu da ruhî konsantrasyonla gidermeye çalışmalıyız. Böylece sürekli güçlü, mukavemetli ve dinamik bir bünye ve ruhî yapıya sahip olabiliriz.

İster yurt içinde, isterse yurt dışında, milletimiz ve topyekün insanlık için, okullar, kültür lokalleri vb. kurumlarda vazife yapan hasbî ruhlu fedakâr öğretmen ve rehberler var. Bu kurumlarda vazife yapan insanlar, ister "kût-u lâ yemût"la geçinsin, ister bir burs ölçüsünde maaş alsın, isterse kendilerine normal bir maaş takdir edilsin, aldıkları maaş her ne olursa olsun, onlardan beklenen, düz bir mesai anlayışının ötesinde, çoluk çocuklarının medar-ı maişetlerini temin ettikten sonra, gerektiğinde otuz-kırk saat derse girmeleri, gece-gündüz talebelerin başında bulunmaları, hatta imkânları varsa cumartesi, pazar da talebelerine rehberlik yapmalarıdır.

Evet, keşke bu hasbî ruhlar, peygamberâne bir azim ve gayretle, öğrencilerinin derslerinde onlara yardımcı olsa, her türlü dertlerini dinlese ve duruma göre geceleri de bir anne şefkat ve merhametiyle onların üzerine titreseler. Ancak böyle bir mesai anlayışıyla çoktan beri kırılmış, yamuk yumuk hâle gelmiş ilim, irfan hayatımızı düzeltme imkânı bulabiliriz. Fakat bu seviyedeki bir fedakârlık ufkunu insanlara teklif etmeden önce, öncelikle böyle bir mesai anlayışının gerekliliği anlatılmalı, bu konuda rehabilite yapılmalı, insanlar buna alıştırılmalı, bütün bunlardan sonra bu fedakârlık telakkisi onların iradelerine emanet

---

[58] Bkz.: İnşirâh sûresi, 94/7-8.

edilmelidir. Bu arada hemen şunu ifade edelim ki, bütün bunlar yapılırken, fedakârlığın insanlardan zorla istenecek bir husus olmadığı hiçbir zaman hatırdan çıkarılmamalıdır.

Dil Olimpiyatları ve Mesai Faktörü

Evet, eğer biz yaptığımız hizmetlerden güzel neticeler almak istiyorsak bu konuda ciddî zaman harcamalıyız. Diyelim ki siz bir yerde talebenin başında rehber veya idarecisiniz. Gündüz okulda idareciye düşen vazifeleri yapmanın yanında okul saatleri dışında da onları kontrol etmeli, gitmeleri gerekli olan yerlere gitmeleri, gitmemeleri gerekli olan yerlere de gitmemeleri konusunda üzerinize düşen sorumluluğu yerine getirmelisiniz. Siz bu işe ne kadar zaman ayırmış, ne ölçüde o işin içinde bulunmuşsanız, Allah'ın izni ve inayetiyle, o ölçüde verim alırsınız. Zannediyorum şimdiye kadar gönüllüler hareketinin yaptıkları işlerde Cenâb-ı Hakk'ın ihsan buyurduğu bereket, bir yönüyle onların zaman mefhumunu aşıp mesaide böylesine ölesiye bir cehd ve gayretin içinde olmalarındandır. Mesela dil olimpiyatları... Dil ve kültürümüzün tercümanlığının yapıldığı bu güzel faaliyete, âdeta destanlar kesilmekte, herkes hayranlığını, takdir duygularını "maşallah, barekâllah" sözleriyle ifade etmekte, bazıları da gözyaşlarıyla ortaya koymaktadır. Fakat unutulmamalı ki, bütün bu muvaffakiyetler, gece-gündüz demeden aşkın bir mesai anlayışı içinde, çok ciddî gayretler sonucunda Cenâb-ı Hakk'ın bahşettiği lütuf ve ihsanlardır. Rabbim, milletimiz ve insanlık için çok şey ifade eden bu ve benzeri faaliyetler içinde bulunan arkadaşları, şimdiye kadar olduğu gibi bundan sonra da, hem mesai aşkı, hem de işlerini akıllıca planlama düsturuyla serfiraz kılsın ve üzerimize sağanak sağanak boşalan nimetlerini devam ettirsin!

Tekvînî Emirleri Doğru Okuma ve Mesai Tanzimi

Üstad Hazretleri bir yerde terakkinin önemli esaslarından birisi olarak mesai tanzimini gösterdikten sonra, bunun da dinin evâmir-i kudsiyesi, takva ve salâbet-i diniye ile olacağını ifade ediyor.[59] Takva ise, haramlardan içtinap etmek, farzları yerine getirmek, vaciplerde kusur etmemek, şüpheli şeylerden tevakki etmektir. Bu yönüyle insanın, neyin hakkı ve vazifesi olup olmadığına dikkat etmesi doğrudan takva ile ilgilidir. Bu sebeple kendisine bir vazife tevdi edilen kişi, zamanını çok iyi değerlendirmiyor, mesaisine yoğunlaşmıyor ve kendisine tevdi edilen vazifeyi bihakkın yerine getirmiyorsa Allah indinde mesul olacağı gibi, bağlı bulunduğu müessese açısından da sorumlu olur.

Bildiğiniz üzere takvanın diğer bir buudu daha vardır ki, o da teşriî emirlerin yanında tekvînî emirlere de riayet etmektir.[60] Mesela zamanı çok iyi değerlendirme, yaşadığınız dünyada olup biten şeyleri nazar-ı itibara alma, yaptığınız işlerde akıllıca davranarak mütedahil daireler gibi etrafınızı sarmış hazımsız kimselerin mevcudiyetini hesaba katma ve problem çıkarmadan işlerinizi dosdoğru yürütmeye çalışma tekvînî emirlere riayettir. Dolayısıyla bir insan bunlara riayet etmemek suretiyle şahsına, içinde bulunduğu hizmete ve milletine zarar veriyorsa, Allah aşkına, bu haram mıdır değil midir?

Evet, mesainin çok iyi tanzim edilmesi dinin bir emridir ki, bizi başarılı olmaya götürecek çok önemli bir vesiledir. Yani ne zaman dinleneceksin, ne zaman iş yapacaksın, neyi ne ile kazanacaksın, ne zaman şarj olacak ne zaman deşarj olacaksın, bunların çok iyi planlanması gerekir. Bu konuda çok dakik olunmalı ve her şey saati saatine ele alınmalıdır.

İş Bölümü ve Zamana Riayet

Diğer taraftan mesai tanziminin yanında a'malin taksimi de çok önemlidir. Yani kim ne iş yapacak ve nerede başarılı olacaksa onun doğru seçilmesi gerekir. Bu da kâmil mânâda işin başındaki insanlar tarafından isabetli bir şekilde gerçekleştirilebilir. Resûl-i Ekrem Efendimiz'in (sallallâhu aleyhi ve sellem) fetanetinin farklı bir derinliği de kimi nerede istihdam ettiyse o

---

59   Bkz.: Bediüzzaman, *Lem'alar* s.153 (On Yedinci Lem'a, Yedinci Nota).
60   Bkz.: Bediüzzaman, *Sözler* s.792-793 (Lemaât); *Mektubat* s.537-538 (Hakikat Çekirdekleri).

mevzuda milimi milimine isabet buyurmasıdır. Evet, O, tayin ve tavzifte bulunduğu insanlardan hiçbirini değiştirme lüzumu duymamıştır. Çünkü kimi nereye tayin etmişse o orada başarılı olmuştur. Bu da vazife verirken insanları çok iyi okumaya, çok iyi test etmeye ve karakterlerini çok iyi keşfetmeye bağlıdır. Günümüz şartları içinde kabiliyetlerin doğru okunması ve onların yerli yerinde istihdam edilmesi ise bir yönüyle müşterek akla ve kolektif şuura vâbeste bir durumdur.

Burada son bir hususa işaret etmekte fayda var. Devlet bünyesindeki kurumlarda veya özel kuruluşlarda belli aralıklarla program ve toplantılar yapılıyor. Bu tür toplantı ve programlar için belirlenen zamana mutlaka riayet edilmelidir. Çünkü zaman çok kıymetlidir. Kimsenin bir başkasının zamanını israf etmeye ve onun o kıymetli vaktini öldürmeye hakkı yoktur. Bu, Allah indinde mesuliyeti mucip bir davranıştır. Özellikle bazı işler vardır ki, sizin orada yarım saatlik bir gecikmeniz, yapılması gereken işin fevtine sebebiyet verir, küçük bir rötar çok ciddî zayiat ve olumsuzluklara yol açar.

Diğer yandan bir toplantı için sözleşmek, belli bir saatte toplantı yerinde olacağını söylemek zımnî bir taahhüttür. Buna riayet etmeyen insanın, لِمَ تَقُولُونَ مَا لَا تَفْعَلُونَ *"Niçin yapmayacağınız şeyleri söylüyorsunuz?"*[61] tokadını yemesinden korkulur. Âyetin mânâ ve muhtevası sebeb-i nüzulün ötesinde çok geniş bir alana taalluk etse de söz konusu âyetin sebeb-i nüzulüne baktığımızda, verdiği sözü tutmama meselesinin olduğu da görülür.[62] Bundan dolayı herhangi bir toplantıya katılma konusunda söz vermiş bir insan ne yapıp edip söz verdiği vakitte orada olmaya çalışmalıdır. Hatta gerektiğinde, görüşme saatinden bir müddet önce oraya gidip kapının önünde beklemelidir. Başkaları bizi bekleyeceğine biz onları bekleyelim. Şayet insan, gecikmesini gerektirecek bir problemle karşılaşırsa, bu durumda hemen telefon edip özür dilemeli ve arkadaşlarının erkenden oraya gidip zamanlarını israf etmelerine sebebiyet vermemelidir.

---

61 Saf sûresi, 61/2.
62 Fahruddîn er-Râzî, *Mefâtîhu'l-ğayb* 29/270; el-Beğavî, *Meâlimü't-tenzîl* 4/337.

Ayrıca toplantılarda görüşülecek mevzular önceden tanzim edilmeli, kemal-i ciddiyetle bir yere not edilmeli ve mesele, irticalinin dağınıklığına bırakılmamalıdır. Akl-ı selim, hiss-i selim ve kalb-i selimle not ettiğimiz mevzular bizim için çok önemlidir. Çünkü bu sayede görüştüğümüz meseleler belli bir çerçeve içinde kalır. Aksi takdirde birisi bir şey söyler, diğeri ona cevap verir, bir başkası başka bir şey söyler ve derken hisler devreye girerek meseleler dağılır gider. Oysaki biz önceden aldığımız notlarla kendimizi bağlamış oluruz. Salim bir akılla tespit ettiğimiz notlar, salim bir aklın sesi soluğu olması itibarıyla bizi çerçevenin dışına çıkarmaz ve böylece zaman israf edilmemiş olur.

Değişik vesilelerle arkadaşlara anlatmaya çalıştığım bir diğer husus da telefon görüşmelerinin gereksiz yere uzatılmamasıdır. Bazen telefonla konuşulurken meseleler o kadar uzatılıyor ki, görüşmenin önemli bir kısmını "yaniler", "şeyler" teşkil ediyor. Hâlbuki konuşulacak mevzular daha önce not edilse ve oradan okunsa hem telefon adına israf edilmemiş, hem boş yere karşı tarafın zamanı alınmamış olur. Bazen bakıyorsunuz iki dakikada anlatılabilecek bir mevzu önceden hazırlanmadığı, not alınmadığı için ancak yarım saatte anlatılıyor. Hâlbuki hekimler uzun süre telefonla konuşmanın beyin tümörüne sebebiyet verebileceğini söylüyor. Hekimlik mevzuunda onlara inanmak vacip olduğuna göre bizim de bu konuda dikkatli olmamız icap eder; aksi hâlde günaha girmiş oluruz.

Hâsılı, inanan insanlar olarak bizlerin bütün hâl ve hareketlerinde belli bir nizam ve ölçü olmalı; disiplinli oturup disiplinli kalkmalı, disiplinli hareket edip disiplinli konuşmalı ve hayatımızı hep semavî disiplin ve kurallara bağlı sürdürmeliyiz.

Hakk'a ve İnsanlara Yakınlaşmanın Vesilesi: Kurban

Soru: *Adanmış ruhlar, Allah'a yaklaşmaya vesile olan kurbanı, gönüllerin birbirine yaklaşmasına da vesile kılmak için hem ülkemizin doğusundan batısına her bölgesine, hem de bilhassa Afrika kıtasındaki gibi fakr u zaruret içinde bulunan dünyanın değişik ülkelerine giderek gönül köprüleri kuruyorlar. Kurbanın bu şekilde bayramlaşmaya vesile yapılması hakkındaki mülâhazalarınızı ve bu işin daha güzel olması yönündeki tavsiyelerinizi lütfeder misiniz?*

Cevap: Mebdede her şey küçük bir açıyla başlar. Daha sonra arkadan gelenler o işe sahip çıkar, omuz verir, yeni yol ve metotlar geliştirir, farklı alternatifler ortaya koyarlar. İşte kurban da, bir dönem ülkemizde insanların sadece ferdî olarak yerine getirdikleri ve kestikleri kurbanın etini, konu komşuya dağıttıkları bir ibadet iken zamanla gerek ülke içinde, gerekse dünyanın değişik yerlerinde gönüllere ulaşma adına önemli bir vesile hâline gelmiştir.

Kurban ve Îsâr Hasleti

Cenâb-ı Hak ikinci sûre-i celilenin hemen başında: وَمِمَّا رَزَقْنَاهُمْ يُنْفِقُونَ *"Kendilerine rızık olarak verdiklerimizden infak ederler.*"[63] buyurarak mülk sahibinin Kendisi olduğuna, bizim ise birer emanetçi konumunda bulunduğumuza işaret ediyor. Yani bizim verdiklerimiz esasen Cenâb-ı Hakk'ın bize ihsan ettiği nimetlerdir. Allah Teâlâ, *"Rızkı veren Biziz."* buyurarak, biter, tükenir endişesine kapılmamamız gerektiğini hatırlatıyor. Bu husus başka bir âyet-i kerimede daha sarih olarak şu şekilde ifade edilir: إِنَّ اللهَ هُوَ الرَّزَّاقُ ذُو الْقُوَّةِ الْمَتِينُ *"Bütün mahlûkların rızkını veren Rezzak-ı Âlem, her şeye güç yetiren kuvvet sahibi Hazreti Allah'tır."*[64]

Aslında bir insanın, ister zekât, ister fıtır sadakası, isterse kurban olsun sahip bulunduğu imkânlardan başkalarına vermesi, meselenin minimum yanını ifade eder. Yani bunun mânâsı, "Eğer bunu da yapmazsanız kendinize bir yer arayın!" demek gibidir. Meselenin maksimumu ise şu âyet-i kerimeyle hedef gösterilmiştir: وَلَا يَجِدُونَ فِي صُدُورِهِمْ حَاجَةً مِمَّا أُوتُوا وَيُؤْثِرُونَ عَلَى أَنْفُسِهِمْ وَلَوْ كَانَ بِهِمْ خَصَاصَةٌ *"Onlar, mü'minlere verilen şeylerden nefislerinde herhangi bir sıkıntı duymaz ve muhtaç olsalar bile onları kendilerine tercih ederler."*[65] Bu ruhla hareket eden insan, zamanını, imkânlarını, ilmini, irfanını, servetini, düşünce ufkunu, kısaca Allah'ın kendisine vermiş olduğu her şeyi son kertesine kadar insanların istifadesine sunacak, günümüzdeki yaygın kullanımıyla elindekileri başkalarıyla paylaşacaktır.

İşte kurban mevsiminde de, Müslümanlar lâakal bir kurbanla hiss-i semahatlerini ortaya koyacak, gönülleri fethedecek ve kestikleri kurbanların etlerinden tatmayanlara tattıracaklardır. Bir hadis-i şerifte ifade edildiği gibi, Cenâb-ı Hak da kesilen kurbanları sahipleri için öbür tarafta en çok ihtiyaç duyacakları yerde bir binek yapacaktır.[66] Bu durum karşısında insan orada bir taraftan takdir duyguları, diğer taraftan da taaccüp hisleriyle "Acaba şu kurbanlardan hangisine binsem?" diyecektir.

Bakara sûresi, 2/3.
64 Zâriyât sûresi, 51/58.
65 Haşir sûresi, 59/9.
66 Bkz.: ed-Deylemî, *el-Müsned* 1/85; es-Sehâvî, *el-Mekâsıd* s.114; el-Aclûnî, *Keşfü'l-hafâ* 1/133.

Resûl-i Ekrem Efendimiz (aleyhi ekmelüttehâyâ vetteslimât) bir hadis-i şeriflerinde: مَنْ كَانَ لَهُ سَعَةٌ وَلَمْ يُضَحِّ فَلَا يَقْرَبَنَّ مُصَلَّانَا "*İmkânı olup da kurban kesmeyen bizim namazgâhımıza yaklaşmasın!*"[67] buyurarak imkânı olan herkesin kurban kesmesini istemiştir. Bu hadis-i şerifte kurban kesmeme fiili çok ağır bir tehdide bağlandığından dolayı, Hanefî fukahası hadis lafzının lâakal vücuba delâlet edeceğini söylemiştir.[68] Yani nasıl ki, zekât için gereken nisap miktarı mala sahip olan herkesin, zekât vermesi farz ise, aynı şekilde kurban kesme imkânına sahip olanların da kurban kesmeleri vaciptir. Kurban vacip bir ibadet olduğuna göre imkânı olan herkesin kurban kesmesi gerekir. Zira hiç kimse Allah Resûlü'nün (sallallâhu aleyhi ve sellem), "*Bizim namazgâhımıza yaklaşmasın!*" tehdidine muhatap olmayı istemez. مَنْ كَانَ لَهُ سَعَةٌ "*imkânı olan*" ifadesinden şöyle bir mânâ da anlaşılıyor. Demek ki toplumda imkânı olanların yanında imkânı olmayan insanlar da bulunacak. İşte bu durumda imkân sahiplerinin Cenâb-ı Hakk'ın kendilerine ihsan ettiği nimetlerde fakir fukaranın da hakkı olduğunu unutmayarak onları görüp gözetmesi gerekiyor. Yani kurban kesen insanlar, kestikleri kurbandan, kendilerinden düşük seviyede olan kimseleri de istifade ettirmelidirler.

Bir âyet-i kerimede ise, لَنْ تَنَالُوا الْبِرَّ حَتَّى تُنْفِقُوا مِمَّا تُحِبُّونَ "*Sevdiğiniz mallarınızdan infak etmedikçe birr u takvaya ulaşamazsınız.*"[69] buyrularak sevilen malların infak edilmesi teşvik ediliyor. O hâlde insan ahirette sırtına bineceği kurbanlığını semiz hayvanlardan seçmelidir. Zaten bir hayvanın kurban olabilmesi için kör, sakat, aksak olmama gibi belirli şartları haiz olması gerekir. Çünkü yapılan her şey âlem-i misaldeki şekilleriyle öbür tarafta insana dönecektir. Ahiret âlemini bilemediğimizden, oradaki şeyleri bir kalıp içine koymamız mümkün olmadığından, bunların bize dönüşünün nasıl olacağını bilemiyoruz.

67 İbn Mâce, *edâhî* 2; Ahmed İbn Hanbel, *el-Müsned* 2/321.
68 Bkz.: es-Serahsî, *el-Mebsût* 12/8; el-Merğînânî, *el-Hidâye* 4/70; İbn Nüceym, *el-Bahru'r-râik* 8/197.
69 Âl-i İmrân sûresi, 3/92.

Ama bunlar belki bir uçak, belki bir gemi, belki bir sandal, belki de yağız bir at gibi önümüzde temessül edecektir. Cenâb-ı Hakk'ın rahmetinin enginliği ve vaatlerinin doğruluğu zaviyesinden meseleye bakacak olursak, bunların mutlaka bir şekilde bize geri döneceğini söyleyebiliriz.

Hazreti Âişe Validemiz'in rivayet ettiği bir hadis-i şerife göre, Efendimiz (sallallâhu aleyhi ve sellem) kestiği kurbanın üçte ikisini dağıtmış ve evdekileri mahrum etmeme adına üçte birini de bırakmıştır.[70] Kestiği kurbanının etini sünnete uygun olarak değerlendirmek isteyen bir insan için ölçü budur. Fakat bir ailede bütün aile fertleri adına kurban kesiliyorsa, bu durumda daha farklı bir taksime de gidilebilir. Mesela böyle bir durumda kesilen kurbanlardan birisini veya onun yarısını ya da üçte birini eve bırakıp diğerleri tevzi edilebilir. Bu şekildeki bir taksimatla insan, hem yakınındakileri kurban etinden mahrum etmemiş, onlara bu etten tattırmış veya onların göz hakkını eda etmiş olur, hem de fakr u zaruret içinde bulunan diğer insanlara el uzatmış, onların temel bir ihtiyacını gidermiş, farklı kesim ve topluluklar arasında sevgi ve şefkat köprüleri kurmuş olur.

Civanmertliğin Tabiat Hâline Gelmesi

Başta da ifade edildiği gibi bir dönem ülkemizde, herkes kurbanlarını kesiyor, bir miktarını kendi evinde bırakıyor, kalan kısmı da konu komşuya dağıtıyordu. Fakat bir gün geldi ki, kurban, sadece kendi mahalle ve köyümüzde değil, daha geniş bir dairede muhtaç insanlara ulaşmak için bir vesile hâline geldi ve imkânı olanlar, bu istikamette taahhütlerde bulundu. Bundan sonra bazıları bir taneyle iktifa etmeyerek iki tane, üç tane, hatta on tane, yirmi tane, otuz tane kurban vermeye başladılar. Bu, aynı zamanda civanmertliğin gelişmesinin ve verme duygu ve düşüncesinin tabiatlara mâl olmasının bir ifadesiydi. Ayrıca işin açıktan açığa yapılması insanların ruhunda bir teşvik tesiri meydana getiriyordu. Böylece verilen kurbanlarla ülkemizin dört bir

---

70 Bkz.: Müslim, *edâhî* 28; Ebû Dâvûd, *dahâyâ* 9, 10.

tarafındaki fakir fukaraya sahip çıkılmaya başlandı. Yakın dairede bu işin oturduğunu görenler bu sefer, "Haydi, şimdi biz bu işi Allah'ın izni ve inayetiyle daha geniş bir dairede yapmaya çalışalım." dediler ve mebdede küçük bir açıyla başlayan bu kurban hizmeti günümüzde muhit hattına ulaşınca kocaman bir açı teşkil etti. Bu fedakâr ruhlar, neredeyse Afrika'da gidilmedik ülke bırakmadılar. Zira ciddî derecedeki fakirlik daha çok bu kıtadaki ülkelerde bulunuyor. Oralarda yaşayan insanların birçoğu belki senede bir kere bile et yiyemiyorlar. İşte bunu bilen îsâr ruhlu arkadaşlar kurban taahhüdünde bulunmaya ve bu kurbanları oralara kadar ulaştırmaya başladılar.

Tabiî sadece Afrika'da değil, ülkemizin fedakâr insanları yeryüzü coğrafyasında, bulunduğu hemen her yerde kurbanlar kesip çevresindeki insanlara dağıtmaya başladı. Böyle bir hizmet farklı kültür ve anlayıştaki insanlara çok cazip geldi. Kestiğiniz bir kurbanın etini pişirerek veya pişirmeden götürüp o insanlara ikram etmeniz onların daha önce hiç görmedikleri, duymadıkları yeni bir şeydi. Kendi dünyalarında böyle bir uygulama yoktu. Evet, iki bardak çayı garanti altına almadan bir bardak çay ikram etmeme ahlâkının hâkim olduğu beldelerde, sizin bu tavrınız yeni bir ses ve soluktu. Bu vesileyle o insanlar, sizdeki bu güzel değerleri fark etti, İslâm'ın sehavetini, Müslümanların semahatini, îsâr ruhunu, kendi yemediği hâlde başkalarına yedirme duygusunu gördü ve neticede sizin temel dinamiklerinize karşı ciddî bir alâka ve sevgi duymaya başladılar. Kanaatimce, küreselleşen bir dünyada bu tür faaliyetler farklı kültürler arasında sevgi ve diyalog köprülerinin kurulması adına önemli bir vesiledir. Bu istikamette yapılan faaliyetler belli bir kerteye ulaşmıştır. Fakat mevcutla iktifa dûn himmetlik olduğundan[71] sürekli çıtayı yükselterek koşmak hedefimiz olmalıdır.

Meselenin bir diğer yanı da şudur: Siz her sene formatla oynayarak yaptığınız işlere yeni bir renk, yeni bir desen ilâve etmek suretiyle onu hep cazip göstermeye çalışmalısınız. Mesela

---

71 Bkz.: Bediüzzaman, *Sözler* s.791 (Lemaât).

kurban eti dağıtmanın yanında, hangar gibi depolar oluşturabilir, buralarda insanların kullanmadıkları eşyaları, elbiseleri toplar, sonra da bunları götürür fakir insanlara dağıtırsınız. Çünkü gidilen ülkelerde öyle yerler var ki, oralarda insanların üstlerine giyebilecekleri doğru dürüst bir elbiseleri dahi yok. Bakıyorsunuz, bir tarafta büyük gökdelenler var, fakat öbür yanda sizin varoş dediğiniz muhitlerden daha beter durumda olan insanlar. Hele Afrika'da öyle fakir ülkeler var ki, oralara yapılacak bir damlacık yardım dahi oradaki muhtaçlar için çok şey ifade edecektir. Dolayısıyla her defasında yaptığımız işlere yeni renkler, derinlikler ilâve ederek insanların yüzünü güldürmeye çalışmalıyız. Zira onların yüzünün gülmesi bizim de yüzümüzün gülmesine vesile olacaktır.

Bizim bu gayretlerimiz neticesinde Cenâb-ı Hak nasıl inayet eder, önümüze hayır adına daha başka hangi kapılar açar, bilemiyoruz. Bu sebeple her seferinde formatla biraz oynamalı, değişikliğe gitmeli, bazı orijinal katkılar yapmalı ve sürekli o insanların gönüllerini imar ve ihya etmeye çalışmalıyız. Sonra Cenâb-ı Hak ne yapar onu da Kendisi bilir. Hazreti Pîr'in yaklaşımıyla biz vazifemizi yapar, şe'n-i rubûbiyetin gereğine karışmayız.[72]

Kurbanla Gelen Sürprizler

Aslında bütün ibadet ü taatlerde Allah'a kurbeti hedefleme, "Allah'ım, ben bu ibadetimi Senin için yaptım." deme ve bunu içten içe duyma esas olmalıdır. İnsan, hayatını âdeta bu düşünceye kilitli olarak götürmelidir. Bu açıdan kurban ibadetini eda ederken de kasdü'l-kalb olarak tarif ettiğimiz niyeti çok sağlam tutmak gerekir. İnsan, "Allah'ım, Sen hayvan boğazlamamı istedin, ben de bu emri yerine getiriyorum. Eğer kendimi boğazlamamı emretseydin ben seve seve bu emri de tatbik ederdim. Eğer dinimi, namusumu, nefsimi, malımı veya ülkemi müdafaa adına bir cephe teşkil etmek icap ediyorsa ben ona da

---

[72] Bkz.: Bediüzzaman, *Lem'alar* s.163 (On Yedinci Lem'a, On Üçüncü Nota, Birinci Mesele).

amade ve teşneyim." diyecek kadar samimî olmalıdır. Yani insan canın yongası olan malını verirken aynı zamanda verebileceği şeyleri de hatırlamalı ve emre amade olduğunu göstermelidir. Nitekim Hazreti İbrahim ve İsmail'in durumu anlatılırken, فَلَمَّا أَسْلَمَا وَتَلَّهُ لِلْجَبِينِ *"İkisi de Hakk'a inkıyat edip teslim olunca O, kurban etmek üzere oğlunu yere serdi."*[73] buyrularak, onların ubûdiyetteki sırrı ve emre itaatteki inceliği kavradıklarına ve ona göre bir tavır aldıklarına işaret edilmiştir.

Eğer bir insan kurban ibadetini baştan böyle sağlam bir niyete bağlarsa, onun kurbanla ilgili bütün fiilleri ibadet hükmüne geçecek, böyle hayırlı bir iş yolunda yapılan diğer ameller de o hayırlı iş gibi sevap olarak geriye dönecektir. Yani kişinin pazara gidip kurban alması, boynuna ip geçirip onu bir yere bağlaması, sonra onu bir arabaya yükleyip mezbahaya götürmesi, belki birkaç gün onun başında durması, beklemesi veya evine getirip onu yemlemesi, ardından götürüp kesmesi, kestikten sonra etini tevzi etmesi gibi ucu size dokunan ne kadar iş varsa bunların hepsi birer sevap olarak amel defterine kaydedilecektir. Diğer yandan hayvanın boğazına bıçağı çalma, onun çırpınması, kanının akması... gibi rikkat-i kalbiye ve şefkat hislerinize rağmen emre itaatteki inceliğe bağlı olarak yerine getirdiğiniz ameller de ayrı bir sevap olarak hasenat defterinize yazılacaktır.

Burada yapılan bütün bu amelleri, bir yönüyle basit ve küçük görebilirsiniz. Fakat öte tarafta bunlar geriye döndüğünde hayret ve şaşkınlık içerisinde, "Allah'ım, Sen ne ganiymişsin. Bu küçük şeyleri aldın, nemalandırdın, büyüttün, genişlettin, farklılaştırdın, ebedileştirdin ve şimdi de bize sunuyorsun." diyeceksiniz. Bu açıdan insan burada kurban ibadetini bir iç zenginliği ve kalb itminanıyla yerine getirmelidir. لَنْ يَنَالَ اللهَ لُحُومُهَا وَلَا دِمَاؤُهَا وَلَكِنْ يَنَالُهُ التَّقْوَى مِنْكُمْ *"Fakat onların ne etleri, ne de kanları Allah'a ulaşır. Lâkin O'na ulaşan tek şey, kalblerinizde beslediğiniz takvadır, Allah saygısıdır."*[74] âyet-i kerimesinde de

73 Sâffât sûresi, 37/103.
74 Hac sûresi, 22/37.

bu hususa işaret edilmektedir. Evet, eğer insan Allah'la irtibat, Allah'la münasebete geçme veya Allah'ın muamelesine bir vesile olması gibi mülâhazalara gönlünü bağlayarak bu ibadeti îfa ederse, öbür tarafta çok farklı zenginlik ve sürprizlerle karşı karşıya kalacaktır.

Mukaddes Değerler
ve Uyku Bilmeyen Gözler

S **oru:** *Bir hadis-i şerifte, Cehennem ateşinin dokunma-yacağı iki gözden bahsedilirken, bunlardan birinin hu-dut boylarında göz kırpmadan nöbet bekleyen göz olduğu ifade edilir. Günümüz şartları açısından hadis-i şerifte nazara verilen uyûn-u sâhireyi nasıl anlamalıyız?*

Cevap: Uyûn-u sâhire lugat mânâsı itibarıyla uyku bilme-yen ve her zaman uyanık duran gözler demektir. Bu tabir, sınır boylarında, sızmalara karşı titiz bir şekilde ve uyanık bir vaziyet-te pürdikkat nöbet bekleyen er oğlu erler için kullanılır. Onlar "Aman ülkeme, dinime, neslime, nefsime, geleceğime, toprağı-ma, bayrağıma... bir zarar gelmesin!" diye gözlerini kırpmaksı-zın sabaha kadar nöbet tutarlar. Sizin de soruda belirttiğiniz gibi Resûl-i Ekrem Efendimiz (sallallâhu aleyhi ve sellem) bu uyûn-u sâhireyi şöyle müjdelemiştir: عَيْنَانِ لَا تَمَسُّهُمَا النَّارُ عَيْنٌ بَكَتْ مِنْ خَشْيَةِ اللهِ وَعَيْنٌ بَاتَتْ تَحْرُسُ فِي سَبِيلِ اللهِ "İki göz vardır ki onlara ateş do-kunmaz: Allah haşyetinden gözyaşı döken göz ile Allah yolunda nöbet tutarak gecelerini uyanık geçiren göz."[75]

---

[75] Tirmizî, *cihâd* 12; Ebû Ya'lâ, *el-Müsned* 7/307.

İçteki Tehlike ve Erken Teşhis

Efendimiz'in bu ifadeleri o günün şartlarında sınırları bekleyen bir insan için hakikaten önemli bir avans ve mükâfattır. Böyle bir iltifat karşısında o insanlar ülkelerini ve dinlerini koruma adına gözlerini kırpmadan beklemişlerdir. Fakat günümüzde dinimize, gençliğimize, ülkemize, ülkümüze yönelik tehlikeler daha farklı bir boyut kazanmıştır. Asrımızda, bir çaşıt (casus) gibi içimize girmiş öyle tehdit ve tehlikeler vardır ki, âdeta onlarla iç içe yaşıyoruz. Evet, dinimize, diyanetimize, mâziden tevârüs ettiğimiz değerlerimize yönelik öyle projeler, alternatif planlar nifak perdesi altında içimize girmiştir ki, her an çok ciddî tahribatla karşı karşıya bulunuyoruz. Bütün bunlara karşı sürekli ızdırap hâlinde olma, "Amanın, ülkemiz, ülkümüz, milletimiz, dinimiz, diyanetimiz bir kere daha payimal olmasın!" deyip inleme, "Ruhumuzun âbidesi bir kere daha yerle bir edilmesin!" mülâhazasıyla gözünü kırpmadan hep teyakkuz hâlinde bulunma, sınır boylarında nöbet bekleyen uyanık gözler gibi, uyûn-u sâhire kategorisi içine girer.

Bu gözler, sürekli dikkat ve temkin hâlinde bulunduklarından nereden bir tehlike gelecekse onu çok erkenden görüp önlemeye çalışır, muhtemel tehlikeleri engellemek için o eski kaleler gibi bir sur değil, alternatif pek çok surlar oluştururlar. Evet, onlar tehlikelere karşı öyle surlar inşa ederler ki, hücum edenler birini yıktıklarında diğer bir sur karşılarına çıkar, onu da yıkacak olurlarsa bir başka aşılmaz surla karşılaşırlar.

Kapalı Gözler ve Güdülen Toplum

Atalarımızı ta'n u teşni etmekten Allah'a sığınırım. Çünkü Peygamber Efendimiz (aleyhissalâtü vesselâm) ölüp gitmiş insanları kötü yönleriyle değil, güzel yanlarıyla anmamızı tavsiye buyurmuştur.[76] Biz de elden geldiğince onları hep iyi yanlarıyla anmaya çalışırız. Bununla birlikte bir hakikati ifade etmeden de geçemeyeceğim. Ne acıdır ki, bir dönemde dünyaya

---

[76] Bkz.: Tirmizî, *cenâiz* 34; Ebû Dâvûd, *edeb* 42.

karşı kapandığımızdan dolayı bir yönüyle güdülür hâle gelmişiz. Uyanık olmayıp kendimizi gaflet ve rehavete saldığımızdan başkaları tarafından sevk ve idare edilme durumuna düşmüşüz. Dünyaya açılma gibi plan ve projelerimiz olmamış. Bu konuda iddialı olan ve milletimiz için hamasî destanlar kesenlerin bile ciddî, kalıcı, uzun soluklu tek bir projelerinden bahsedilemez. Bir kapalılık dönemine girmişiz ki, bu dönemde yiyip içip, yan gelip kulaklarımız üzerine yatmışız. Bu durum aynı zamanda bizi heyecanlarımız, hislerimiz ve gerçek hamaset duygularımız açısından da felç etmiştir. Eğer erken bir dönemde bu tehlikeleri görüp fark edecek uyanık gözlere sahip olsaydık, her şeyi yeniden tecdide tâbi tutabilir, gerekli tedbirleri alarak içimize giren tehlikelerin önüne setler çekebilirdik. Bu yapılabilseydi, neticede bu ölçüde kötü bir akıbete maruz kalmazdık. Evet, çevremizi ve içinde bulunduğumuz dünyayı çok iyi görüp doğru okuyabilsek, zuhur eden tehlikeleri erken dönemde teşhis edebilsek ve en önemlisi bunlara karşı engelleyici alternatif bariyerler oluşturabilseydik durum şimdikinden çok daha farklı olabilirdi.

Günümüzde ruh ve mânâ köklerimizden süzülüp gelen değerleri bütün insanlığa duyurma adına bir kısım gayretler mevcut olsa da diğer yandan kötülük düşünen, kötülük tasarlayan şahıs ve şebekelerin boş durmadığı da bir vakıadır. Âdeta koca bir dünya kaynıyor. Bu arada bazı yerlerde insanlar başlarındaki tiranları devirmeye çalışıyor. Fakat unutulmamalıdır ki, eğer bir toplumda bir kısım dejenerasyon ve deformasyonlar yaşanmışsa, bunları yeniden formuna sokmak için hangi yol ve usûllerin takip edilmesi gerektiği çok iyi hesaplanmalıdır. Siz insanları birdenbire düzeltemezsiniz. Uzun zaman dinden uzak kalmış ve seküler bir hayat tarzına âdeta inhimak etmiş insanları yeniden kendilerini doğru okuyabilecekleri bir konuma ulaştırmak belli bir zamana vâbestedir. Bu açıdan ıslah adına ortaya konacak bütün plan ve projelerin baştan sona çok iyi hesaplanması gerekir. Hele mesele bir iman meselesiyse, sağlam bir düşünce ve ahlâk blokajına oturmuş insan yetiştirme mevzuu ise ve siz bu problemleri çözemediyseniz, Mefisto bir kez daha oyununu oynayacak ve insanlık bir kez daha ona yenik düşecektir.

Kaos ve Kargaşadan Nizama Yürünmez

Evet, yapılması gerekenler yapılmadıktan sonra bir toplum içindeki başkaldırmalar çok defa karambole olur. Belki işin içinde hüsnüniyetle hareket eden pek çok insan vardır. Ancak karambol hâdiselerden nasıl bir sonuç çıkacağını kestirmeniz mümkün değildir. Bu sebeple karambolün hâkim olduğu hamle ve hareketler hakkında benim hep endişelerim olmuştur. Asıl konumuza dönecek olursak, bütün bunlar uyurgezerliğin, hâdiseleri doğru okuyamamanın, onları gözü kapalı bir şekilde değerlendirmenin sonucudur. İşte bir toplum içindeki uyûn-u sâhire sahipleri, bütün bunları önceden görüp ona göre tedbir almasını bilen gözlerdir. Mesela, Seyyid Kutup hayatı boyunca çok samimane mücadele etmiştir. Zaten o, mücadele duygu ve düşüncesinin var olduğu bir hanede neşet etmiştir. Babası, annesi, kardeşi hep aynı düşüncenin insanlarıdır. "Fî Zılâli'l-Kur'ân" veya "el-Adâletü'l-İçtimâiyye" gibi eserlerine bakacak olursanız kendisinin de pürheyecan, hiç tereddüt etmeden ölümü göğüsleyebilecek bir insan olduğunu görürsünüz. Nitekim vefatından önce Nasır'ın adamları kendisine gelerek Nasır'dan özür dilemesi hâlinde affedileceğini ve asılmaktan kurtulacağını söylemişler ancak o, bir müminin asla bir kâfirden özür dilemeyeceğini söyleyerek bu teklifi kabul etmemiş ve ölürken bile kendisine yakışır şekilde vefat etmiş, şehitlik unvanıyla ötelere yürümüştür. Fakat bu zat onca mücadelesine rağmen hapishanede yazdığı son hatıralarında "Biz iman meselesinde zühul etmişiz. Toplumun dertlerine esas derman iman reçetesiymiş. İşte biz bunu görememişiz." şeklindeki ifadelerle bir hakikate dikkat çekmiştir. Öyleyse bir toplumun ıslahı için, ferdi kendi ruhuyla yeniden ikame etme ve onu yeniden inşa etme öncelikle halledilmesi gereken en önemli meseledir. Başka bir ifadeyle, eğer bir değişim gerçekleşecekse meselenin bütün yönleriyle ele alınması gerekir. Nasıl ki, bir vücudun, bütün fonksiyonlarını tastamam eda edebilmesi için o vücudun uzuvlarının bütününün canlı olması gerekir. Aynen öyle de, içtimaî hayatın ıslahı da onun bütün birimleriyle ele alınmasını gerektirir. Bir yerde boşluk bırakacak olursanız hiç farkına varmaksızın felçli bir uzuv gibi orada küt diye devrilirsiniz. Evet, eğer siz sağlam bir mantık ve muhakemeyle, hüşyar bir gönül ve basiretle hâdiseleri değerlendirmiyor, hamle ve hareketlerinizi ona göre planlamıyorsanız, ortaya koyduğunuz hamle ve aksiyonlar gider keşmekeş ve kargaşaya teslim olur. Bu sebeple, "ne", "nasıl" yapılacak? Dinimize, diyanetimize, neslimize ve geleceğimize yönelen tehlikeler nelerdir? Güzergâh emniyeti sağlanmış mıdır? Yoksa yürüdüğümüz yolda bir kısım trafik problemleriyle karşılaşma ihtimali var mıdır? deyip bütün bunlar üzerinde derinlemesine düşünmek gerekir. İşte "uyûn-u sâhire"yi bütün bunların hepsine tâmim ederek daha kapsamlı ele alabiliriz. Dolayısıyla denilebilir ki, gece gündüz hiç durmadan Allah için ağlayan gözler Cehennem'i görmeyeceği gibi, topluma, onun dinine, diyanetine, geleneklerinden süzülüp gelen değerlerine yönelik bir kısım hücumlar karşısında, yapılması gerekli olan şeyleri yapma adına muzdarip ve müteyakkız bir hâlde bulunan uyanık gözlere de Cehennem ateşi dokunmayacaktır.

S oru: Uyûn-u sâhire ile ızdırap arasında nasıl bir alâka vardır?

Bir insanın şahsî dertleriyle veya ailevî problemleriyle ya da daha geniş dairede mahallesiyle, kasabasıyla hatta ülkesiyle ilgili ızdırapları olabilir. İnsanın, bu ızdırapları vicdanında duyup hissetmesi onun insanlığının bir gereğidir. Fakat esas ızdırap, bütün insanlığın problemleriyle meşgul olma, onlara çareler arama, bütün insanlığa karşı bağrını, kucağını ve kalbini açma mânâsını ihtiva eden daha yüksek bir duygudur. Eğer siz bütün insanlığın maddî-mânevî, dünyevî-uhrevî huzur ve saadete ermesini gerekli görüyor, hep bu mülâhazalarla oturup kalkıyor ve bunun ızdırabını çekiyorsanız, zannediyorum uykularınız kaçacak ve geceleyin yatakta yatarken bile rahat edemeyeceksiniz. Hele bir de yaşanan problemlere çareler bulamıyor, onların çözümü adına alternatif yollar ortaya koyamıyorsanız ihtimal işte o zaman yorganınızı bir kenara atıp deli divane gibi koridorlarda dolaşmaya başlayacaksınız. Evet, böyle bir ızdırap sizi uyutmayacak ve sizi uyûn-u sâhire olmaya sevk eden bir sebep olacaktır.

Fakat ızdırabın asıl kaynağının Allah'a iman olduğunu bir kez daha hatırlatmakta fayda var. Yani bir insanın böyle bir ızdırabı vicdanında duyabilmesi için hakikî mânâda Cennet ve Cehennem'in ne ifade ettiğini vicdanında duyup hissetmesi, Peygamber yolunu bilmesi gerekir. "Keşke bütün insanlığı kucaklayabilsem! Keşke onlara hangi seviyede olursa olsun sahip olduğum değerleri üfleyebilsem! Keşke ruhumun ilhamlarını onların sinelerine boşaltabilsem!" diyen ve sinesi ızdırapla dolu olan bir insanın gözüne uyku girmeyecek ve böyle birisi oturup kalkıp plan üstüne plan yapacak ve stratejiler üretecektir. O, –bağışlayın– istibra yaparken bile kafasındaki problemlerin çözümüyle meşgul olacaktır. Aklına güzel bir düşünce gelse hemen onu not edecek veya derhal konuyla ilgilenen insanlara telefon açarak bulmuş olduğu çözümü onlarla paylaşacaktır. Hatta bazen aklına gelen bir fikir ona abdestini veya nafile namazını yarıda kestirecektir. Çünkü o, toplumun değişik yaralarına karşı, bir hekim-i hâzık gibi hareket etmekte ve oturup kalkarken zihni sürekli isabetli bir mülâhaza yakalama peşinde koşmaktadır. Karşısındaki yaralı, bereli insanları iyileştirmek için kullandığı elli türlü reçetenin fayda etmediğini gören ve "acaba daha başka ne yapabilirim?" diye düşünen muzdarip bir insan, aklına bir çözüm geldiğinde, "acaba bu, onların derdine derman olur mu?" diyerek hemen onu tatbike koyulacaktır. İşte böyle bir ızdırap, insanı uyutmaz ve onu deli gibi dolaştırır.

Mescidin Fonksiyonları

Soru: *Asr-ı Saadet'te mescidin fonksiyonları nelerdi? Günümüz şartlarında camilerimizin hem mimarî hem de içtimaî hayattaki yeri zaviyesinden Asr-ı Saadet'teki ruhla yeniden şekillendirilmesi hangi hususlara bağlıdır?*

Cevap: Bu mübarek mekânlar için, biz, "bir araya getiren, cem eden" mânâsındaki "cami" ifadesini kullandığımız gibi, "secde edilen yer, secdegâh" mânâsındaki "mescid" kelimesini de kullanırız. Mescide, rükû edilen yer mânâsında "merka" veya ayakta durulan yer mânâsında "makam" denilmemiştir. Çünkü bu iki husus, her ne kadar namazın çok önemli iki rüknü olsa da, bunlardan hiçbiri insanın Allah'a o en yakın hâlini ifade eden secde hâliyle mukayese edilemez. Resûl-i Ekrem Efendimiz (aleyhissalâtü vesselâm) bu yakınlığı ifade etme adına أَقْرَبُ مَا يَكُونُ الْعَبْدُ مِنْ رَبِّهِ وَهُوَ سَاجِدٌ *"Kulun Rabbisine en yakın olduğu an secde hâlidir."*[77] buyurur. Zira secdede, Allah'ın büyüklüğünü ifadenin yanında insanın kendi küçüklüğünü ortaya koyma gibi iki mülâhaza bir araya gelir; gelir ve bu iki mülâhaza bir araya gelip örtüşünce Allah'a en yakın olma hâli zuhur eder. Evet, kul, tevazu, mahviyet ve hacâlet içinde başını yere koyduğunda ve hatta mümkün olsa başını topraktan daha aşağı götürme azmiyle

---

77 Müslim, *salât* 215; Ebû Dâvûd, *salât* 148; Nesâî, *mevâkît* 35, *tatbîk* 78.

secdeye kapandığında Allah'a kurbet hâsıl olur. Bir yerde secde-
nin bu hâli şu sözlerle ifade edilmişti:

> *"Baş-ayak aynı yerde, öper alnı seccade;*
> *İşte, insanı yakınlığa taşıyan cadde..!"*[78]

Bu noktadan hareketle diyebiliriz ki, mescit, kendi gurbetle-
rinden sıyrılıp Allah'a yakınlık peşinde koşanların ve bu kurbe-
ti, iksir gibi bilenlerin sık sık koşup boşaldıkları, deşarj oldukları,
belki diğer bir mânâda şarj oldukları mübarek mekânın adıdır.

Caminin Kuşatıcı İkliminde Hall u Fasl Edilen Meseleler

Başta ifade edildiği gibi, "cem eden, toplayan" sözlük mâ-
nâsından hareketle cami kelimesini "insanların bir araya gelip
toplandığı mekân" mânâsında kullanıyoruz. Fakat insanların
bir araya gelip toplanmasını sadece cemaatle namaz eda etme
şeklinde anlamak meseleyi daraltma olur. Caminin bu cem et-
me özelliğini daha geniş çerçevede ele almalıyız. Tabiî, onun
bu özellik ve fonksiyonlarını en güzel şekilde anlayabilmek için
de öncelikle devr-i risalet-penahiye bakmamız gerekir. İşte bu
açıdan o altın çağa baktığımızda, Resûl-i Ekrem Efendimiz'in
(aleyhissalâtü vesselâm) mesajını sunma, bazı meseleleri istişa-
re etme, aldığı kararları infaz etme, bir problem karşısında alter-
natif çözümler üretme gibi değişik maksatlarla sahabe-i kiramı
mescitte topladığını görüyoruz. Dolayısıyla caminin, namaz için
insanları cem eden bir yer olmasının yanı başında, aynı zaman-
da Müslümanlığa ait pek çok meselenin halledildiği bir mekân
olduğu anlaşılmaktadır. Evet, o kutlu mekân, yerine göre bir
mektep, yerine göre bir medrese, yerine göre bir tekye, yerine
göre de bir ibadethane vazifesi görür. Ayrıca cami, insanların bir
araya gelerek itikâf yaptıkları, nefsaniyet ve cismaniyetten tecer-
rüt ettikleri, Hazreti Pîr'in enfes ifadesiyle hayvaniyetten çıkıp
cismaniyeti bıraktıkları, kalb ve ruhun derece-i hayatına yükse-
lip seyahatlerini o yörüngede sürdürdükleri mübarek mekânın

---

[78] M. F. Gülen, *Kırık Mızrap* s.382 (Hülyalı Mavilikleriye Geceler).

adıdır. Bu yönüyle o, sadece erkeklere mahsus bir mekân da değildir. Usûl ve şartlarına riayet edildiği, genel hava bozulmadığı sürece camiler, kadınlar için de bir araya gelip ibadet edecekleri kutlu mekânlardır. Çünkü Asr-ı Saadet'te mescit, erkeğe açık olduğu gibi kadına da açıktı.

Söylenilen bu hususları biraz daha açacak olursak; Mescid-i Nebevî'de halka-i zikirler teşekkül eder, değişik ad ve unvanlarla Zat-ı Vacibü'l-Vücud anılırdı. Aynı zamanda orada sohbet halkaları oluşur ve Hazreti Ruh-u Seyyidi'l-Enâm (aleyhi elfü elfi salâtin ve selâm) o mübarek mekânda sohbet ederlerdi. Dışarıdan yeni gelen bir şahıs da hemen o halkaya dâhil olurdu. Allah Resûlü de, herkesin kendisini rahatlıkla görebileceği bir yerde dururdu. Zaten O'nu görme bile başlı başına ruhlarda inşirah hâsıl etmeye yetiyordu. Çünkü O'nu görmede insibağ vardır. Evet, İnsanlığın İftihar Tablosu'nun (aleyhissalâtü vesselâm) öyle bir ciddiyeti, Allah karşısında öyle bir duruşu vardı ki, garazsız bir insan O'nu görür görmez hemen çok rahatlıkla dize gelir ve "Sen Allah'ın Resûlü'sün" derdi. Bunun farkında olan sahabe efendilerimiz de, O'nu temaşaya, gözlerinin mimiklerine varıncaya kadar O'nu yakından takibe can atarlardı. Resûl-i Ekrem Efendimiz de (sallallâhu aleyhi ve sellem) kendisine teveccüh etmiş o insanlara, gönlünün o apak ilhamlarını boşaltırdı. Allah Resûlü, sohbete o kadar önem veriyordu ki, bir gün bir sahabi efendimizin şartları zorlayarak o halkanın içine girmeye çalışmasını takdir etmiş; halkanın arkasında oturmanın dûnhimmetlik olduğunu ifade buyurmuş; halkada yer bulamadığından dolayı ayrılıp giden birisi için ise فَأَعْرَضَ فَأَعْرَضَ اللّٰهُ تَعَالَى عَنْهُ "*O geri döndü, Allah da ondan yüz çevirdi.*" ikazında bulunmuştu.[79]

Mescid-i Nebevî'de Kabul Edilen Yabancı Heyetler

Bütün bunların yanında Allah Resûlü (aleyhi salavâtullahi ve selâmuh) mescitte elçileri kabul buyuruyordu. O'nu görmek,

_____
[79] Buhârî, *ilim* 8, *salât* 84; Müslim, *selâm* 26.

dinlemek, doğru okumak ve O'nun ahval-i şahsiye-i âliyesini temaşa etmek üzere dört bir taraftan heyetler geliyordu. Efendimiz (sallallâhu aleyhi ve sellem) Medine'yi harem bölgesi ilan etmiş olmasına rağmen, orada yabancı elçi ve heyetleri de kabul ediyordu. En sahih hadis kaynaklarında geçtiği üzere Efendimiz (aleyhi ekmelüttehâyâ) Necran Hıristiyanlarını Mescid-i Nebevî'de kabul etmiş ve onlar orada günlerce kalmıştı. Evet, Necran Hıristiyanları Mescid-i Nebevî'de yiyip içmişler, orada yatıp kalkmış, aynı zamanda orada kendi ibadetlerini yapmışlardı.[80] Böylece O Zât'ın (aleyhissalâtü vesselâm), gece ve gündüzünü okuma ve O'nu (sallallâhu aleyhi ve sellem) daha iyi tanıma imkânını bulmuşlardı. Her ne kadar onlar, önyargı ve sabit mülâhazalarından tamamen sıyrılamasalar da, Hazreti Ruh-u Seyyidi'l-Enâm bu imkânı çok iyi değerlendirmiş, onların gönüllerine girmesini bilmiş ve İslâm'a karşı belli ölçüde kalblerinin yumuşamasını temin etmişti. Zira netice itibarıyla görüyoruz ki, Efendimiz (sallallâhu aleyhi ve sellem) onları ibtihale çağırdığında, yani "kimin hak kimin bâtıl üzere olduğunu anlamak için çoluk çocuğumuzu getirip 'yalancı isek Allah'ın lâneti üzerimize olsun' diye yemin edelim" teklifinde bulunduğunda, böyle bir şeye teşebbüs edememiş, Efendimiz'e (sallallâhu aleyhi ve sellem) karşı çıkmama sözü vererek oradan ayrılmayı tercih etmişlerdi.[81] Daha sonra ise onlar, Hazreti Pîr'in bir yerdeki ifadesiyle, İslâm'ın havz-ı kebiri içinde eriyip gitmişlerdir.

Görüldüğü üzere mescit, devr-i risalet-penahide çok engin bir vazife görüyordu. Orada Kur'ân ve Sünnet talim ediliyor, içtihat ve istinbatlar yapılarak fıkıh mülâhazasının temelleri atılıyor ve gelecekte inkişaf edecek İslâm düşüncesi mayalanıyordu. Damla orada derya oluyor, zerre de güneşe dönüşüyordu. Maalesef biz zamanla o camilerin kapılarını kapadık ve sadece beş vakit namazda açtık.

Kadın-Erkek Herkese Açık Mimarî Anlayış

Ben şahsen ecdadımızın yaptığı her şeyi takdir ve tebcille karşılarım. Onlar çağlar boyu İslâm ve Müslümanlar için çok

80 Bkz.: İbn Hişâm, *es-Sîratü'n-nebeviyye* 3/112-114.
81 Bkz.: Fahruddîn er-Râzî, *Mefâtîhu'l-ğayb* 8/71; ez-Zemahşerî, *el-Keşşâf* 1/396.

güzel hizmetler yapmışlardır. Fakat camileri, çoluk çocuk, kadın erkek herkesin rahatlıkla içine girip her türlü ibadetlerini yapabilecekleri bir mimarî felsefeye tâbi tutmamalarını bir eksiklik olarak görüyorum. Neden bizim camilerimizde, sırf kadınlar için, erkeklerin müşâhedesi altında ezilmeden, harama girme durumuna düşmeden, rahat hareket edebilecekleri, kendi mahremiyetlerine muvafık bir kısım ihtiyaç yerleri düşünülmemiştir? Neden o camilerin bir kenarında mahremiyetle muhat, kadınların da itikâf yapabilecekleri, hususi bir kısım itikâfhaneler inşa edilmemiştir? Evet, bu ve benzeri imkânlardan kadınlar niçin mahrum bırakılmıştır? Devr-i risalet-penahide kadınlar erkeklerin arkasında namaza duruyorlardı. Zannediyorum, hiçbirimiz dini yaşama mevzuunda o nezihlerden nezih Asr-ı Saadet insanlarından daha hassas ve daha titiz olduğumuz iddiasında değiliz. Çünkü levsiyat akan sokak ve çarşılarımız ve buralarda kirlenen, kararan kalb ve ruh dünyamız bizim nasıl bir hâlde olduğumuzu göstermeye yeter.

Evet, kadınlara yönelik ihtiyaçların bütün yönleriyle ele alınmamasını, caminin tamamiyeti adına bir eksiklik ve gedik olarak görüyorum.

Bu sebeple, camilerimizin kendine has o büyüleyen güzellikleri, yabancılar da dâhil, herkesin temaşasına açık hâle getirilmelidir. Evet, herkes, o kutlu mekânların maddî-mânevî baş döndüren güzelliklerini, estetik yönünü, mimarî fevkalâdeliğini temaşa edebilmelidir. Bu maksadın tahakkuku için de camilerimizin hangi mimarî felsefenin tesirinde kalınarak inşa edildiğinin, kubbelerin, mukarnasların, nakış ve çizgilerin hangi mânâya geldiğinin düşünülüp müzakere edilebileceği zemin ve ortam oluşturulmalıdır.

Mescide Gidiş ve Orada Bulunma Adabı

Esasında A'râf Sûresi'ndeki bir âyet-i kerimede cami ve mescitlerin kapısının herkese açık tutulması gerektiğine işaret edilmektedir. Söz konusu âyet-i kerimede Cenâb-ı Hak şöyle

buyurmaktadır: وَلَا وَاشْرَبُوا وَكُلُوا مَسْجِدٍ كُلِّ عِنْدَ زِينَتَكُمْ خُذُوا آدَمَ بَنِي يَا
الْمُسْرِفِينَ يُحِبُّ لَا إِنَّهُ تُسْرِفُوا *"Ey Âdem'in evladı! Her namaz vak-*
tinde mescide giderken, süsünüz olan elbisenizi giyinin. Yiyin,
için fakat israf etmeyin; çünkü Allah israf edenleri asla sevmez."[82]
Dikkat edildiğinde görüleceği üzere burada muhataplara بَنِي يَا
آدَمَ "Ey insanoğulları!" diye seslenilmekte; "Ey Müslümanlar!",
"Ey mü'minler!" veya "Ey namaz kılanlar!" gibi bir hitap ifa-
desi kullanılmamaktadır. Böyle bir üslûbun tercih edilmesi, ya-
ni Hazreti Âdem'e izafe etmek suretiyle hitapta bulunulması,
Müslüman olmayan insanlara da camilerin kapılarını açmamız
gerektiğine bir işaret olarak anlaşılabilir. Böylece dine, dindara,
cami ve mescitlere karşı belli bir önyargı içinde bulunan kimi
insanlar, mescide geldiklerinde, o mescidin imrendiriciliği kar-
şısında zamanla önyargılardan sıyrılabilir, o güzel mekânı sevip
onun o sıcak ve kucaklayıcı ikliminde eriyebilirler.

Âyetin devamında mahall-i içtima olan mescitlerimize gi-
derken kılık kıyafetimize dikkat etmemiz isteniyor. Günümüz
anlayışı içinde de insanlar bir toplantıya gidecekleri zaman gün-
lük iş güç elbiseleriyle oraya gitmiyor, hususî hazırlık yapıp öy-
le gidiyorlar. Bilhassa cuma namazıyla ilgili varit olan hadis-
lere baktığımızda meselenin daha titiz ele alındığını görürüz.
Efendimiz (sallallâhu aleyhi ve sellem) cuma namazına gidecek
Müslümanlara, gusül abdesti almalarını, misvak kullanmalarını,
güzel koku sürünmelerini, cuma için ayrı bir elbise edinmelerini
tavsiye buyurmuştur.[83]

Başka bir hadis zaviyesinden meseleye bakacak olursak,
Mudar kabilesinden bazı insanlar Mescid-i Nebevî'ye gelmiş-
lerdi. Bunlar imkânsızlıktan dolayı yünden elbiseler giymiş-
lerdi. Fakat sıcak olunca terlemişlerdi ve bunun sonucunda
yün kokusu mescidin içine yayılmaya başlamıştı. Bunun üze-
rine Allah Resûlü'nün (aleyhissalâtü vesselâm) gözleri dolmuş
ve onları o türlü urbalardan kurtarmak ve daha rahat elbise

---

82 A'râf sûresi, 7/31.
83 Bkz.: Buhârî, *cuma* 2-5, 12, 26; Müslim, *cuma* 1-12.

giymelerini temin etmek için sahabe-i kirama himmet teklifinde bulunmuştu.[84]

Evet, mescitler birer toplantı yeri olması itibarıyla oraya başkalarını tiksindirecek bir keyfiyette gitmekten uzak durulmalıdır. Mü'minlere düşen, ter, ağız kokusu gibi rahatsız edici bir kısım olumsuzluklar olsa da onlara katlanmak olmalıdır. Fakat diğer taraftan insanları öyle bir katlanma mecburiyetinde bırakmamak gerekir. Bu mevzuda ne kadar hassas olunmalıdır? Bağışlayın, mesela kronik bir boğaz faranjiti veya reflüsü olduğundan dolayı başkalarını rahatsız edici bir koku söz konusu ise, vakit geçirmeksizin tedavi yollarına başvurup o hâlin çaresine bakılmalıdır. Hiç kimsenin yanındaki bir mü'mini rahatsız etmeye hakkı yoktur. Bu tür rahatsız edici hususlar Kur'ân'a, ibadet ü taate kendini salmış bir insanın dikkat ve konsantrasyonunu dağıtabilir.

Bu açıdan mescide giden bir insan en temiz, en güzel elbiselerini giyerek, imkânı varsa güzel kokular sürünerek, imrenilir bir hâl ve vaziyette oraya gitmeye çalışmalıdır. Böyle bir davranış aynı zamanda mü'minlere karşı saygılı olmanın ifadesidir. Diğer yandan insanın, Allah'a en yakın olduğu secdegâha, orayı hafife alıyormuşçasına çirkin kokularla, kirli bir hâlde girmesi uygun değildir. Siz bir büyüğün karşısına çıkarken bile kendinize çekidüzen verirsiniz. Namaz ise Allah'ın huzuruna çıkmaktır. O, hadd-i zatında bir miraçtır.[85] Şimdi böyle bir yolculuğa çıkan kimsenin Allah'a karşı saygının gereği olarak azami derecede temkin ve tedbirli olması gerekmez mi?

Âyetin devamında ayrı bir hususa daha dikkat çekme adına şöyle buyruluyor: وَكُلُوا وَاشْرَبُوا وَلَا تُسْرِفُوا Yani; ey insanlar! Mescide gittiğiniz zaman temiz ve güzel elbiselerinizi giyin, en güzel heyet ve surette bulunun. Ne var ki, ne giymede, ne yemede, ne de içmede israfa gitmeyin ve hadd-i itidali koruyun. Zira Allah, diğer yerlerde olduğu gibi burada da israf

---

84   Müslim, *zekât* 69; Nesâî, *zekât* 64; Ahmed İbn Hanbel, *el-Müsned* 4/358.
85   Bkz.: Fahruddîn er-Râzî, *Mefâtîhu'l-ğayb* 1/214; es-Suyûtî, *Şerhu Süneni İbn Mâce* s.313.

edenleri sevmez. Mesela "Ben her gün yeni bir cübbe giyeceğim.", "Mescide gitmek için her gün elbisemi ütüleyeceğim." gibi düşünceler bu mevzuda israf sayılabilir. İşte âyet-i kerime, yeme içme hususunu da hatırlatarak cami bir emirle bize her yerde ve her işte hadd-i vasatı takip etmeyi, hiçbir zaman itidali elden bırakmamayı ve her zaman sırat-ı müstakîm üzere olmayı tavsiye buyurmaktadır.

Hizmet Eden İnsanların Amansız Düşmanı: Şeytan

Soru: *Şeytanın herkese kendi sıkletine göre musallat olmasından bahsediliyor. Bu hususu nasıl anlamalıyız?*

Cevap: Şeytan, bir parça dahi olsun iyilik düşünmeyen, tamamen fesada kilitlenmiş ve kötülük duygularıyla dopdolu bir varlıktır. Cenâb-ı Hakk'a başkaldırdığı andan itibaren o, insanın en büyük düşmanı olmuştur. Şeytanın bu hâlini anlama adına –her ne kadar insan bütün bütün şeytan gibi olmasa da– fitili çekilmiş bir bomba gibi patlamaya hazır bir insanı düşünebilirsiniz. Bazen çevrenizde bu tür insanları görürsünüz. Böyle bir kişinin arzu ettiği şeyler olmayınca ne yapacağı belli olmaz. Mesela yemek masasının üzerindeki örtüyü çekerek çatal, kaşık, tabak, bardak ne varsa hepsini yere serer; önündeki sandalyeye bir tekme atar; gözü duvardaki levhalara ilişecek olsa, onları da kaldırıp yere çalar. Hatta o esnada ona hilm u silmden bahsedecek olsanız bir yumruk da size vurabilir. Çünkü onun hafakanları beynine vurmuştur. Böyle bir öfke muvakkat bir cinnettir ve bu cinnetin akıbeti de felâket üstüne felâkettir.

Şeytan ise insana karşı, sadece öfkeyle değil, haset, hazımsızlık, kin, nefret gibi bütün mesâvi-i ahlâkla dopdolu bir varlıktır. O, insana karşı öyle bir hınçla dopdoludur ki, Hazreti Âdem'in bütün evlâtlarını yoldan çıkarsa yine de hıncını tam alamaz. Nitekim Hazreti Âdem'in yaratılmasıyla birlikte ona karşı olan hazımsızlık ve kıskançlığını açıkça ortaya koymuştur. فَبِعِزَّتِكَ لَأُغْوِيَنَّهُمْ أَجْمَعِينَ ifadeleriyle o, inanmadığı, başkaldırdığı ve karşı çıktığı Allah'a karşı, *"Senin izzet ve ululuğuna yemin ediyorum ki, onların hepsini baştan çıkaracağım."*[86] der küstahça. Başka bir âyet-i kerimede buyurulduğu üzere; *"Kâh önlerinden, kâh arkalarından, kâh sağlarından, kâh sollarından, onlara yaklaşacağım."*[87] diyerek nefret ve düşmanlığını ilan eder. Bu ifadelerinden onun, insanı farklı yollarla kandırmak istediği, kimisini bohemlikle, kimisini okşayıp pohpohlayarak, kimisini istikbali bir mezar-ı ekber şeklinde kara göstermekle, kimisini de açıktan açığa küfrünü ortaya koydurmak suretiyle vurmaya çalıştığı anlaşılıyor. Bundan dolayıdır ki, Resûl-i Ekrem Efendimiz (sallallâhu aleyhi ve sellem) sabah-akşam yaptığı dualarında bu cihetlerden gelebilecek tehlikelere karşı şu ifadeleriyle Cenâb-ı Hakk'a sığınıyordu: اَللّٰهُمَّ احْفَظْنِي مِنْ بَيْنِ يَدَيَّ وَمِنْ خَلْفِي وَعَنْ يَمِينِي وَعَنْ شِمَالِي وَمِنْ فَوْقِي وَأَعُوذُ بِعَظَمَتِكَ أَنْ أُغْتَالَ مِنْ تَحْتِي *"Allah'ım, önümden, arkamdan, sağımdan, solumdan ve üstümden (gelecek bütün tehlikelerden) beni koru. (Yere batırılmak suretiyle) ayağımın altından helâk edilmekten de Senin azametine sığınırım."*[88]

İşte şeytan bu ölçüde düşmanlık beslediği insan nevine karşı en büyük zararı verebilmek için, öncelikle insanlara en faydalı olan şahısları hedef alır ve onlara hücum eder. Bu açıdan bakınca, mâric nârdan (hâlis ateşten) yaratılmış şeytan gibi bir habisin,[89] Hazreti Âdem gibi "Safiyullah" ve "Müstafeyne'l-ahyar"dan olan bir zata[90] düşmanlık beslemesi insana neredeyse mâkul gibi görünüyor. Evet, şeytanın büyük zatlara karşı ortaya koyduğu düşmanlık diğerlerinden çok daha büyüktür. Onun Hazreti Musa veya Hazreti Harun'a olan düşmanlığı, Sâmirî'ye

---

86 Sâd sûresi, 38/82.
87 A'râf sûresi, 7/17.
88 Ebû Dâvûd, *edeb* 100; Ahmed İbn Hanbel, *el-Müsned* 2/25.
89 Bkz.: Rahman sûresi, 55/15.
90 Bkz.: Âl-i İmrân sûresi, 3/33.

ya da Karun'a düşman olmasından çok daha farklıdır. Kısaca kim Allah'a daha yakınsa ve Allah adına hayırlı işler yapıyorsa hiç şüphesiz şeytan onun amansız bir düşmanıdır.

Şeytanın Gemi ve Başıboş İnsanlar

Hanefî fıkhına dair kitabı da bulunan Ebu'l-Leys es-Semerkandî Hazretleri'nin rekaikle alâkalı Tenbihü'l-Gâfilîn isminde bir eseri vardır. Bu eseri 15-16 yaşlarındayken Korucuk köyünün halkına, yarım yamalak Arapçamla bir ders gibi takrir etmiştim. Bu eserin ilk bahsi ihlâsla ilgilidir. Daha sonra Cennet ve Cehennem'le ilgili bahisler gelir. Ardından rekaikle alâkalı daha başka mevzuları ele aldıktan sonra, hazret, kitabın son bahsinde şeytanla Efendimiz'in (sallallâhu aleyhi ve sellem) karşılaşmasını anlatır. Muteber hadis kitaplarında böyle bir vak'a anlatılmasa da, Ebu'l-Leys es-Semerkandî gibi önemli bir zatın böyle bir hâdiseden bahsetmesi, vereceği mesaj açısından kanaatimce önem arz eder. İşte o bahiste, konumuz açısından şöyle önemli bir husus yer alır. Peygamber Efendimiz (aleyhissalâtü vesselâm): "Senin en büyük hasmın kimdir?" diye şeytana sorduğunda, şeytan hiç tereddüt etmeksizin: "Sen." der.[91] Bir yönüyle karanlığın tanrısı olduğunu iddia eden o melun, bir hamlede insanlığı kurtaran, bir nefhada kayserleri, kisraları yere seren ve insanların kapkaranlık dünyalarını aydınlatan O Masum'a düşman olmayacak da ya kime düşman olacak!

Bu açıdan derecesine göre Allah'ın dinine sahip çıkan ve onu kıvamında temsil eden insanlar, şeytanın en baş hasımlarıdır. Konuyla ilgili olarak Hazreti Pîr de: "Şeytanlar bu hizmetin hâdimleriyle çok uğraşır." diyor. Yani kim gönülden dine kendisini vermişse, kim o işin tiryakisi ve bağımlısı hâline gelmişse şeytan en çok onunla uğraşacaktır.

Mevzuu tenvir için, aklıma gelen bir menkıbeyi arz edeyim: Ehl-i dünya veya bînamaz bir insan camiin bahçesinden geçiyormuş. O esnada elinde bir sürü gem olan birisini görmüş. Yanına

---

91 Bkz.: es-Semerkandî, *Tenbîhü'l-gâfilîn* s.763.

sokularak kim olduğunu sormuş. O da: "Ben şeytanım!" diye cevap vermiş. Bu sefer elindeki gemlerin ne işe yaradığını sormuş. Bunun üzerine şeytan: "Şu camide gönlünü Allah'a vermiş âbid insanlar var. Dışarıya çıktıklarında, onları o atmosferden uzaklaştırıp kendi peşimden sürüklemek için bu gemleri elimde tutuyorum." demiş. Adam kendisi için de bir gemin olup olmadığını merak etmiş ve şeytana: "Benim gemim hangisi?" diye sormuş. Şeytan: "Senin için geme lüzum yok ki, sen zaten küçük bir işaretle arkamdan koştura koştura geliyorsun!" demiş.

Bu açıdan kim gönlünü Allah'a vermiş, kim dinini ihyaya azmetmiş ve kim hayatını hizmete vakfetmişse şeytan mesaisini daha çok onunla uğraşmaya harcayacaktır. Şeytan, Alvar İmamı'nın ifadesiyle, orucu demhanede, iftarı meyhanede, bayramı puthanede olan zavallı insanlarla niye uğraşsın ki! Böyle yapmakla enerjisini kendi adına boşa harcamış olur. Hâlbuki şeytan profesyonel bir müfsit, bir müzeyyin ve bir müsevvildir.

Şeytan ve Yuva

Evet, şeytan herkese sıkletine göre musallat olur. O, öncelikle gözünün içine bakılan, bir toplum, bir heyet için bir mânâ ifade eden, belli bir konumu olan insanlarla uğraşır. Evvelâ başa güreşir ve o kemeri kapmaya çalışır. Maksadına ulaşınca da sevinir. Çünkü onun sevinci, kötülük ve fenalıkların yeryüzüne yayılmasındadır. Meseleye ışık tutacak bir hadis-i şeriflerinde Efendimiz (aleyhi ekmelüttehâyâ) şöyle buyurur: *"İblis tahtını su üzerine kurar. Sonra yapacakları kötülükleri yapmak üzere avanesini sağa sola gönderir.* (Bunlardan kimisi insana faiz yedirtir, kimisi göze hükmederek harama baktırır, bohemlik duygularını tetikleyerek onu şehevanî hisleri arkasında koşturur; kimisi de ağza hükmederek yalan söyletir, gıybet ettirir veya iftiraya sevk eder. Belki de onlardan her birisi kabiliyet ve o mevzudaki mümaresesine göre günah adına yapacağını yapar.) *Makam ve mevkice ona en yakın olan, fitnenin en büyüğünü yapandır. Hepsi yaptıklarını anlatmak üzere İblis'in huzuruna gelir ve içlerinden birisi: 'Ben şunu, şunu yaptım.' der. Ancak İblis, ona hiç de iltifat etmez.* Sonra bir başkası gelir (burada günümüzde çok yaygın olan bir hâdiseye işaret vardır) *ve 'Falan adamı, karısından boşayıncaya kadar peşini bırakmadım.' der. İblis bundan o kadar memnun olur ki, hemen onu yanına çağırır ve 'Sen ne kadar şirinsin!' diyerek iltifat eder.*"[92] Şeytan niçin bu ölçüde sevinmiş ve bu kötülüğü yapan çırağına niye böyle bir iltifatta bulunmuştur? Çünkü yuva toplumun molekülüdür. Çözülme orada başlar. Orada bozulan bir şeyi toplumda tashih etmeye sizin gücünüz yetmez.

Bütün bunlara bakıldığında, şeytanın yapacağı kötülükleri kendince önem sırasına göre sıraladığını görüyoruz. Bu stratejiye göre o, öncelikle baştakileri, ağır sıklet insanları yere sermeye çalışır. Onları yere serdiğinde destede (yağlı güreşte pehlivanların ayrıldığı beş dereceden en küçüğü) güreşenlerin birer çelmelik hâli var demektir. Zaten onların bir kısmı bir işaretle onun arkasından koşup gideceklerdir. Bu açıdan şeytan, başta enbiya-i izâma sonra da, asfiya-i kiram, evliya-i fihâm ve müctehidin-i izâm efendilerimize musallat olacaktır. Kendilerini i'lâ-yı kelimetullaha adamış insanlar da onun öncelikle musallat olacağı kişilerdendir. O, dini i'lâ etmeye adanmış bu işin tiryakilerini boş bırakmayacak ve onların başlarını döndürme, bakışlarını bulandırma ve onları mâlâyâniyata sevk etme istikametinde koşturup duracaktır.

Hücuma Uğrayan Tarihî Şahsiyetler

Tıpkı şeytanlar gibi, insanlar arasında onların çırakları olan fesada açık ruhlar da, vefat edip gitmiş olsa dahi, en çok, Allah dostlarına saldırırlar. Mesela bakıyorsunuz ömrünü at üstünde geçirmiş ve cephede ruhunun ufkuna yürümüş Kanuni gibi büyük bir kâmete saldırıyorlar. Hangi kaynağa dayanarak onun içki içtiğini söylüyorlar, hangi kaynağa dayanarak ona bohemlik isnadında bulunuyorlar, bilemiyor ve "tevbeler tevbesi"

---

[92] Müslim, *münâfıkîn* 67; Ahmed İbn Hanbel, *el-Müsned* 3/314.

diyoruz. Merhum Mağripli büyük filozof Malik İbn Nebi diyor ki: "Eğer İslâm dünyasının şimalinde Türk toplumu olmasaydı, bugün İslâm dünyası da olmazdı. Türkler olmasaydı, bugün yeryüzünde Müslümanlık da kalmazdı."

O büyük şahsiyet hakkında ileri geri konuşanlar bilmiyorlar ki, o, yarım asır koskocaman bir coğrafyada insanların mutluluk ve huzur içinde yaşamalarını temin etmiş, emniyet ve asayişin bekçiliğini yapmıştır. Günümüzde olduğu gibi fesat, terör ve şekavet o gün de vardı. Hem de etrafı çepeçevre sarmıştı. Ancak o insanlar, rahatlarını terk etmiş, tehlikelere karşı göğüslerini germiş ve bütün bu problemlerin üstesinden gelmişlerdi. Ben şu dar dairede gelip bana toslayan gaileler karşısında, Kanuni ve Yavuz'un başına gelenleri düşünüyor ve biraz olsun o büyük şahsiyetlerin hâlini tahmin etmeye çalışıyorum. Zannediyorum benim ömür boyu başıma gelen sıkıntıları onlar bir gecede yaşıyorlardı.

Evet, biz onların bir günde çektikleri sıkıntıyı ömür boyu çekmiyoruz. Bazı şeyleri anlatmak dile kolay geliyor, ancak çekilen o sıkıntılar bizim başımıza gelseydi zannediyorum altında kalır ezilirdik.

Onların bu hususiyetinden olsa gerek, onlar daha dünyaya gelmeden evvel bazı ehlullah Osmanlı Devleti'ni nazara vermiş ve Râşit Halifelerden sonra onları zikretmiştir.[93] Ama neylersiniz ki, onlardaki bu enginlik, derinlik, hasbîlik ve ihlâsı görememiş, ecdadından bîhaber tâli'sizler, o büyük insanları farklı kalıplar içinde sunuyor, yalan yanlış isnatlarla zihinleri bulandırıyor ve böylece büyük bir zulüm ve haksızlık yapıyorlar. Rabbim, hak ve hakikate gözlerimizi açsın ve böyle azim bir zulüm ve haksızlığı irtikâp etmekten hepimizi muhafaza buyursun!

---

[93] Bkz.: İbn Arabî, *eş-Şeceretü'n-Nu'mâniyye bi Şerhi Sadriddin el-Konevî* s.37.

Bir Kez Daha İlim ve Araştırma Aşkı

Soru: *Bilim ve araştırma sahasında istenen seviyeye ulaşabilmek için bilginin transferi zaruri midir? Kendi temel dinamiklerimiz üzerine kurulu bir bilim anlayışının tesisi adına yapılması gerekenler nelerdir?*

Cevap: Bilginin asıl kaynağı Cenâb-ı Hakk'ın âsârıdır. O âsârın kavl-i şârihi, burhân-ı vâzıhı, delil-i sâtıı ise Kur'ân-ı Mûcizu'l-Beyân'dır.[94] Kur'ân-ı Kerim'in müfessir ve mübeyyini de Sünnet-i Sahiha'dır. Sahabe-i kiram ve tabiîn-i izâm efendilerimizin anlayışları da Kur'ân'ı anlama mevzuunda bizim için önemli birer mercek konumundadır. Çünkü Kur'ân onların anlayacağı bir dille nazil olmuş, Peygamber Efendimiz (sallallâhu aleyhi ve sellem) de tenezzülât-ı nebeviyesiyle onların anlayacağı bir dil kullanmıştır. İşte başta Kur'ân-ı Kerim, sonra da Sünnet-i Sahiha ve selef-i salihînin rehberliğinde tekvînî emirlerin doğru okunması, iyi görülmesi ve onlarla dinde vaz'edilen esasların birleşik noktasının ufkuna ulaşılması çok önemlidir. Ne var ki, asırların ihmaline uğramış böyle bir meselede istenen seviye ve hedeflenen ufka bir anda ulaşılmasının mümkün olmadığı da hatırdan çıkarılmamalıdır. İlim ve araştırma aşkı, henüz

---

[94] Bkz.: Bediüzzaman, *Sözler* s.393 (Yirmi Beşinci Söz, Mukaddime).

hicrî beşinci asırda yani yaklaşık dokuz asır evvel bizden bir darbe yemiştir. Bunun yanında bilginin ruhlarda birer ifazası olan Zât-ı Ulûhiyet'e ulaştıracak yüksek mânâlar ve hakâik de tedris âleminden kapı dışarı edilmiştir. Değişik vesilelerle ifade edildiği gibi medrese fünûn-u müsbeteyi kapı dışarı etmekle kalmamış, aynı zamanda İslâm'ın ruhî hayatına karşı da kapılarını kapamış ve sonra da arkasına sürgü vurmuştur.

Zaferlerle Gelen Baş Dönmesi

Bu dönemde, İslâm'ın bayraktarlığını yaptığımız, ciddî bir cehd ve gayret sergilediğimiz ve neticede siyasî ve askerî sahada zaferler peşinde koştuğumuz bir gerçektir. Elbette ki Âlem-i İslâm'ın koruyucusu olmanın Allah nezdindeki kıymet ve değeri çok yüksektir. Düşmanlığa kilitli saldırgan ve mütecavizler karşısında, dinin ve namusun haysiyetini koruma mevzuu takdire şayan bir iştir. Bütün bunları gerçekleştirenler takdir ve tebcil edilmelidir. Evet, Selçuklulardan İlhanlılara, Eyyûbilerden bu işi zirvede temsil eden Osmanlılara kadar atalarımız İslâm'ın bayraktarlığını bihakkın temsil etmişlerdir. Onlar âdeta burçtan burca bayrak taşımış ve her yerde haysiyet, şeref ve namusumuzun remzi olarak hilâli dalgalandırmışlardır. Ne var ki, bir konuya inhimak edip onun üzerinde yoğunlaşan bir insanın başka meselelerde aynı ölçüde derinleşememesi gibi, onlar da, bayraktarlık vazifesini yerine getirmiş fakat bu arada laboratuvar ve araştırma merkezlerini ihmal etmişlerdir.

Oysaki daha önceki asırlarda ilim meselesi zirvelerde ele alınmış ve bu alanda çok başarılı insanlar yetişmiştir. Mesela bir İbn Sina'ya baktığınızda onun birçok ilim dalında uzman olduğunu görürsünüz. Felsefe ve düşünce sahasında olduğu gibi, fizyoloji, anatomi ve tıp alanında da söz sahibi. Tâ o dönemde virüslere karşı belli çareler üretmiş. Kur'ân'ı anlama mevzuunda da mütalâa ve mülâhazalarda bulunmuş. Bunun yanında sofliğe de eğilmiş. Sadece bir İbn Sina değil; o dönemde Muhammed İbn Zekeriyya er-Râzî'den Câbir'e, Fezârî'den Zehrâvî'ye,

Harizmî'den Bîrunî'ye nice büyük insan yetişmiştir. Bu zatlar, ilim adına alacakları şeyleri dinden almış, tekvînî ve teşriî emirlerin birleşik noktasında onu çok iyi okumuş, kavramış ve bütün bunların sonucunda başkaları karşısında ezilmemiş, aşağılık kompleksine kapılmamışlardır. Diğer insanlar açısından meseleye bakıldığında da, onlar, inanan insanların sahip olduğu bu faikiyet ve üstünlüğün mensup bulundukları dine ait olduğunu anlamış ve onların şahsında dine saygı duymuşlardır.

Ne var ki, hicrî beşinci asra kadar gelen bu ilim ve araştırma aşkı, bu ani'l-merkez hareket bize doğru geldikçe hız kesmiş, zamanla kıvam kaybına maruz kalmış ve kendinden beklenen fonksiyonu tam olarak eda edememiştir. İhtimal, İstanbul'un fethiyle gerçekleşen muzafferiyet bizim biraz başımızı döndürmüş, hilâfetin bize geçmesiyle baş dönmesi biraz daha artmıştır. Bu ifadelerimizden "o dönemde hiçbir şey yapılmadı" gibi bir düşünceye sahip olduğumuz anlaşılmamalıdır. Fatih ve Süleymaniye medreseleri, Enderun gibi kurumlar ilme önemli katkılarda bulunmuşlardır. Fakat hicrî beşinci asra kadar devam edegelen ilmî sahadaki o inkişaf ve gelişmenin daha sonraki dönemlerde görülmediği de inkâr edilemez bir vâkıadır.

Didik Didik Edilen Tabiat Kitabı

Batı'nın eşya ve hâdiseleri didik didik ederek ciddî bir araştırma aşkıyla ilim ve fende belli bir noktaya ulaştığı bir gerçektir. Belgesellerde görüyoruz. Mesela Güney Kutup'taki penguenlerin, bilmem neredeki vahşi balinaların hayatı günlerce takibe alınıyor. Bir araştırmacı: "25 senedir kobraların hayatını izliyorum" diyor. Bu insanlar, bu kadar emek ve gayret sonucunda ileride ne elde edeceklerini bile belki tam olarak bilmiyorlar. Fakat merak duygusu ve araştırma iştiyakıyla vahşi dedikleri tabiatı didik didik ediyor; söküyor, bozuyor sonra yeniden örgülüyor; örgünün keyfiyetine bakıyor; oradan atkılarına ulaşıyor; atkıların üzerindeki dantelâyı değerlendiriyor ve bütün bunlarla bir yere varmaya çalışıyorlar.

Bu arada istidradî olarak şu hususu ifade edeyim: Bu insanlar ilim adına bir yere kadar gitmiş ama neticede bütün bunları insiyaklara, sevk-i tabiîlere vermişlerdir. Maalesef bir adım daha atmak suretiyle meseleyi Hakikî Sahibi'ne bağlayamamışlardır. Her canlının âdeta bir insan gibi hareket ettiğini hatta hayatını idame noktasında bazı davranışlarda insanın önünde başarılar sergilediğini görmüş; ancak böyle muhteşem bir nizam ve ahengin arkasındaki Nâzım'ı, O'nun vaz'ettiği kanunları görememişlerdir. Onlar, insan, eşya ve hâdiselerden yola çıkarak Allah'a yürüme esprisini tam kavrayamadıkları, böyle bir ufka kapı aralayacak bakış açısına sahip bulunmadıklarından ötürü hepsi için diyemesek de pek çoğu itibarıyla gidip natüralizme, pozitivizme veya materyalizme saplanıp kalmışlardır. Evet, onlar bütün bu çalışmalarına rağmen, kitab-ı kebir-i kâinatın her harfinin, her kelime ve paragrafının Allah'ı anlattığını görememişlerdir.

Hakikate Ulaştıran Güvenli Güzergâhlar

Asıl konumuza dönecek olursak, Batılı bilim adamlarının eşyayı didik didik etme istikametindeki araştırma ve çalışmalarını maalesef hicrî beşinci asırdan sonra bizdeki ilim adamı ve araştırmacılarda göremiyoruz. Şimdi eğer biz de en azından onlar kadar bu işe eğilmez, kendimizi bu türlü araştırmalara vermezsek istenen seviyede bir başarıya ulaşmamız mümkün değildir. Bunun için de öncelikle çok ciddî bir hakikat aşkına sahip olmamız gerekiyor. Allah'tan daha büyük bir hakikat olmadığı gibi, Allah'ın büyük gördüğü şeylerden daha büyük bir hakikat de olamaz. O hâlde öncelikle O'na ulaşma aşkı olacak. İnsandaki Hakikatü'l-Hakâik'e duyulan bu aşk, ondaki ilim aşkını tetikleyecek; ilim aşkı ise onu araştırmaya sevk edecek ve bin yerde bin türlü araştırmayla hep O'na ulaşma adına yollar araştıracak, yollar bulacaktır.

"Allah'a giden yollar mahlûkatın solukları sayısıncadır."[95] sözünü sadece meşrep ve mizaçlar açısından anlamak eksik bir

---

[95] Bkz.: İbn Arabî, *el-Fütûhâtü'l-Mekkiyye* 3/549; el-Âlûsî, *Rûhu'l-meânî* 1/396, 6/165, 14/160.

değerlendirme olur. Esasen çok küçük mini varlıklardan makro âlemlere kadar her bir varlıkta Allah'a giden yollar vardır. İşte biz onları bulacak ve insanların dalâlet vadilerine düşmemeleri, dalâlet trafiği ile karşı karşıya kalmamaları için güvenli güzergâhlar oluşturacağız. Onların bu emniyetli güzergâhta yürüyüp Allah'a ulaşabilmeleri için tabanlarımızdan ter çıkarcasına koşturacak, çırpınıp duracak, ölüp ölüp dirileceğiz. Bu uğurda yaşatmak için kendi hesabımıza yaşamaktan vazgeçeceğiz. Diğer yandan Batılıların natüralizme saplandığı yerlerde biz meseleyi alıp Allah'a bağlayacak, her şeyde O'nun yed-i kudret, ilm-i muhit ve iradeyi muhitesinin tasarrufunu görmeye çalışacağız.

İlim taliplerinde böyle bir ruhu hâsıl etmek için ise çok ciddî bir rehabilitasyona ihtiyaç vardır. Eğer siz ilk mektepten başlayarak, orta mektepte, lisede, üniversitede ve daha sonra kariyer yaparken ilim yolcularını bu duygu etrafında rehabilite etmezseniz, onların içinden böyle bir ekip çıkaramazsınız. Bunun için icap ederse onlara ödüller vereceksiniz. Her ne kadar bizim felsefemize göre iltifat mârifete tabi olsa da, herkeste bu duygunun temsil edildiğini/edileceğini beklememek gerekir. Mârifetin ortaya çıkmasını temin için daha başta iltifata başvuracak ve maddî-mânevî ilim ehlinin hayatını teminat altına alacaksınız. Mesela diyebilirsiniz ki: "Şayet sen şu mevzuda bir araştırma yapar, şu meselenin künhüne vâkıf olursan, biz de geçim noktasında senin hayatını teminat altına alacağız. Akıl ve kalbinin ilim ve araştırma dışında maddî meselelerle meşgul olmaması için sana iki ev tahsis edecek, şöyle bir maaş bağlayacağız." Esasında ilmî araştırmalar bir aşk meselesi, kendini ölesiye o işe adama ameliyesidir. Ancak insanlardaki o aşk duygusunun hâsıl olması da, onları rehabiliteye bağlı bir husustur.

Bilginin Transferi ve Asıl Mesele

İşte bu hedefe doğru yürürken, bu güzergâhta ilk olarak halledilmesi gerekli olan husus transfer mevzuudur. Bu açıdan ilk başta, şu an Japonların, Çinlilerin takip ettiği gibi bir yol takip edilebilir. Bildiğiniz üzere onlar, Batı'da oluşan ilimleri almış, ilave ve ekler yapmak suretiyle, kendi dünya görüşlerine göre farklılaştırıp o ilimlerden istifade yoluna gitmişlerdir. Mesela Çin, transfer ettiği bilgi ve teknolojiyi daha ucuza mal etmek suretiyle, bir mânâda bugün bir dünya devi hâline gelmiştir. Japonya ise İkinci Cihan Harbi'nde atom bombasıyla yerle bir edilmiş, sonra bir devletin vesayeti altına girmiş ama bütün bunlara rağmen şu anda ilim ve araştırma sahasında bizim önümüzde yürümektedir. Almanya da İkinci Cihan Harbi'nde yerle bir edilmiş, güçlü devletler tarafından paylaşılmış, Doğu Almanya Rusya'nın, beri taraf da Amerika'nın vesayeti altında kalmış, fakat bütün bu olumsuz şartlara rağmen kısa sürede derlenip toparlanmış ve bizden işçi transfer etmeye başlamıştır. Bu açıdan bizim de bir transfer dönemi yaşamamız mümkündür. Öncelikle dışarıdan alınanlar iyi değerlendirilir, daha sonra insanımız çok daha yüksek gaye-i hayallere tevcih edilir. Bazıları buna "ilmin İslâmlaştırılması" diyor. Bence öyle demektense, meseleye, "ilmin kaynağı olan tekvînî emirlerin teşriî emirlerle birleşik noktasının yakalanması" şeklinde bakmak daha doğru olacaktır. Tabiî ki, bir hamlede, bir nefhada böyle bir noktaya ulaşmak mümkün değildir. Bu sebeple, bir yandan, eli kulağında bir müezzin gibi her yerde hakikati haykıran araştırma âşığı insanlar yetiştirecek, diğer yandan da sizin dünyanız dışında ortaya çıkan ilim ve teknolojileri takip etmek suretiyle çağı okumadan geri kalmayacaksınız.

Hâsılı kendi düşünce dinamiklerimiz üzerine kurulu bir ilim zihniyeti için, birinci istasyonda bilgiyi transfer edecek, değerlendirecek ve insanlarda eşya ve hâdiseleri çözme, anlama ve yorumlama aşk u iştiyakını oluşturacaksınız. Sonra da onu kendi değerlerinizle buluşturarak bir mânâda bizleştireceksiniz. Daha sonra onların bugüne kadar ortaya koydukları birikime bakıp "yahu biz niye bunları yapmayalım ki?" diyecek ve aynı araştırmaları siz yapacaksınız. Yani bilginin transferini bir fasıl hâlinde, onun bizleştirilmesini de ayrı bir fasıl hâlinde ele alacaksınız. Sonra da her şeyin mahiyet-i nefsü'l-emriyesine göre ele alınması, Allah'ın bu kitab-ı kebir-i kâinatı vaz'etmedeki murad-ı ilâhîsinin takip edilmesi, Kur'ân'ın onun nasıl kavl-i şârihi, burhân-ı vâzıhı ve delil-i sâtıı olduğu hakikatinin araştırılması hususlarına yöneleceksiniz. Ayakları, sağlam yere basan belli bir bakış açısı kazandıktan sonra, Cenâb-ı Hakk'ın bu iki kitabına bakınca aynı hakikati görmeye başlayacaksınız. Kur'ân âdeta bir kâinat, kâinat da bir Kur'ân gibi size görünmeye başlayacak. Diğer yandan sizin nazarınızda insan kâinatın bir fihristi, kâinat da inkişaf etmiş bir insan hâline gelecek. Bütün bu meselelere bizzat vicdanınızın şehadetiyle "evet" diyecek, "evet" diye haykıracaksınız.

Sıradanlık Duygusu ve Tasrif Üslûbu

Soru: *Yaptığımız iş ve vazifelerde, zamanla, sıradan bir iş yapıyor olma duygusu ağır basabiliyor. Böyle bir duygunun menfî tesirlerinden korunma adına neler tavsiye edersiniz?*

Cevap: Mebdede en derin aşk u heyecanla başlayan aksiyon ve hizmetlerde bile eğer yapılan iş ve faaliyetler standart hâle getirilmiş, yeni renk, desen ve nakışlarla onlara ayrı bir farklılık ve derinlik kazandırılmamışsa insanın bir müddet sonra, ülfet ve alışkanlığın boğucu atmosferi altında bir kadavra hâline gelmesi mukadderdir. Çünkü böyle bir durumda meşgul olduğunuz işler, çok önemli ve hayatî olsa da, onlar size muttarid hâdiselerden bir hâdise gibi görünecek, nazarınızda sıradanlaşmaya başlayacak ve hatta "bir an önce yapayım da aradan çıksın" anlayışı hâkim olacaktır. Bu açıdan şayet biz Allah'ı, Peygamber'i gönüllere duyurup sevdirme gibi çok ulvî bir iş peşinde bulunuyorsak sürekli formatla oynamalı, farklı formatlar bulmalıyız ki, hem muhatabımız olan kimselerde bir bıkkınlık hâsıl olmasın, hem de biz, yaptığımız işlere karşı bir kanıksama duygusu içine girmeyelim.

Farklı Şive Farklı Neşve Doğurur

İsterseniz siz bu meseleyi Kur'ân-ı Kerim'in tenzil ve tebliğde takip ettiği tasrif esprisiyle irtibatlandırabilirsiniz. Kur'ân-ı Mu'ciz'ül-Beyan'a bu nazarla bakıldığında, aynı mazmun ve aynı mefhumun, farklı yerlerde, farklı üslûp ve formatlarla sunulduğunu görürsünüz. Mesela bir kıssa-yı Musa, değişik problemlere misal teşkil etmesi, o problemlerden sıyrılma yollarını göstermesi ve o problemler karşısında peygamberane bir azim ve cehde vurguda bulunması adına birçok yerde tekerrür ediyor. Buna rağmen bir yerdeki kıssa hiçbir zaman başka bir yerdeki kıssanın tekrarı şeklinde ortaya konmuyor. Her seferinde aynı kıssa farklı ifadelerle karşımıza çıkıyor. Diğer yandan Allah (celle celâluhû) aynı hakikati farklı ifadelerle dile getirme adına bazen Hazreti Musa'yı, bazen Hazreti İsa'yı, bazen de İnsanlığın İftihar Tablosu'nu (Allah'ın salât ve selâmı onların üzerine olsun) konuşturuyor. İşte bunun adı tasriftir.

Meseleler her defasında böyle bir format değişikliği ve farklı bir şive ile sunulabildiği takdirde, bu durum beraberinde farklı bir neşve getirir; o da insanda farklı bir inşiraha sebebiyet verir. Evet, eğer siz meselelerinizi hep bir farklılık içinde sunabilirseniz, onları sürekli kendi derinlik ve enginliğiyle sunmuş ve dikkatleri de bu hakikatlere çekmiş olursunuz. Bu da temsil ettiğiniz meselelere karşı gönüllerde saygı uyarır. Bizim sahip olduğumuz değerler, bizatihi kıymetli ve değerlidir. Bu sebeple onlar bakırcılar çarşısında değil; altın, gümüş, zebercet veya yakut ticaretinin yapıldığı bir çarşıda piyasaya sürülmelidir. Fakat nice güzel hakikat vardır ki, bunlar, meseleleri usûlünce takdim edemeyen kimselerin ağzında değer ve kıymetini kaybedebilir. Nice sönük hakikatler vardır ki, onlar, meseleyi çok iyi kompoze ve ifade eden insanların dilinde ayrı bir güce ulaşır ve âdeta karşı tarafı büyüler. Bazen bâtıl; cerbeze, mugalata, demagoji ve diyalektikle revaç bulurken, hak ve hakikat, güzel bir takdimle muhataplara sunulmadığından hakkı olan revaçtan mahrum kalabilir. Bu açıdan eğer sizin temsil ettiğiniz, sahip çıktığınız ve başkalarına anlatmaya çalıştığınız meseleler hakikatse –ki öyle olduğu muhakkaktır– tasrif üslûbuyla başkalarında da o hakikatlere karşı gerekli saygıyı uyarmalısınız.

İçinde Bulunulan Zamanın Farkında Olmak

Eskimemenin, başka bir ifadeyle sürekli yeni kalabilmenin önemli bir vesilesi de insanın yaşadığı zamanın farkında ve şuurunda olmasıdır. Biz, ibnü'l-vakt yani zamanın çocukları olduğumuza göre, içinde yaşadığımız zamanı iyi bilmemiz ve zamanın gereklerine göre bir usûl takip etmemiz gerekiyor. Mesela benim bugün kalkıp, İzmir veyahut Edremit'te vaaz ettiğim otuz-kırk sene evvelki yol ve usûlle insanlara bir şeyler anlatmam doğru olmaz. Çünkü bugünün insanları o günün insanlarından farklıdır. Belki bugün birçoğu o günkü söylenenleri ezbere bilmektedir. Bugün yapılması gereken ise, anlatılan hususları felsefî derinlikleriyle ele alma ve meselelerin mâkuliyeti üzerinde durmaktır.

Mesela bugün anlatacağınız bir konunun fıkhî veçhesi varsa, o meseleye Şâtıbî'nin açtığı pencereden bakabilmeli veya Teftâzânî'nin Telvîh'i çerçevesinde o meseleyi ele alabilmelisiniz. Eğer siz bunu yapabilirseniz, insanlar, anlatılanları dinlemeye değer bulacaktır. Yoksa hakikat aynı hakikat olmasına rağmen muhataplar hakikate karşı müstağni davranabilirler. Madem Muallim-i Ezelî ve Ebedî, Kur'ân'da tasrif yaparak bize bir kapı aralıyor, yapmamız gerekli olan vazifeler hususunda bize bir yol gösteriyor, o hâlde bizim de bunu çok iyi değerlendirmemiz gerekir.

Yukarıda zamanın çocuğu olma esprisini kavramanın önemine işaret ettik. Ancak bu noktada durup yanlış anlaşılabilecek bir hususa dikkatlerinizi çekmek istiyorum. Yaşadığı zamanın şartlarından gafil bulunmak doğru olmadığı gibi, meseleyi tamamen zamana bağlayarak tarihsellik mülâhazasına girmek de doğru değildir. Ben yukarıda anlatılanlardan, böyle bir mülâhazam olduğu hissini uyarmışsam, bundan Allah'a sığınırım. Çünkü ezelî oldukları gibi ebedî olan Kur'ânî hakikatler kat'iyen değişmezler.

Ancak ister Kitap'ta isterse Sünnet-i Sahiha'da sarih olarak yer almamış, zamanın idrakine göre açık bırakılmış alanlar vardır. İşte zamanın çocukları içtihat ve istinbatlarıyla bu alanları dolduracaklardır. Ayrıca değişik zamanlarda yapılan içtihat ve istinbatların hangisinin günümüz ihtiyaçları zaviyesinden tercih edilerek insanlara sunulacağı da üzerinde durulması gereken diğer önemli bir husustur. İşte zamanın müessir olduğu alanlar bunlardır. Üstad Hazretleri'nin: "Zaman bir büyük müfessirdir; kaydını izhar etse, itiraz olunmaz."[96] ifadesi de bu hakikati veciz bir şekilde dile getirmektedir.

Kendini Muhasebe ve Yeniden Diriliş

Kendini yenilemenin diğer önemli bir vesilesi de belli aralıklarla iş ve faaliyetlerin muhasebe ve değerlendirmeye tâbi tutulmasıdır. Ben, Japonların senede bir iki ay, asude bir yere çekilip, yaptıkları veya yapacakları işleri görüştüklerini duymuştum. Bu toplantılarda, geçmişte yapılanlar tecrübe adına bir kere daha zihinlerde canlandırılıyor, yeniden formüle ediliyor, bunun yanı sıra geleceğe hazırlanma ve böylece metafizik gerilimi muhafaza adına yeni hedefler belirleniyormuş. Sınâî ve ticarî hayat adına bile bu şekilde seminerler tertip ediliyorsa, irşad ve tebliğ gibi insanların ebedî hayatını ilgilendiren bir meselede sürekli rehabilitasyona ihtiyaç duyulacağı zannediyorum izahtan vârestedir. Evet, dünyevî ve maddî işlerde bile bu mesele bir zaruret olarak görülüyorsa, irşad ve tebliğ açısından buna zaruret der zaruret (zaruret üstü zaruret) olarak bakmak icap eder. Bu açıdan diyebiliriz ki, bir irşad yolcusu, her sene kendi donanımını zenginleştirecek bir seminere katılmaz, bir yerde zihnini arındırmaz, geçmiş seneki falsolarını gözden geçirip istikbal adına alınması gereken tedbirleri almazsa aynı hataları, aynı yanlışlıkları tekrar eder durur ve yaptığı işlerde başarılı olamaz.

İşte bizim böyle bir rehabilitasyona ihtiyacımız vardır. Çünkü altına girdiğimiz sorumluluk çok ciddî ve çok büyüktür. Biz,

---

[96] Bediüzzaman, *Münazarat* s.73 (Metin, sadeleştirme, açıklama: Abdullah Aymaz).

Allah'a ve Resûlullah'a ait bir hukuku, bir yönüyle Efendimiz'in (sallallâhu aleyhi ve sellem) bize tevdi buyurduğu emaneti temsil etmeye çalışıyoruz. Bir misal olması açısından ifade edeyim. İbn Mes'ud Hazretleri on defa oturup kalkmadan, "lâ havle" çekmeden, kasıklarını tutmadan, şakaklarına elini götürmeden Efendimiz'den bir meseleyi ifade etmeye cesaret edememiştir. Zira o, aktaracağı mevzuun temel esprisine aykırı bir şey dile getirmekten korkmuştur. İşte bu, bir yönüyle mesuliyetinin farkında olma demektir. Çünkü bazen bir kelime her şeyi yıkabilir. Büyüklerin konuşmalarında görüyorsunuz, şeker şerbet gibi laflar ediyorlar. Fakat bazen bülbül nağmeleri içine bir saksağan sesi karıştırdıkları an her şey altüst oluveriyor.

Sorumluluk altında bulunan insanlar hiçbir zaman ulu orta konuşamazlar. Bir hasta, sadece kendi hastalığı ile ilgili bazı mülâhazalar serdedebilir. Ama tabiplik disiplinini benimseyen bir tabip, şayet yaptığı yeminin hakkını vermeyi düşünüyorsa ve meslek ahlâkını benimsemişse hiçbir zaman kulaktan dolma malumatla konuşmaz/konuşamaz. Aksi takdirde yanlış bir ifadeyle, tedavi etmesi gereken bir hastayı çok daha ciddî komplikasyonlara sevk edebilir. Şimdi mesele, sizin dünyevî hayatınızı tanzim eden, uhrevî hayatınızda size ebedî saadetin yollarını gösteren, size sağlam bir ulûhiyet ve nübüvvet telakkisi kazandıran din meselesi olunca, bunun ne kadar ciddiyet isteyeceği açıktır. Böyle bir mesele, senede bir iki defa rehabilitasyon görmeden eski bilgilerle götürülemez.

En Çok Yanlış Yapanlar

Bazıları yirmi-otuz senedir insanlık yolunda koşturan bir dairenin içinde bulunabilir. Fakat beslenme mekanizması sağlam işletilmemişse turnikeye önce girenlerin bilgileri diğerlerinin on sene gerisinde kalabilir. Daha da acısı turnikeye önce girenlerin bunun farkında olmamalarıdır. Bu açıdan bir kere daha kefeni yırtıp, bir kere daha yeniden gömlek giyip, bir kere daha "vira bismillâh" diyerek meseleyi yeniden ele alma, yeniden anlama ve yeniden tahlil etmeye koyulmamız iktiza ediyor. Yoksa hiç farkına varmaksızın pek çok yanlışlık içine girilir. En çok yanlış yapanlar da kıdemine güvenenlerdir. Mübtediler onlara göre daha az yanlış yaparlar. Çünkü onlar bir gözüyle yapacağı işe odaklanırken diğer gözüyle de önlerindeki rehberlere bakarlar. Fakat ne zaman ki, insanın zihninde "Bunca yıldır işin içindeyim. Ben de bir şeyler biliyorum..." mülâhazası oluşmaya başlarsa, bilmelidir ki, o çoktan işin dışına çıkmıştır, olup bitenlerin farkında değildir. İşte böyle bir duruma düşmemek için herkesin her sene bir iki defa bir araya gelerek, müktesebatını, işin neresinde durduğunu, ne tür hatalar yaptığını gözden geçirmesi, aynı hataları bir daha yapmamak için alınması gereken tedbirleri ve gelecekte yapılması düşünülen iş ve projeleri müzakere masasına yatırması gerekir.

Hayatın Gayesi

S *oru: Hakk'ın rızasını elde edebilme istikametinde yapılan bir hizmeti hayatın gayesi olarak görebilmek için neler tavsiye edersiniz?*

Cevap: İnsanın, yaptığı işi, hayatının gayesi ölçüsünde benimsemesi, öncelikle o işin zatî değerini, önem ve kıymetini bilmesiyle mümkündür. Mesela bir insan, iman mevzuuna, "ebedî hayatın kurtuluşu için çok önemli, olmazsa olmaz bir mesele" şeklinde bakıyorsa, o, hayatını bu gaye-i hayale bağlı götürecek, buna göre örgüleyecektir.

Cenâb-ı Hak, Efendimiz (sallallâhu aleyhi ve sellem) için –meâlen– *"Ey Resûl! Rabbinden Sana indirileni tebliğ et. Eğer bunu yapmazsan, O'nun elçiliğini yapmamış olursun."*[97] buyuruyor. Resûl-i Ekrem Efendimiz'e yapılan bu ikaz elbette ümmet-i Muhammed için de geçerlidir. Yani nasıl ki, Nebi (aleyhisselâm) kendisine yüklenen vazifeden kaçamıyorsa, siz de size tevdi edilen emanetten kaçamazsınız.

Mukaddes Hüsnüzan

Allah (celle celâluhu) emanetini, emanette emin emanetçilere tevdi ettiğine göre, aynı zamanda burada bir hüsnüzan olduğunu görmezlikten gelmemek gerekir. Evet, bir insanın başka birisine hüsnüzan etmesi gibi, Zât-ı Ulûhiyet'in de, insanlara

---

[97] Mâide sûresi, 5/67.

öyle bir mübeccel, münezzeh ve mukaddes bir hüsnüzannı vardır. Yani Allah (celle celâluhu) bizi emanette emin bilmiş ve bu emaneti bizlere tevdi etmiştir. O hâlde hiç kimse, "Benim bu işe liyakatim yok." diyerek vazifeden kaçamaz. Yoksa ne deriz Allah huzuruna vardığımızda? Ötede bize denmez mi, "Size itimat edilip bir vazife verildi, adam gibi doğru dürüst bir şekilde bu işi götüreceğiniz beklendi. Fakat siz bu işi yarı yolda bırakıp –Erzurumluların tabiriyle– boncukladınız." İşte inanan bir gönül, öte dünyada kendisine bu tür soruların tevcih edilebileceğini hesaba katmalı ve ona göre vazifeye sahip çıkmalıdır.

Ayrıca bizim için böyle bir daire içinde, böyle bir konumda bulunuyor olmanın hususî bir lütuf ve ihsan olduğu da hatırdan çıkarılmamalıdır. Zannediyorum bu durumu şöyle bir misalle ifade edebiliriz. Sanki bir yerde çok geniş bir kapı bulunuyor ve kapının önünden binlerce insan geçiyor. Kapı ara sıra aralanıyor. Oradan geçen insanlardan her kim kapının aralandığı ana denk geliyorsa ona, "Buyur, içeriye gir." deniyor. Evet, herkes hayatına baktığında böyle aralanmış bir kapıdan içeriye davet edilmiş olduğunu görebilir.

Ne var ki insan o kapıdan içeriye alınmasına rağmen orada bulunmanın bahtiyarlığından mahrum kalabilir. Erzurum'da bulunduğum dönemde, –Allah sa'yini meşkûr etsin!– Kırkıncı Hoca, "Isparta'dan, Hazreti Üstad'ın yanından birisi gelmiş, neler anlatıyor gidip bir dinleyelim, anlatacakları arasında belki sizin de beğeneceğiniz şeyler olabilir." diyerek, bir sürü insanı toplamış ve alıp o şahsın yanına götürmüştü. Ancak ben Erzurum'dan ayrıldığım vakit Kırkıncı Hoca'nın o gün toplayıp götürdüğü insanlardan bir ikisi ya vardı ya da yoktu. Bu açıdan içeriye girdikten sonra orada sabitkadem durma meselesi, insanın iradesini bu istikamette sarfetmesi mahfuz yine Allah'ın tutmasına bağlıdır. Demek ki, bu, Cenâb-ı Hakk'ın özel bir ihsanı ve özel bir lütfudur. Öyleyse insan bu lütf u ihsana lâyık olmaya çalışmalıdır.

Diğer yandan Allah yolunda yapılan hizmet ve amellerin kendisine göre bir hazzı vardır. Ben bu işi bütün zevk ve lezzetiyle duymuş insanlardan değilim. Bezginliğin her yanımdan döküldüğünü söyleyebilirim. Belki de içten içe, bir yolunu bulsam da bu işin içinden sıyrılsam mülâhazalarım vardır. İyi ve yararlı bir insan olmadığım mevzuunda ise kanaatim tamdır. Hayatım boyunca değişik tazyik ve tecritlere maruz kaldım. Seksen sonrası neler yaşayıp neler çektiğimi Allah bilir. Şu anda da yaşadığım şartlar itibarıyla kendimi iğneli bir fıçı içinde gibi hissediyorum. Fakat bütün bunlara rağmen diyorum ki: "Ben bu işi ne kadar kavramış olursam olayım, böyle büyük bir mesele için bu çektiklerimin on katını çeksem değer."

Tek Başımıza Kalsak da

Bildiğiniz gibi hadislerde geçen bir kahramanlık, bir yiğitlik tablosu vardır. İmanla dopdolu bir sine, cephede mücadele içinde iken, etrafındaki insanların hepsi birer birer budanır gibi devrilince, sağına bakmış, soluna bakmış sonra hiç kimsenin kalmadığını görünce atını mahmuzlayıp ileriye atılmış ve bir daha da geriye dönmemiştir.[98] İşte böyle bir anlayışa, böyle bir mantığa bağlı hareket etmek gerekir. Yani siz tek başınıza kalsanız, bütün dünya da mekanize birlikleriyle karşınıza dikilse, siz yine de aynı yolda inat ve sebatla devam etmelisiniz. İnadın bir hikmet-i vücudu vardır ki, o da hakta sebat etmektir. İşte meseleye bu perspektiften bakan bir insan, "İslâm ve iman hak olduğu gibi, bunların dünyaya duyurulması da çok önemli ve olmazsa olmaz bir meseledir. O olmayacaksa benim de varlığımın bir kıymeti yoktur." der ve hayatını ona göre tanzim eder.

Evet, bu meseleyi benimseme ve hayatın gayesi hâline getirme çok önemlidir. Öyle ki insan yatarken, kalkarken, "Vazifem olmazsa, benim varlığımın da bir anlamı yok. Ben bu işi yapamıyorsam, dünyada durmamın ne mânâsı olabilir ki!" demelidir. Hele bunu beş-on sene tekrar edin. Hatta gelecekte, bağlayıcı olması açısından, bu ahdinizi evinizdeki eşinize ve çocuklarınıza ifade edin. Onlara otuz defa kırk defa, "Eğer ben bu vazifeyi yapamayacaksam Allah emanetini alsın!" deyin. Eğer siz bir gün ordu bozanlık yapacak olursanız, evden yükselen bir ses, "Yahu sen bir zaman şöyle şöyle demiyor muydun?" diyecek

---

ve size verdiğiniz sözü hatırlatacaktır. Böylece siz bu ahdinizle elinizi, kolunuzu bağlamış ve aynı zamanda tek başınıza ayakta duramayacağınız, tek başınıza yürüyemeyeceğiniz bir yolda, başkalarının da destek ve enerjilerini arkanıza almış olacaksınız. Zira söylediğiniz şeylerden dönme sizin için bir ar ve ayıp olacak ve en azından bir vicdan meselesiyle yola devam edeceksiniz.

Bu açıdan her mü'min Allah'ı anlatma sevdirme adına kendini alternatif elli kementle yüce bir mefkûreye bağlamalı ve hayatını noktalayacağı ana kadar bütün gücüyle bu işin içinde olmaya çalışmalıdır.

Kadrim Bilinmedi Deyip Darılma!

Ayrıca yüce bir mefkûrenin gönüllerde her zaman ter u taze ve canlılık içinde duyulabilmesi için mutlaka bir sorumluluk yüklenilmesi gerektiği de unutulmamalıdır. Vâkıa, bazen kişiye, kendine biçtiği, kendini layık gördüğü bir vazife verilmeyebilir. Mesela filân şahsın hakkı bir alayı sevk u idare etmektir. Fakat onu bir taburun başında istihdam edebilirler. Onun kıymet-i harbiyesi hakikaten bundan daha yüksek seviyede olsa bile, o şahıs, "kadrim, kıymetim bilinmedi, tabura veya bölüğe düştüm" demeksizin, darılma, gönül koyma gibi tavırlar içine girmeksizin üzerine düşen vazifeyi en iyi şekilde yapmaya çalışmalıdır.

Bu arada hemen şunu da ifade edelim ki, idareci konumunda bulunan kişi, vazife vereceği şahsı, istidat ve kabiliyetleri ile çok iyi keşfetmeli, bilhassa başarılı olabileceği sahalarda ona istihdam imkânı sağlamalıdır. Yani kişinin, başarılarıyla Allah'a hamd edeceği, sevineceği, şükürle gerileceği, hizmet ederken şevkleneceği işler ona tahmil edilmeli; başarısız olduğu durumda ise, yeniden bazı kaynaklara başvurarak yanlışlıklarını düzeltebileceği bir zemin ve imkân kendisine sunulmalıdır.

"Mutlaka Bana Sorulmalı" Anlayışı

Maalesef bizim milletimizde bu disiplinler henüz tam olarak yerleşmemiştir. Evet, ne yazık ki, iş ve faaliyetlerimizde inhisar-ı fikir hâkimdir. "Mutlaka benim gözümün içine bakılmalı, meseleler mutlaka bana sorulmalı" gibi bir mülâhaza ve idarecilik anlayışı vardır. Hâlbuki başarılı bir idareciye düşen beraber çalıştığı insanlara önce belli vazife ve sorumluluklar vererek onları test etmek ve başarılı olacakları sahalarda kabiliyetlerinin inkişafını sağlamaktır.

Resûl-i Ekrem Efendimiz (aleyhi ekmelüttehâyâ) gizli kabiliyetleri keşfetmiş, onlara belli sorumluluklar yükleyerek hiç tahmin edilemeyecek yerlerde onları istihdam etmiştir. Mesela Zeyd İbn Hârise'yi (radıyallâhu anh) Mute gibi çok önemli bir savaşta, üç-dört bin kişilik bir ordunun başına kumandan tayin etmiş ve o da o işin hakkını vermiştir.[99] O günün toplumu açısından ordunun başına azatlı bir insanın getirilmesi çok önemli bir hâdiseydi. Allah Resûlü (aleyhissalâtü vesselâm) hem o işi layıkıyla yerine getirecek bir cevheri keşfetmiş, ona vazife vermiş, hem de bu vesileyle toplumdaki yanlış bir telakkiyi izale etmiştir. Hayat-ı seniyyelerinin bütününe bakıldığında Resul-i Ekrem Efendimiz'in (aleyhi ekmelüttehaya) her insanı istidat ve kabiliyetini sonuna kadar inkişaf ettirebileceği bir konumda istihdam ettiği görülecektir.

Bu açıdan herkese seviyesine göre bir iş teklif edilmeli ve o şahıs da, ona göre bir sorumluluk yüklenmelidir. Unutulmamalı ki eğer insanların ellerini taşın altına sokmalarını sağlayamaz, onlara önemli mesuliyetler veremezseniz onların kabiliyetleri hiçbir zaman inkişaf etmeyecektir. Dolayısıyla yapılacak işler aşkla şevkle yapılmayacak, zamanla insanlarda bir kanıksama ve bıkkınlık hasıl olacak, bu ise hak ve hakikatin saygısızlığa maruz kalmasını netice verecektir.

Bizim ikbal dönemlerimizin arkasındaki en önemli dinamiklerden biri de herkesin en verimli olabileceği alanlarda istihdam edilmesidir. Bu açıdan günümüzde de bu espirinin kavranması milletimizin ikbali adına çok önemlidir.

---

[99] Bkz.: Buhârî, *meğâzî* 44; Ahmed İbn Hanbel, *el-Müsned* 1/256, 5/299, 300.

Kalb ve Ruh Kahramanları

Soru: *Değişik vesilelerle, İslâm'ı en güzel şekilde yaşayan kimselerin sofîler olduğu ifade edilmişti. Bu sözden maksat nedir ve bu ifadede nazara verilen kalb ve ruh kahramanlarının genel özellikleri nelerdir?*

Cevap: Soruya geçmeden önce önemli bir hususu hatırlatmakta fayda var. Kim olursa olsun, hiç kimsenin Müslümanlığı asla hafife alınmamalıdır. Mebdeden müntehaya kadar herkesin, İslâm adına ortaya koyduğu ameller nezd-i ulûhiyette makbul olabilir. Daha başta kelime-i tevhid ve kelime-i şehadet Cennet'in kapısını açan sırlı birer anahtar gibidir. Allah Resûlü (sallallâhu aleyhi ve sellem): مَنْ قَالَ لَا إِلٰهَ إِلَّا اللهُ دَخَلَ الْجَنَّةَ buyurmak suretiyle, "Lâ ilâhe illallah" diyen herkesin Cennet'e gireceğini müjdelemiştir.[100] Daha önce bu hadis söz konusu olduğunda bir arkadaş, "Ya amel olmazsa!" demişti. Biz kimsenin kalbini, niyet ve iç mülâhazalarını bilemeyeceğimize göre, bu konuda kat'î bir şey söylememiz doğru olmaz. نَحْنُ نَحْكُمُ بِالظَّاهِرِ kaidesince,[101] biz zâhire göre hüküm verir ve kelime-i tevhidi söyleyen bir kimse hakkında hüsnüzanda bulunuruz.

Bir savaşta Üsame İbn Zeyd Hazretleri, düşman saflarında bulunan birisiyle savaşırken, tam onu öldüreceği esnada o kişi,

---

100 Tirmizî, îmân 37; Ebû Ya'lâ, *el-Müsned* 7/9, 34; İbn Huzeyme, *es-Sahîh* 3/304.
101 er-Râzî, *el-Mahsûl* 5/538; el-Âmidî, *el-İhkâm* 1/343; İbn Kesîr, *Tuhfetü't-tâlib* 1/174; İbn Hacer, *Telhîsu'l-habîr* 4/192.

kelime-i şehadet getirir. Ancak Hazreti Üsame, adamın içinden gelerek değil de kılıç korkusuyla bunu söylediğini düşünerek onu öldürür. Hazreti Üsame gibi büyük bir sahabînin hislerine kapılıp gayz ve nefretle bir insanı öldüreceğine ihtimal verilemez. Demek ki, meselenin temel esprisini bilemiyordu. Çünkü o dönemde her şey ter ü taze olarak bildiriliyor ve sahabe tarafından da hemen hayata geçiriliyordu. Allah Resûlü (aleyhissalâtü vesselâm) bildirmeyince onlar nereden bileceklerdi ki! İşte bu durum, Efendimiz'e (sallallâhu aleyhi ve sellem) haber verildiğinde, O: أَفَلَا شَقَقْتَ عَنْ قَلْبِهِ *"Yarıp kalbine mi baktın?"* diyerek Hazreti Üsame'ye öyle itap ediyor ki, Allah Resûlü'nün bu cesur komutanı ve Zeyd İbn Hârise'nin mahdum-i âlisi olan Hazreti Üsame: *"Keşke şu ana kadar Müslüman olmasaydım."* diyecekti.[102] Bunun mânâsı şudur: "Keşke bu hâdiseden sonra Müslüman olsaydım da Efendim'in bu itabına maruz kalmasaydım."

Başkalarına Hüsnüzan Nazarıyla Bakmak

Meseleyi bu kriterlere göre değerlendirdiğimizde şunu söyleyebiliriz: İbadet ü taatini şöyle böyle yerine getiren insanlar da inşaallah râh-ı felâhta ve selâmettedirler. Zira Resûl-i Ekrem Efendimiz (aleyhi ekmelüttehâyâ) şöyle buyuruyor: مَنْ صَلَّى صَلَاتَنَا وَاسْتَقْبَلَ قِبْلَتَنَا وَأَكَلَ ذَبِيحَتَنَا فَذٰلِكَ الْمُسْلِمُ الَّذِي لَهُ ذِمَّةُ اللهِ وَذِمَّةُ رَسُولِهِ فَلَا تُخْفِرُوا اللهَ فِي ذِمَّتِهِ *"Her kim bizim namazımızı kılar, kıblemize yönelir ve kestiğimizi de yerse, işte o, Allah ve Resûlü'nün ahd ü emânını hak eden bir Müslüman'dır. Artık Allah'ın ahd ü emanına hıyanet etmeyiniz."*[103] Evet, hadiste belirtilen amelleri yerine getiren bir insan, asla hafife alınacak birisi değildir.

Vâkıa, bazı âlimler, mukallidin imanının makbul olup olmadığı meselesi üzerinde uzun uzadıya durmuşlardır.[104] Onlara göre muhakkik, vicdanının ses ve soluğunu duyarak meselelere

---

102 Müslim, *îmân* 158; Ebû Dâvûd, *cihâd* 95; Ahmed İbn Hanbel, *el-Müsned* 5/207.
103 Buhârî, *salât* 28, *edâhî* 14; Tirmizî, *îmân* 2; Nesâî, *îmân* 9.
104 Bkz.: et-Teftâzânî, *Şerhu'l-Mekâsıd* 2/265-271.

yaklaşan, delillere dayanan, Hazreti Pîr'in yaklaşımıyla hadsin gözüyle bakan, hadsin kulağıyla dinleyen ve hadsin hâsıl ettiği hislerle hareket eden; hareket edip imana müteallik meseleleri bu ufukta değerlendirebilen insandır. Mukallit ise sadece taklitle yetinen kişidir. Bu sebeple bazen bu insanlar hakkında: "Bunlar amelî yanı olmayan nazarî Müslümanlardır." şeklinde konuşmuş olabiliriz. Fakat böyle bir durumda bile hüsnüzan cihetini tercih etmek gerekir. Mesela namazını eda eden bir adamın, namazdayken başını kaşıdığını veya amel-i kesîr yaptığını gördük. Burada bile, "Belki bana öyle göründü." demeliyiz. Çünkü Allah bizi onunla imtihan ediyor veya hüsnüzannımızın seviyesini bize göstermek için, bizi bizle test ediyor olabilir. Evet, acaba biz, falanın pantolonu çekmesiyle mi, takkesini kafasında oynatmasıyla mı yoksa başka bir amel-i kesîriyle mi imtihan ediliyoruz, bilemiyoruz. Bu açıdan her zaman hüsnüzannı esas almalı ve çevremize bu nazarla bakmalıyız.

Sofîlikte Farklı Çizgiler

Şimdi asıl konumuza dönecek olursak; sofîliğin de farklı yol ve çizgileri, çeşitli makam ve mertebeleri vardır. Mesela bir sofî, seyr u sulûk-i ruhânîde kalb ve ruh hayatındaki basamakları kat ede ede belli bir noktaya ulaşabilir. Bazen olur ki İmam Rabbânî, Muhyiddin İbn Arabî ve Şâh-ı Geylânî gibi zatlar ulaştıkları bu noktada kendilerinin de, kendi konumlarının da farkına varırlar. Bu sebeple nefis muhasebesinde bulunurken kendilerini çok ağır bir şekilde sorgulamalarının yanında aynı zamanda: "Benim ayağım bütün evliyanın omzundadır." diyebilirler. İşte bu gibi sözler o zatın kendi konumunun farkına varmasını ifade eder. Hatta bazen bizim gibi avam insanlarda bile bu durum yaşanabilir. Ancak bu gibi hâllerde insan, Allah'la münasebetini kavi tutmuyorsa –hafizanallah– böyle bir farkına varma onu egoizme veya egosantrizme sevk edebilir.

Evet, büyük zatlardan bazıları kendilerinin farkında olarak zirvelere çıkabilir ve çıktıkları zirvelerde sahip oldukları farkındalığı yaşayabilirler. Eğer onlar başkaları hakkında suizanna girmez, başkalarını hafife alma gibi bir yanlışlığa düşmezlerse ulaştıkları zirvelerdeki durumlarını koruyabilirler; koruyabilir, kalbî ve ruhî hayatta zirveleşerek birer âbide şahsiyet hâline gelebilirler.

Hiç Kimse Teminat Altında Değildir

Fakat zirvede de olsa, hiç kimsenin elinde "Sen artık korkmayabilirsin." şeklinde bir teminat ve bir beraat yoktur. Hâl böyle olunca insan nasıl korkmayacak ki? Kaldı ki bir kutsî hadis-i şerifte Cenâb-ı Hak şöyle buyuruyor: لَا أَجْمَعُ عَلَى عَبْدِي خَوْفَيْنِ وَأَمْنَيْنِ *"Ben kuluma iki emniyeti de iki korkuyu da birden vermem."*[105] Dolayısıyla unutulmamalı ki, burada kendini emin bilen bir insanın akıbetinden korkulur. Diğer bir tabirle, akıbetinden korkmayanın akıbetinden endişe edilir.

Bakmaz mısınız, İnsanlığın İftihar Tablosu'nun (aleyhi elfü elfi salâtin ve selâm) ahval ve etvarına! O, insanlığın kurtulması ve yeniden doğuşuna vesile olması için gönderilmiştir. Evet, insanlığın yeniden var olması ve ufkunun açılması, O'nun dünyayı teşrifi ve mesajı sayesinde mümkün olmuştur. O (aleyhi ekmelüttehâyâ), insanlığın mânevî babasıdır. Kim bilir belki de Efendimiz'in bu mevzuda ifade buyurduğu: كُنْتُ نَبِيًّا وَآدَمُ بَيْنَ الرُّوحِ وَالْجَسَدِ *"Âdem (aleyhisselâm) ruhla ceset arasında iken ben nebi idim."*[106] hadis-i şerifi de bununla ilgilidir. Yani Âdem'in evladı, Âdem'in önünde bir varlıktır. Fakat O'nun (sallallâhu aleyhi ve sellem) dua ve münacatlarına bakacak olursak, Allah'tan nasıl korktuğunu görebiliriz. Teminat altında olmasına rağmen birçok şeyden Allah'a sığınmıştır. Biz Allah Resûlü'nün bu tavrını, saygımızın gereği O'nun rehberliğine verebiliriz. Yani "Efendimiz (sallallâhu aleyhi ve sellem) bütün bu dualarıyla bize nasıl dua edeceğimizi gösteriyor." diyebiliriz. Fakat bununla birlikte O'nun bu mülâhazalarda hissesinin az olmadığını da görmek gerekir.

105 İbn Hibbân, *es-Sahîh* 2/406; el-Beyhakî, *Şuabü'l-îmân* 1/483.
106 Ahmed İbn Hanbel, *el-Müsned* 5/59; İbn Ebî Şeybe, *el-Musannef* 7/329; et-Taberânî, *el-Mu'cemü'l-kebîr* 20/353.

Zirvelere Rağmen
İnsanlardan Bir İnsan Olmak

İşte vilâyetin bir diğer çeşidinde zirvelerde dolaşma ve baş döndürücü noktalara ulaşmaya rağmen kendini âhâd-i nâstan birisi gibi görme çok önemli bir esas ve prensiptir. Böyle bir vilâyete ulaşan insanlar, hiç kimseyi hafife almazlar. Başkalarını hafife alma bir yana onlar sürekli kendileriyle yüzleşir, kendileriyle hesaplaşır ve kendileriyle yaka paça olurlar. Bu yönüyle böyle bir vilâyet önceki vilâyetten daha kıymetli ve daha değerlidir.

Hazreti Ömer Efendimiz: حَاسِبُوا أَنْفُسَكُمْ قَبْلَ أَنْ تُحَاسَبُوا "*Hesaba çekilmezden evvel sürekli kendi kendinizle hesaplaşın.*"[107] buyurmuştur. Esasen herkesin kendisiyle böyle bir hesaplaşması olmalıdır. Aklından geçen, hayalini kirleten, bir zıpkın gibi tasavvurlarına saplanan çirkin ve sevimsiz mülâhazaları hafıza defterine kaydederek, yatmadan evvel onları gözden geçirmeli ve kendi kendine demelidir ki: "Allah'ım ben ne kadar pespaye bir insanmışım. Nasıl oldu da bu çirkin mülâhazalar, temiz bir güzergâh olması gerekli olan zihnime misafir oldular."

Evet, herkes kendisine bakmalı ve başkalarını kendisinden âlî görmelidir. "Şu şahıs meselelerin nazarîsinde kalmış, Mızraklı İlmihal'i dahi aşamamış." diyerek kimse hakkında suizan etmemelidir. Zira Hazreti Pîr'in ifadesiyle, "nefis cümleden ednâ, vazife ise cümleden âlâdır."[108] Başka bir Hak dostu ise aynı hakikati şöyle dile getirmiştir:

> "*Herkes yahşi, men yaman;*
> *Herkes buğday men saman.*"

Evet, kendi hatalarıyla uğraşan bir insan, başkalarını hafife almayacak ve kimse hakkında suizanna girmeyecektir. Başkalarına bakarken, "Niye başını yere koyduğu zaman kalkmayı unutacak kadar namazlaşmıyor; iftar vakti geldiği zaman niye iftar edeceğini unutmuyor?" gibi düşüncelere kapılmayacaktır.

---

[107] Tirmizî, *kıyâmet* 25; İbnü'l-Mübârek, *ez-Zühd* 1/103; İbn Ebî Şeybe, *el-Musannef* 7/96.
[108] Bediüzzaman, *Şuâlar* s.424 (On Dördüncü Şuâ).

Dini yaşamada kılı kırk yararcasına hassasiyet sahibi olan insanların, kendileri adına mülâhazaları belki şöyle olmalıdır: "Doğrusu, sahip olduğum bu imkânlarla, bulmam gerekenleri bulmam, benim için bir vecibeydi. Fakat falan kişi bu imkânlara sahip olamadı ki! Kur'ân'la sağlam tanışamadı, âb-ı hayat çeşmesine veya menhelü'l-azbi'l-mevrûda ulaşamadı, elimizdeki nurefşân kitaplara sahip olamadı, Abdülkadir Geylânî, Şâzilî ve Mustafa el-Bekrî gibi büyük zatları tanıyamadı. Dolayısıyla Cenâb-ı Hakk'ın, hakkım ve liyakatim olmadığı hâlde bütün bu nimetleri bana ikram ve ihsan etmesi karşısında benim de ona göre bir tarz-ı ubûdiyet sergilemem gerekir. Ben başka türlü davranırsam tepetaklak giderim!"

Zira Cenâb-ı Hak, bir insanı eğer harem odasının kapısının önüne almışsa, sübjektif mükellefiyet adına ona yüklediği bazı sorumluluklar var demektir. Hazreti Pîr, İhlâs Risalesi'nde: "Samimî ihlâsı kıran adam, bu hılletin gayet yüksek kulesinin başından sukut eder. Gayet derin bir çukura düşmek ihtimali var; ortada tutunacak yer bulamaz." diyor.[109] Yani mazhariyete göre bir cereme vardır. Harem odasına alınan, orayla alâkalı gönlüne bir kısım şeyler duyurulan insan, oranın hakkını veremediği takdirde, koridordaki veya umumî kabul salonundaki insanların muamelesine tâbi tutulmaz; tutulmaz ve belki de sokağa atılır. Bu açıdan ismet sıfatına sahip olan ve masuniyetle mahfuz bulunan enbiyâ-i izâm hakkında Cenâb-ı Hakk'ın ağır ifadeleri vardır. Çünkü onların sahip oldukları mazhariyetler çok büyüktür.

İbadete Karşı İştiha

Bu itibarla sofîlik önemli bir yoldur. Onlar meselenin amelîsini duymuşlardır. Amelîden kastımız da yapılan amellerin kalb ve ruh hayatına bağlı götürülmesidir. Mesela ibadet ü taat tabiatınızın bir yanı hâline gelirse, yeme ve içmeye duyduğunuz arzu kadar ibadete de arzu duyarsınız. İmanda derinleşme dediğimiz husus da işte ancak o zaman gerçekleşir. Evet, imana müteallik meseleler tabiatınızın bir derinliği hâline gelmişse, içinizde O'na karşı bir iştiha oluşur ki, işin hakikati de budur.

---

109 Bediüzzaman, *Lem'alar* s.204 (Yirmi Birinci Lem'a ,Dördüncü Düstur).

Hazreti Pîr; "Hayvâniyetten çık, cismâniyeti bırak, kalb ve ruhun derece-i hayatına gir." diyor.[110] Demek ki, kalb ve ruhun; cismaniyet, beden ve nefsânilik üzerinde bir derece-i hayatı var. Şayet böyle bir derece-i hayat; tedebbür, tezekkür, tefekkür ve amelle ihraz edilecekse, bu ihmal edilmemelidir.

Şimdiye kadar milyonlarca asfiya, evliya, ebrar ve mukarrabîn peygamberane bir azim ve kararlılıkla bu mevzuda çok ciddî gayret göstermiş ve kat-ı merâtip etmişlerdir. Allah'ın izni ve inayetiyle –İmam Rabbânî Hazretleri'nin bu konuda farklı bir mülâhazası mahfuz–[111] hakka'l-yakîn mertebesine ulaşmışlardır. Nazarîyi amelîye çevirmiş ve "bal"ın sadece ismini duymakla kalmamış, tatmış ve onun ne olduğunu anlamışlardır. Size bal veya kaymağı ne kadar mükemmel ve baş döndürücü tasvir ederlerse etsinler, onları ağzınıza alıp, dil ve damağınız arasında gezdirmedikten sonra hakikî mânâda onların tatlarının nasıl olduğunu asla anlayamazsınız. Mesela şu an size başınızı döndürecek ölçüde Cennet tasvir edilse, *"Bir dakika rü'yet-i cemal, binlerce sene Cennet hayatına mukabildir."*[112] denilse bile, bunlar yaşanmadıktan sonra ne kadar anlaşılabilir ki!

İşte kalb ve ruh hayatıyla ilgili meseleler de aynen bunun gibidir. Onlar ancak yaşanınca anlaşılır. Arapçadan dilimize geçmiş bir atasözü vardır: مَنْ لَمْ يَذُقْ لَمْ يَعْرِفْ "Tatmayan bilmez."[113] Yani bir insanın kalb ve ruh hayatını bizzat tatması ve onunla içli dışlı olması lazım ki, ne olduğunu anlayabilsin. Bu açıdan hakiki mânâda inananlar kalb ve ruh kahramanları olmuştur. Bir kez daha belirtelim ki, bu ifadelerimizle onların dışındaki inanan insanların imanını hafife aldığımız zannedilmesin. Hiçbir mü'min, asla kendi imanıyla alâkalı şek ve şüpheye düşmemelidir. Burada anlatılmak istenen kalb ve ruh kahramanlarının ufkundaki iman derinliği, iman enginliğidir.

---

[110] Bediüzzaman, *Lem'alar* s.170 (On Yedinci Lem'a, On Dördüncü Nota, Dördüncü Remiz).

[111] Bkz.: İmam Rabbânî, *el-Mektûbât* 2/141 (100. Mektup).

[112] Bkz.: Müslim, *îmân* 297; Tirmizî, *cennet* 16, *tefsîru sûre (10)* 1; İbni Mâce *mukaddime* 13.

[113] el-Gazzâlî, *İhyâu ulûmi'd-dîn* 4/101.

Gönüllerin Sultanı

Soru: *Mesnevî-i Nuriye'de: "O Zât'ın (sallallâhu aleyhi ve sellem) şu kadar geniş ve azîm saltanatı, yalnız zâhirî bir saltanat değildir. Daha geniş ve daha derin yerde saltanat-ı bâtıniyesi vardır ki, bütün kalbleri ve akılları kendisine cezb ve celb etmiştir." deniliyor.*[114] *Sultan-ı Rusül Efendimiz'in (sallallâhu aleyhi ve sellem) saltanat-ı bâtınıyesinin izahını lütfeder misiniz?*

Cevap: Cenâb-ı Hakk'ın emri, tavzifi ve mesajıyla Resûl-i Ekrem Efendimiz'in (sallallâhu aleyhi ve sellem) yeryüzünde muvazene unsuru olacak bir sistem kurması ve kurduğu bu sistemle insanların ferdî, ailevî, iktisadî, idarî... bütün ihtiyaçlarını karşılaması O'nun zâhirî saltanatının bir tezahürüdür. Bir de bu zâhirî saltanatın üzerine kurulduğu mânevî asıl ve derinlikler vardır ki, Cenâb-ı Hak, makam-ı cem'in sahibi bulunan Hazreti Ruh-u Seyyidi'l-Enâm'ı (aleyhi elfü elfi salâtin ve selâm) işte böyle bir donanımla dünyaya göndermiştir; göndermiş ve O'nun eliyle, insanların hayalleriyle bile ulaşamayacakları, ütopyalarda aranan bir sistemi yeryüzünde vaz' etmiştir.

---

[114] Bediüzzaman, *Mesnevî-i Nuriye* s.21 (Reşhalar, Yedinci Reşha).

İsm-i Bâtın'ın Tecellîsi

Rehber-i Ekmel Efendimiz'in (sallallâhu aleyhi ve sellem) zâhire bakan bu icraatları ism-i Zâhir'in bir tezâhürüdür. "Zâhir" isminin yanında Cenâb-ı Hakk'ın bir de "Bâtın" ismi vardır. (Esasında Evvel u Âhir, Zâhir u Bâtın isimleri bir mânâda, bütün Esmâ-i Hüsnâ'nın hulâsası gibidir. Başka bir ifadeyle, Cenâb-ı Hakk'ın bütün isimleri, bu dört isme râcidir.) İnsanlığın İftihar Tablosu Efendimiz'in (sallallâhu aleyhi ve sellem) gökteki melekleri imrendirecek ölçüde yeryüzünde tesis buyurduğu sistemin "Bâtın" isminin bir tecellîsi olarak, mânevî esas ve derinlikleri vardır. Bu sistemin her zaman dimdik ayakta kalması, her an ter u taze varlığını devam ettirmesi, imanî ve İslâmî esasların sağlamlığına ve ihsan şuuruna bağlıdır. Bu esasları ihmal eden, insanların mânevî yönlerini görmezlikten gelen ve onları sadece cismanî yönleriyle ele alan hukukî ve idarî hiçbir sistem, vaz' ettiği kanunlarla başarıya ulaşamaz, hırsızlıktan haramiliğe, ondan kapkaççılığa kadar toplumun huzur ve sükûnunu alt üst eden suçların önüne geçemez, insanların ferdî, ailevî, içtimaî ihtiyaçlarına cevap veremez.

Evet, Allah'a inancın olmadığı, meleklere inanılmadığı, haşr u neşrin reddedildiği bir sistemde insanların gerçek huzuru yakalamaları mümkün değildir. Çünkü hassas ve duyarlı hissiyatıyla çocuklar, beşerî garîzelerinin feveranda olduğu bir dönemi yaşayan gençler, değişik illetlerle mâlûl hastalar ve ölüm sath-ı mailinde bulunan yaşlılar için imanın akıl ve kalblere ifade ettiği, gönüllere duyurduğu ayrı ayrı mânâlar vardır. Hırslarımızı, kin ve nefretlerimizi iman sayesinde frenleyebildiğimiz gibi, fena ve zeval karşısında ümitsizlik bataklığına düşmeden sonsuzluk yolunda huzur ve itminan içinde yürüyebilmemiz de iman sayesindedir. İşte bütün iman esasları ve onların ihsan şuuru içerisinde, ihsan ufkunda hayata hayat kılınması, Allah Resûlü'nün (sallallâhu aleyhi ve sellem) getirip vaz' ettiği o mübarek sistemin bâtın yanını teşkil eden hususlardır.

Hazreti Fahr-i Âlem Efendimiz'in (sallallâhu aleyhi ve sellem) bu sultanlığı, sözün başında da dikkat çekmeye çalıştığımız gibi, ilâhî teyide dayanmaktadır. Yani Allah (celle celâluhu) bildiğimiz veya bilemediğimiz birçok sebepten dolayı kalbleri Efendiler Efendisi'ne (sallallâhu aleyhi ve sellem) yönlendirmiş, ardından da bu tevcihte devam ve temâdî murat buyurmuştur. Asr-ı Saadet'te, Hazreti Ebû Bekir, Hazreti Ömer, Hazreti Osman ve Hazreti Ali... (radıyallâhu anhüm ecmaîn) gibi sahabe-i kiram efendilerimizin o aşkın muhabbet ve bağlılıkları, daha sonraki dönemlerde de onca imansız ve amansız hücum ve tahribata rağmen mü'minlerin hâlâ o Zât'a teveccüh etmeleri ancak ilâhî bir teyit ve tevcih ile mümkündür. Öyle ki, şu felâket ve helâket asrında bile birçoğumuz daha neyin ne olduğunu bilmeden Hazreti Ruh-u Seyyidi'l-Enâm'a (aleyhissalâtü vesselâm) dilbeste olmuş, O'na bağlanmışızdır.

Kalblerin Sevgilisi

Burada istidrâdî olarak, yaşadığım bir hâdiseyi anlatmak istiyorum. Henüz yedi-sekiz yaşlarındayken bir gün babam: "Şayet Perşembe günü bin İhlâs-ı Şerif okursan Allah Resûlü'nü (sallallâhu aleyhi ve sellem) rüyanda görürsün." demişti. Ben hangi mülâhazayla, hangi duygularla öyle hareket ettiğimi bilemeyeceğim ama Efendimiz'in (sallallâhu aleyhi ve sellem) nur cemâlini görebilmek için sabaha kadar bin İhlâs'ı okuduğumu hatırlıyorum. O gün olmadıysa bir sonraki gün, o gün de olmadıysa bir gün daha, İhlâs Sûresi'ni okumaya devam ettim. Şimdi, O'nu (sallallâhu aleyhi ve sellem) kendi enginlikleriyle tanımadıkları, âsârını tam takdir edemedikleri ve çok bozuk bir muhitte neş'et ettikleri hâlde, eğer bir kısım insanların içinde hâlâ böyle bir heyecan varsa bunun sebebi, O'nun saltanatının günümüze kadar uzanması ve temâdî etmesinden başka ne olabilir ki! Evet, Allah (celle celâluhu), hiçbir beşere nasip olmayacak, hiçbir beşerle kıyaslanmayacak ölçüde O'nu (sallallâhu aleyhi ve sellem), ümmet-i Muhammed'e sevdirmiş, kalblerin sevgilisi, gönüllerin sultanı kılmıştır.

Bu açıdan İki Cihan Serveri, sadece Habibullah yani Mahbubullah değil, O (aleyhissalâtü vesselâm) aynı zamanda mahbubu'l-ibâddır. İnsanlar farkına vararak veya varmayarak kalben

O'na karşı ciddî bir aşk u alâka duymaktadırlar. Hatta insî ve cinnî şeytanların ortaya attıkları nâsezâ, nâbecâ sözler dolayısıyla insanın zihin ve kalbinde oluşabilecek muhtemel tahribat bile, O'na olan sevgi selinin önüne geçememekte, inanan gönüller bütün bu söylenenlere aldırmaksızın içlerinde O'na karşı ciddî alâka duymaktadırlar. Zira Ferîd-i Kevn ü Zaman, iman ve amel-i salihi kâmil ve kusursuz mânâda ortaya koymuş, tam bir ihsan kahramanı olarak bütün hayatını ihsan ufkunda yaşamış; Cenâb-ı Hak da, yerde ve gökte O'nun için tam bir vüdd vaz' etmiştir. Yeryüzünde bu saltanata denk ikinci bir saltanat yoktur. İşte bilmemiz gerekir ki, bu hâl ve keyfiyet, Cenâb-ı Hakk'ın hususî teyidi sayesindedir.

İlâhî teyitten mahrum insanların kurdukları saltanatlar ise onlarla beraber yıkılır gider. Nitekim Sezarların, Napolyonların, Hitlerin... saltanatları kendileriyle beraber yıkılıp gitmiştir. İslâm dünyası içinde ortaya çıkan münafıkların saltanatları da, belli bir süre devam etse de, neticede bunlar da bir mum gibi sönüp gitmiştir. Ancak Fahr-i Kâinat'ın (aleyhi elfü elfi salâtin ve selâm) nurudur ki, asırlardır halâ, bir projektör gibi ışık saçıp etrafını aydınlatmaktadır ve aydınlatmaya da devam edecektir. Evet, O'na karşı duyulan alâkayı, Allah'ın izni ve inayetiyle hiçbir muhalif rüzgâr söndüremeyecektir.

Hayatın Her Sahasında Rehber-i Ekmel

S **oru:** *Âl-i İmrân Sûre-i Celilesi'nde –meâlen– "İçlerinden, kendilerine Allah'ın âyetlerini okuyan, onları tezkiye eden ve onlara Kitap ve hikmeti öğreten bir peygamber göndermekle Allah, mü'minlere büyük bir lütufta bulunmuştur."[115] buyrulmaktadır. Âyet-i kerimede, Peygamber Efendimiz'e ait zikredilen hususiyetler nasıl anlaşılmalıdır?*

Cevap: Cenâb-ı Hak, âyet-i kerimenin başında; لَقَدْ مَنَّ اللّٰهُ عَلَى الْمُؤْمِنِينَ buyurarak öncelikle önemli bir ihsan ve lütfa dikkatleri çekmiştir. Şöyle ki, gökten bir melek değil, bizzat içimizden

---

[115] Âl-i İmrân sûresi, 3/164.

olan ve bizim gibi bir anne babadan dünyaya gelen birisinin Peygamber olarak gönderildiğinin beyan edilmesi, Cenâb-ı Hakk'ın insanlara karşı minnetinin, lütuf ve ihsanının bir ifadesidir. Zira Allah (celle celâluhu) böyle bir takdirle öyle bir lütf u keremde bulunmuştur ki, insanlara kendi içlerinden, özlerinden, onlarla aynı duygu ve aynı düşünceyi paylaşan; Hakk'a giden yolda onlara pişdarlıkta bulunan; imama ihtiyaçları olduğunda önlerine geçebilen, kumandana ihtiyaç duyduklarında en mükemmel şekilde onlara kumandanlığın nasıl olması gerektiğini gösteren, hâsılı hayatın her noktasında, ihtiyaç duydukları her anda onlara rehberlikte bulunan bir Peygamber göndermiştir. Böyle bir Peygamber'in içimizden bir insan olarak gönderilmesi bizim için ne büyük bir şereftir! Mü'minler böyle ilâhî bir nimete karşı nasıl alâkasız kalabilirler? Bu, basite irca edilecek bir nimet değildir. O hâlde bu nimetin şükrü hakkıyla eda edilmelidir.

Âyetin devamında, يَتْلُو عَلَيْهِمْ آيَاتِهِ buyrularak, Allah Resûlü'nün (sallallâhu aleyhi ve sellem) mü'minlere Allah'ın ayetlerini tilâvet ettiği ifade ediliyor. Burada "kıraat", "arz" veya "takdim" kelimelerinin kullanılmayıp, meselenin tilâvet kelimesiyle ifade edilmesi önemlidir. Tilâvetin mânâsı, peşi peşine ve sürekli okuma demektir. Hele bir de kelimenin muzari fiil kalıbıyla gelerek يَتْلُو şeklinde ifade edilmesi, sürekliliği vurgulama adına daha bir dikkat çekicidir. Zira Arapçada muzari fiil kalıbı geniş zamana delâlet eder. Buna göre meseleyi O'nun (sallallâhu aleyhi ve sellem) hayat-ı seniyyesi itibarıyla ele alacak olursanız şöyle bir mânâ anlaşılabilir: O, ülfet ve ünsiyete düşmemeniz ve bıkkınlık yaşamamanız için, Kur'ân-ı Kerim'deki tasrif üslûbuyla size sürekli âyât-ı ilâhiyeyi okuyor. Sizin diri ve canlı kalmanız için meseleleri her seferinde farklı şekillerde bir kere daha, bir kere daha, bir kere daha ifade ediyor. Aynı zamanda buradan şöyle bir mânâ da anlaşılabilir: İki Cihan Serveri Efendimiz (sallallâhu aleyhi ve sellem) Allah'ın âyetlerini, kendi hayat-ı seniyyelerinde tilâvet buyurduğu gibi, ruhunun ufkuna yürüdükten sonra da tilâvet etmeye devam edecektir. Dolayısıyla burada aynı zamanda Kur'ân-ı Kerim'in mahfuziyetine de bir işaret olduğu söylenebilir.

Bu hususu baştaki minnetle irtibatlandırabilirsiniz. Allah size bu şekilde sürekli tilâvette bulunacak bir peygamber göndermekle minnet ediyor. Bu da yetmiyor, وَيُزَكِّيهِمْ aynı zamanda sizi tezkiye ediyor. Sizin aklanmanız, paka çıkmanız, nefsinizi tezkiye etmemek suretiyle tezkiyeniz, kalbinizdeki tasfiyeniz, kalbin zümrüt tepelerinde rahat dolaşmanız... hep onun tezkiyesine vâbestedir. Çünkü bütün bunlar O'nun mesajı sayesinde mümkün olmaktadır.

Hikmet Ufkundan Varlığın Temaşası

Aynı zamanda O (sallallâhu aleyhi ve sellem), وَيُعَلِّمُهُمْ الْكِتَابَ وَالْحِكْمَةَ size Kitap ve hikmeti öğretiyor. Evvelen ve bizzat Kur'ân-ı Mu'cizü'l-Beyan'ı size talim ediyor. Âyât-ı beyyinât, tekvinî emirlerin kavl-i şârihi, burhân-ı vâzıhı ve tefsir-i kâtı'ıdır. İşte Allah Resûlü (sallallâhu aleyhi ve sellem) sürekli onları tekrar etmek suretiyle –Hazreti Pîr'in yaklaşımıyla– ülfet ve ünsiyet perdelerini paramparça edip dağıtıyor.[116] Eşya ve hâdiselere, arka planları, metafizik yanları ve ruhî derinlikleri itibarıyla baktırıyor. Aynı zamanda O (sallallâhu aleyhi ve sellem), size hikmeti öğretiyor.

Hikmetin, değişik mânâları vardır. Bir yönüyle o, eşyanın bâtınına ve arka planına muttali olma demektir. Diğer yandan hikmet, Cenâb-ı Hakk'ın kâinat ve insanı yaratmasındaki maslahat ve maksatlara vâkıf olma ve kâinattaki her şeyin yerli yerinde olduğunu ve onda abes denilebilecek hiçbir şeyin bulunmadığını görmedir. Hikmetin mânâlarından bir diğeri de Sâdık u Masdûk Efendimiz'in (sallallâhu aleyhi ve sellem) sünnet-i seniyyeleridir. Zira akıllara "evet" dedirtecek ve akılları dize getirecek hikmetlerle dolu olan Kur'ân-ı Kerîm'deki[117] –ister şahsî hayatımız, ister içtimaî hayatımız, isterse ukba hayatımız itibarıyla– bütün icmâlî mevzular Sünnet'le tafsile ulaştırılmıştır. Fazilet

---

116 Bkz.: Bediüzzaman, *Sözler* s.146 (On Üçüncü Söz, Birinci Makam); *Mesnevî-i Nuriye* s.182 (Şemme).
117 Bkz.: Tirmizî, *fezâilü'l-Kur'ân* 14; Dârimî, *fezâilü'l-Kur'ân* 1.

Güneşi Efendimiz (sallallâhu aleyhi ve sellem) âyât-ı beyyinatın, icmalini tafsil, mutlakını takyid ve âmmını da tahsis ederek onda kapalı bir yan bırakmadığından dolayı bazıları bu âyetteki Kitab'ı, Kur'ân, hikmeti de Sünnet olarak açıklamışlardır.[118]

Âyetin sonunda ise şöyle buyruluyor: وَإِنْ كَانُوا مِنْ قَبْلُ لَفِي ضَلَالٍ مُبِينٍ Allah'ın size minnet ettiği bu nimetler sağanak sağanak üzerinize geleceği ana kadar siz, apaçık bir dalâlet içindeydiniz. Buna, Kur'ânsızlık dalâleti, tezkiyeden, âyât-ı beyyinattan, hikmetten mahrumiyet dalâleti, kâinata pozitivist ve natüralist mülâhazalarla bakıp her şeyi tabiata irca etme dalâleti de diyebilirsiniz. Hikmetten mahrum bu tâli'sizler, her şeyi maddede aradıklarından akılları gözlerine inmiştir. Göz ise mânâya karşı kördür. İşte Kur'ân-ı Hakîm o perdeyi yırtıyor. Bir yönüyle size her şeyin hakikatini gösteriyor. Tabir-i diğerle meseleyi basara bırakmıyor, basirete havale ediyor; akılla yetinmiyor, aklı kalbin emrine vererek, onu kalbin kadirşinas terazilerine emanet ediyor. Böylece siz her şeyi mahiyet-i nefsü'l-emriyesiyle görme ve anlama imkânına kavuşuyor; bir başka ifadeyle, eşya ve hâdiseleri hikmet ufkundan temâşâ mazhariyetine eriyorsunuz.

İşte bütün bunlar O'nun mânevî saltanatından sadece bazı damlalardır. O'na akıllarımızın derinliği ve kalblerimizin enginliğince salât u selâm olsun! Allah, hem burada hem de ötede O'nun daire-i saltanatından bizi cüda kılmasın!

---

[118] et-Taberî, *Câmiu'l-beyân* 1/557; el-Beğavî, *Meâlimü't-tenzîl* 1/116-117.

Güzergâh Emniyeti

Soru: *Güzergâh emniyeti ne demektir? Hem şahsımız, hem de şahs-ı mânevî açısından, güzergâh emniyetinin esasları nelerdir?*

Cevap: Farsçadan dilimize girmiş olan güzergâh kelimesi, yol ve şehrah mânâlarına gelir. Fakat güzergâh, daha ziyade bir insanın gitmesi gerekli olan yere, varması icap eden hedefe onu ulaştıran yol demektir. Bu hedefler bazen dünyevî, bazen de uhrevî olur. Ancak, dünyevî hedefler, inanmış bir insan için asıl gaye ve maksat olamayacağından, o, bu hedef ve gayeleri dahi sonsuzluk yolunda uhrevîlik hesabına değerlendirir.

Rıza Tek Hedef

Mesela inanan bir gönül, bir köyün sorumluluğunu deruhte ettiğinde, onun böyle bir işten maksadı, sırf maddî imkân elde etme, makam mansıp duygusunun tatmini gibi basit heves ve arzular değildir/olmamalıdır. Aksine o, rıza-i ilâhî için, köydeki insanların dünyevî-uhrevî mutluluğunu temin adına çalışıp çabalar. Mesela gecesini gündüzüne katıp köy halkının istifade edeceği okul, cami, kütüphane vs. müesseseler yaptırır, insanları yüce ve yüksek hedeflere yönlendirir; onların başta kendi milleti olmak üzere bütün insanlığa faydalı fertler olmalarını temin eder. Alanın biraz daha genişlediği nahiyede de o, bulunduğu konumunun hakkını verip muhatap olduğu insanları yüce ve yüksek ideallerle buluşturmaya gayret eder. Aksi takdirde, amirlik, müdürlük gibi makam ve mansıpların inanan bir fert için ne ehemmiyeti olabilir ki! Çünkü dünyanın dünyaya bakan yönü itibarıyla sinek kanadı kadar dahi bir kıymeti yoktur. Efendimiz (sallallâhu aleyhi ve sellem) buyuruyor ki: لَوْ كَانَتِ الدُّنْيَا تَعْدِلُ عِنْدَ اللهِ جَنَاحَ بَعُوضَةٍ مَا سَقَى كَافِرًا مِنْهَا شَرْبَةَ مَاءٍ *"Şayet dünyanın Allah katında, sinek kanadı kadar bir değeri olsaydı, kâfire ondan bir yudum su içirmezdi."*[119] Ancak dünyanın; esma-i ilâhiyeye, ahirete, Cennet'e, Cenâb-ı Hakk'ın cemaline ve "Ben sizden razıyım" ufkuna yürümenin güzergâhı olması itibarıyla ehemmiyeti çok büyüktür.

Bu açıdan inanan bir gönlün her türlü iş ve gayretinde hedeflerin en büyüğü olan rıza-i ilâhî esas gaye olarak yer alır. Onun berisinde de gaye ölçüsünde bir vesile olan İnsanlığın İftihar Tablosu'nun (sallallâhu aleyhi ve sellem) insanlığa tanıtılması, din-i mübin-i İslâm'ın sevdirilmesi vardır. Ancak bunlar bile O'nun rızasını kazanma istikametinde birer vesiledir. Gayeye yakın birer vesile olmaları itibarıyla onlarsız olunamasa da, esas olan Cenâb-ı Hakk'ın rızasıdır. Bu istikamette gösterilen bütün cehd u gayretler hedefini bulmuş sayılır. İşte, güzergâh, insanı böyle yüce bir hedefe götüren yol demektir. İnsan bu güzergâhta engel ve mânialara takılıp kalmaksızın yol yürüyebilmek için, mebdeden müntehaya kadar her şeye bütüncül ve mahrutî bir nazarla bakmalı, tehlike ve riskleri önceden tespit edebilmelidir. Böylece kişi hedefe varma istikametinde yürüdüğü şehrahı teminat altına almış ve herhangi bir trafik sıkışıklığına sebebiyet vermemiş olur.

Şeytanla Başlayan Hazımsızlık Problemi

Hele bu insan yaptığı hayır ve faaliyetlerle insanlığa faydalı, ciddî, imrendirici, göz alıcı güzellikler sergiliyorsa o, daha bir dikkatli olmalıdır. Bu durum karşısında, onu çekemeyen,

---

[119] Tirmizî, *zühd* 13; İbn Mâce, *zühd* 3.

istemeyen hatta ona karşı gayz ve nefretle magmalar gibi köpürüp duran hazımsızların her zaman var olabileceğini göz önünde bulundurmalıdır. Hatta aynı yolda beraber koştukları bir şahsın, "Niye o da, ben değilim." diye içten içe söylenip durarak hazımsızlık gösterebileceğini nazardan dûr etmemelidir. Evet, uzun zaman aynı kulvarda koşmuş ve aynı gaye için koşturup durmuş insanlar arasında bile yer yer şeytanın dürtüleriyle başarıları hazmedemeyen, alan paylaşması mülâhazası ve rekabet hissiyle hareket eden, takdir görüp alkışlanan işlere kendinin daha lâyık olduğunu düşünen fertler çıkabilir.

Esasında iyilik ve güzellik sahiplerine karşı ilk kıskançlık, Hazreti Âdem'e karşı, gayz, nefret, haset ve hazımsızlığını ortaya koyan şeytanla başlamıştır. Goethe de, bu Mefisto-Faust oyununun bitmediğini söyler. Yani bir tarafta şeytan diğer tarafta ise insan vardır. Hatta cinnî şeytanlara tamamen teslim olmuş insî şeytanlar vardır. Bu hususa işaret eden Kur'ân-ı Kerim, "insî ve cinnî şeytanlar"[120] ifadesini kullanmıştır. Bunun mânâsı, "tamamen cinnî şeytanların dürtüleriyle hareket eden, o dürtülere göre hayatlarını tanzim eden insanlar" demektir.

Şimdi, en şedidinden en hafifine, bu kadar hain göz, hayırda koşturan bir insanın üzerindeyse, o zaman bu konumdaki bir insana düşen vazife, yol güzergâhını tekrar ber tekrar gözden geçirmektir. Başka bir ifadeyle, bu, insanın, yürüdüğü yolda, herhangi bir arızaya sebebiyet vermemek için, önüne çıkması muhtemel bir kısım hâdiseleri doğru görüp doğru okumasıdır. Neyle yürüdüğüne ve nasıl yürüdüğüne dikkat ederek yaptığı/yapacağı güzel işleri teminat altına almasıdır. İşte bu, güzergâh emniyetini sağlama demektir.

Emanetin En Büyüğü

Hazreti Sâdık u Masdûk: *"Benim adım Güneş'in doğup battığı her yere ulaşacaktır."*[121] buyuruyorsa, bu inanan gönüllere

---

120 En'âm sûresi, 6/112.
121 Bkz.: Müslim, *fiten* 19; Tirmizî, *fiten* 14; Ebû Dâvûd, *fiten* 1.

önemli bir sorumluluk yüklüyor demektir. Böyle bir hedef ve sorumluluğun yanında, –Resûl-i Ekrem Efendimiz'in (sallallâhu aleyhi ve sellem) müjdelediği ve bizim de mâzideki bu muhteşem fethin neşvesini yaşatmak ve onu bir kere daha milletimize göstermek için her sene mehterlerle, köslerle kutladığımız– İstanbul'un fethi dahi deryada damla kalır. Hakeza Belgrad'ın fethi de onun yanında deryada damla gibidir. İşte böyle bir emaneti götüren insanlar, güzergâh emniyetini hiç düşünmeden hareket ettiklerinde bu emanete ihanet etmiş olabilecekleri gibi, "bana zarar gelmesin ve ben günümü kurtarayım" mülâhazasıyla meseleyi sadece kendi maslahat ve menfaatlerine bağladıkları durumda da, –güzergâh emin olsa bile– hiç farkına varmaksızın o emaneti zayi etmiş olacaklardır.

Bazen bir haksızlık karşısında imanınızın gereği dolu dolu gürlersiniz. Bu gürlemeniz samimî ve halisane olabilir. Fakat yaptığınız işler gürültü ihtiva ediyor ve çevrede fitne uyarıyorsa siz hiç farkına varmaksızın emanete zarar vermiş olursunuz. Zira Peygamber Efendimiz (sallallâhu aleyhi ve sellem) bir hadis-i şeriflerinde: اَلْفِتْنَةُ نَائِمَةٌ لَعَنَ اللّٰهُ مَنْ أَيْقَظَهَا *"Fitne uykudadır. Onu uyandırana Allah lânet etsin."*[122] buyuruyor.

Bu sebeple, hizmet-i imaniye ve Kur'âniye'ye bazı yönleri itibarıyla zarar geldiğinde, sadece zarar veren insanların durumuna bakıp, "Onlar zulmetti, haksızlık etti, zarar verdiler." deme yerine, bağışlayın, "Acaba biz ne tür bir yanlışlık yaptık? Acaba sesimizle, sözümüzle, tavırlarımızla bu insanları yersiz endişelere mi sevk ettik?" diyerek kendimizi hesaba çekmeli, kendi muhasebemizi yapmalıyız. Bu açıdan günümüzün karasevdalıları, saff-ı evveli teşkil eden sahabe-i kiram efendilerimiz gibi, İslâm'ı en güzel şekilde temsil ederek, nasıl mükemmel bir hakikatin temsilcileri olduklarını sergilemeli, gönüllerini âleme açmalı ve böylece kalbleri fethedip gönüllere tahtlar kurmalıdırlar. Aksi takdirde, şiddetle, sertlikle hak arama peşine düşülürse iyilik yapıyorum derken insan hiç farkına varmaksızın kötü bir yol

---

[122] es-Serahsî, *el-Mebsût* 10/124; el-Aclûnî, *Keşfü'l-hafâ* 2/108.

içine düşmüş olur. Rica ederim, Allah Resûlü (sallallâhu aleyhi ve sellem) Mekke'de ezim ezim ezildiği hâlde kalkmış bir insana bir fiske vurmuş mudur? Dile kolay, kırk yaşından elli üç yaşına kadar tam on üç sene Mekke'de preslenir gibi bir hayat yaşamasına rağmen, bütün bu eza ve cefalara katlanmıştır. Öyle ki birisinin kalkıp da, "Allah Resûlü (sallallâhu aleyhi ve sellem) bir karıncaya ayağını bastı." demesi mümkün değildir. Evet, O, en yakınından en uzaktaki insana kadar herkese emniyet ve güven telkin etmiş, asla fitneyi uyarmamıştır.

Farz Ölçüsünde Bir Sorumluluk

İşte bütün bunları hesaba kattığımızda –belki günümüzün fukaha-i kiramı itiraz edebilir ama– güzergâh emniyetini sağlamak bana farz-ı ayn gibi geliyor. Yani o emaneti emniyet ve güven içerisinde varması gerekli olan yere ulaştırma, öyle mühim bir vazifedir ki, şayet her şeyi kılı kırk yararcasına düşünmez, güzergâhın her noktasında karşılaşabileceğiniz muhtemel tehlikeleri hesaba katmaz ve çevreden size bakan nazarların bakışlarındaki mânâyı okuyamazsanız emanetin sorumluluğunu yerine getirmemiş olursunuz. Evet, bu mesele bu seviyede bir hassasiyet ister. Onun, popülizme, kendini ifade etmeye ve dünyalık adına beklenti içinde bulunmaya asla tahammülü yoktur.

Hazreti Pîr-i Mugân, Şem-i Tâban'ın: "Said yoktur. Said'in kudret ve ehliyeti de yoktur. Konuşan yalnız hakikattir, hakikat-i imaniyedir."[123] dediği gibi, herkes demeli ki: "Ben yokum, benim şahsiyetim de yok. Eğer benim mevcudiyetim, mülâhazalarım, dünya görüşüm, benlik iddiam bir arpa tanesi kadar bu mefkûreye zarar verecekse, Allah, emanetini alsın. Fakat bir arpa boyu din-i mübin-i İslâm'a hizmet edecek ve o yüce mefkûreyi realize edebileceksem o arpa boyu hizmeti gerçekleştireceğim ana kadar da Rabbim bana yaşama lütfunda bulunsun." Evet, böyle diyecek kadar bu konuda mert olmak lâzım. Adanmış bir gönül tamamen bu mülâhazaya bağlanmalı

---

[123] Bediüzzaman, *Emirdağ Lâhikası-2* s.72 (Konuşan Yalnız Hakikattir); *Tarihçe-i Hayat* s.669 (Konuşan Yalnız Hakikattir).

ve kendini bütün bütün nefyederek fevkalâde tevazu, fevkalâde mahviyet ve fevkalâde hacalet içinde hareket etmelidir.

Şurası bir gerçek ki, sürekli "ben, ben" deyip ramazan davulu gibi öten, hep müşârun bi'l-benân olmayı arzulayan, kendisinden bahsedilmesini isteyen, kendi dünya görüşünü ve hayat felsefesini nazara veren bir insanın yapacağı bir şey yoktur. Böyleleri bugün itibarıyla işe gürül gürül başlasalar bile, yaptıkları bu işin yarın akamete uğraması kaçınılmazdır. Bu açıdan muvakkat bir zaman için değil, mebdeden müntehaya kadar hemen her fasılda meseleyi kendini nefye bağlı götürme esastır.

Eğer bu konuda yanlış bir iş yaparsak, emanete hıyanet etmiş olacağımızdan, hem bu dünyada hem de ahirette pişman ve mahcup oluruz. Hakkım ve haddim olmadığı hâlde çok erken bir dönemde daha askere gitmeden imamlık vazifesi yaptım. Daha sonra ise Cenâb-ı Hak vaizlik mesleğini nasip etti. Şu an geriye dönüp baktığımda, her gün olmasa bile belki haftada bir iki defa geçtiğim güzergâh ve o güzergâhta yaptığım hatalar aklıma geliyor ve kendi kendime, "Yazıklar olsun sana! İnsanlar kürsünün dibine kadar geliyor, orada oturuyor ve seni dinliyorlardı. Niye empati yaparak o insanların hissiyatını hesaba katmadın? Neden Hazreti Mevlâna ve Hazreti Yunus üslûbuyla o insanların ruhlarına girme yollarını araştırmadın? Niye balyoz ve tokmak gibi milletin kafasına inip kalktın? Sen sözlerinle olmasa bile vurgulamalarınla böyle bir algı oluşturdun." deyip kendimi kınıyorum. Bu mevzuda kendimi o kadar sorguluyor ve kendime o kadar "yazıklar olsun" çekiyorum ki, bilemezsiniz. Zira bütün bunların hepsini Allah bana sorar. Der ki: "Ben, sana mihrap, kürsü imkânı verdim. Gelip saf saf önünde oturan insanların kalplerini sana yönlendirdim. Neden gönüllerine girmedin? Neden onlara İslâm'ı sevdirmedin? Neden onları Allah delisi, Peygamber mecnunu hâline getirmedin?"

Evet, ben şahsımdan misal verdim fakat böyle bir emaneti taşıyan her mü'min yarın "keşke" dememek için mesuliyet ve taşıdığı emanet açısından çok hassas hareket etmek zorundadır. İnsanlığın İftihar Tablosu (sallallâhu aleyhi ve sellem), "keşke"nin bir felâket olduğunu ifade buyuruyor.[124] "Keşke", falsolar yaşamış ve yaşatmış insanların teselli adına başvurdukları bir laf-ı güzaftır. Bu yönüyle "keşke", memnu olan ve mü'mine yakışmayan yakışıksız bir kelimedir.

Bir de alkışlanacak "keşke"ler vardır ki, bunlar birbiriyle karıştırılmamalıdır. Mesela Hazreti Ebû Bekir Efendimiz der ki: "Keşke Halid'i falan yere tevcih ettiğimde, Ömer'i de falan yere tevcih etseydim. Böylece bu iki problemi birden halletseydim!"[125] Bazı sahabîlerin de: "Keşke Efendimiz'e şunu sorsaydım!" mealinde ifadeleri vardır. Bunlar, âlâya, aksa'l-gâyâta müteveccih "keşke"lerdir. Bunlar bir niyettir ve Allah onlara sevap yazar. Evet, bu ifadeler, daha mükemmele talip olan bir kişinin, onu yapamadığından dolayı "keşke" demesidir. Ancak falsolarımızın üstünü örtme ve nefis müdafaası adına "keşke" demek mezmumdur. Bunlar bir dönemde şeytanın yanlış yaptırdığı işler karşısında yine şeytanın dürtüleriyle söylenilen sözlerdir.

İşte bu açıdan bugün yaptığımız hataların günahı yanında, yarın da "keşkeler" çekmek suretiyle, günahı katlamamak için temkinli hareket etmeliyiz. Her adımda, "Bismillâh, temkin ve teyakkuz" diyerek, Allah adına başlamalı, Allah adına işlemeli ve hep O'nun rızasına doğru yol aldığımız mülâhazasıyla hareket etmeliyiz.

---

[124] Bkz.: Müslim, *kader* 34; İbn Mâce, *muladdime* 10.
[125] Bkz.: et-Taberânî, *el-Mu'cemü'l-kebîr* 1/62; Ebû Ubeyd Kasım b. Sellâm, *el-Emvâl* s.175; ez-Zehebî, *Târîhu'l-İslâm* 3/118.

Siyer Felsefesi
ve Hudeybiye Sulhü

S **oru:** *Siyer-i seniyye ile günümüz arasındaki iltisak noktalarının tespitinin zaruret ölçüsünde bir gereklilik olduğu ifade ediliyor. Bu açıdan, günümüze bakan yönü itibarıyla Hudeybiye Sulhü'nü değerlendirir misiniz?*

Cevap: Siyer-i seniyye, Kur'ân-ı Kerim'in nasıl anlaşılması gerektiğini gösteren, nassların müfessir bir mümessili konumunda bulunan ve sürekli başvurulması gereken önemli bir kaynaktır. Resûl-i Ekrem Efendimiz (sallallâhu aleyhi ve sellem) mübarek hayatıyla, sözleri, tavır, davranış ve takrirleriyle vahye uygun bir hayatın nasıl yaşanacağını göstermiştir. Her birisi birer dil erbabı olan sahabe-i kiram efendilerimiz de, bu iki kutsî kaynağı doğru okumuş, doğru anlamış, doğru yorumlamış, doğru ifade etmiş ve kendilerinden sonraki nesillere ittiba edilmesi gereken bir yol bırakmışlardır. Zannediyorum bizim kurtuluşumuz da, اَصْحَابِي كَالنُّجُومِ اِقْتَدَيْتُمْ فَبِاَيِّهِمْ اِهْتَدَيْتُمْ *"Benim ashabım yıldızlar gibidir. Hangisine uysanız, hidayeti bulursunuz."*[126] mübarek sözüyle serfiraz olan sahabe-i kirama iktidaya bağlıdır.

---

[126] Aliyyülkârî, *el-Esrâru'l-merfûa* s.388. Ayrıca bkz.: el-Humeydî, *el-Müsned* s.250; el-Hakîm et-Tirmizî, *Nevâdiru'l-usûl* 3/62.

Bir Büyük Müfessir: Zaman

Asr-ı Saadet'te meydana gelen hâdiseler, cüz'î birer hâdise olsa da, onlarda, kıyamete kadar gelecek bütün küllî hâdiselere işaret vardır. O dönemde vuku bulan her hâdisede, âdeta, daha sonraki devirlerde yaşanacak meseleleri çözme adına bir kısım uçlar bırakılmıştır. İşte kendi dönemlerinin şartlarını ve o dönemde yaşayan insanların kültür seviyelerini nazar-ı itibara alarak, bu uçlardan hareket ederek yürüyen insanlar, içinde yaşadıkları dönemde ortaya çıkan problemleri çözüme kavuşturabilirler. Aynı şekilde ulaşım ve telekomünikasyon vasıtalarıyla hızla küreselleşen bir dünyada yaşayan günümüz insanı da, karşı karşıya kaldığı problemlerin halli için siyer-i seniyyede bırakılan o uçlardan hareket ederek alternatif çözümlere yürüyebilir. Fakat bunun kâmil mânâda yapılabilmesi için, hem siyer-i seniyyenin iyi okunup iyi bilinmesi, hem de çağın iyi okunup iyi tahlil edilmesi gerekir. Siz, siyere ait eserleri önünüze koyup baştan sona okuyabilir, okuduklarınızı başkalarına da aktarabilirsiniz. Elde ettiğiniz malumatla o dönemin hâdiselerine çok iyi nüfuz etmiş de olabilirsiniz. Öyle ki, o dönemi anlatırken, vicdanlarınızda âdeta o dönemin kahramanlarından biri olmayı duyabilir, duyabilir de müteessir eden hâdiseler karşısında dolup boşalır, sevindiren hâdiseler karşısında da sevince gark olabilirsiniz. Fakat sadece bununla yetinir ve o hâdiselerde bırakılan açık uçlardan çıkışlar yaparak çağa göre bazı boşlukları doldurma gayreti içinde olmazsanız, tarihî hâdiseleri güzel bir şekilde hikâye ve nakletmekten başka bir sonuç elde edemezsiniz.

Elbette ki, 14 asırlık İslâm tarihi boyunca farklı zaman dilimlerinde siyer felsefesine dair bazı hususlar üzerinde durulmuş ve sosyal tarih açısından Asr-ı Saadet'teki bazı hâdiseler yorumlanmıştır. Fakat o dönemlerdeki şartlarla bugünkü şartlar arasında sosyolojik açıdan çok ciddi değişimlerin yaşandığı da bir gerçektir. Geçmişte, değişik dönemlerde ortaya çıkan felsefî telakkilerin bazıları zamanla rafa kaldırılmış, bir kısmının modası geçmiş ve onların yerine yeni düşünce tarzları gelişmiştir. Bu açıdan daha önceki dönemlere ait siyer yorumlarından istifade etsek de, onların günümüze tam olarak ayna tuttuğunu söyleyemeyiz. Dolayısıyla günümüz şartları açısından siyer felsefesini ancak, en büyük müfessir olan zamanın tefsirini göz önünde bulunduranlar, onun ortaya koyduğu tevil ve tefsirleri nazar-ı itibara alanlar, yani ibnü'z-zaman veya ibnü'l-vakt olanlar yapabilir.

İşte bu perspektiften siyere bakılacak olursa, onun başvurulması gerekli bir menhelü'l-azbi'l-mevrûd olduğu görülecektir. Evet, siyer, düşünce hayatımız adına bitip tükenme bilmeyen dupduru bir kaynaktır. İstifade etmesini bilenler ondan çok şey elde edeceklerdir. Soruda ifade ettiğiniz Hudeybiye Musalahası'na bu gözle baktığımızda da, onun, günümüz adına çok hikmetler ifade ettiği görülecektir.

Nefret Buzlarını Eriten Hilm Güneşi

Hicretin altıncı senesi Peygamber Efendimiz (sallallâhu aleyhi ve sellem), ashabına, umre sözü vermiş, İslâm esasları ve İslâm ruhuna göre onlara umrenin nasıl yapılacağını göstermek için Kâbe'ye doğru yola çıkmıştı. Ne var ki, Kureyş bütün sertliği ve katılığıyla bunu engellemek istiyordu. Mekke'ye yaklaşıldığı bir yerde, Allah Resûlü, gayesinin sadece umre olduğunu ifade için Mekke'ye bir elçi göndermişti. Fakat Kureyş bu elçiyi öldürmek istedi. Akabinde Hazreti Osman elçi olarak gönderildi. Ama onu da yakalayıp hapsettiler.[127] Bunun üzerine, Allah Resûlü (aleyhissalâtü vesselâm), Müslümanları biata çağırdı.[128] Bütün bu hâdiseler neticesinde tansiyon yükseldikçe yükselmiş, gerginlik had safhaya ulaşmıştı. Ashab-ı kiram efendilerimiz, kılıçlarını yarıya kadar kınlarından çıkarmış ve bir karşı koyma hissiyle gerilmişlerdi. Çünkü Efendimiz (sallallâhu aleyhi ve sellem) Kâbe'yi tavaf edeceklerine dair onlara söz vermişti. Onlar da dört yüz kilometrelik yolu o günün şartlarında deve ve at sırtında kat etmiş, Cidde'ye yakın bir yere kadar gelmiş, fakat müşriklerin engellemesiyle karşılaşmışlardı. Şayet o anda Efendimiz (sallallâhu aleyhi ve sellem) onurunu düşünerek bir işarette bulunsaydı, ashab,

---

127 Ahmed İbn Hanbel, *el-Müsned* 4/323-325.
128 İbn Hişâm, *es-Sîratü'n-nebeviyye* 4/283.

ne Halid İbn Velid'den, ne Amr İbnü'l-Âs'tan, ne de on bin kişilik silâhlı Mekke ordusundan korkup geri dururdu. Hepsini yere serer ve gider Kâbe'ye ulaşırdı. Fakat böyle bir hareket, onların yüce ve yüksek mefkûreleri adına bir kazanç sağlamazdı. Çünkü karşı tarafta ihtida edecek nice insan vardı.

İşte bir temkin ve teyakkuz insanı olan Resûl-i Ekrem Efendimiz (sallallâhu aleyhi ve sellem) hangi hareketin nasıl geriye döneceğini çok iyi hesap etmiş ve neticede Mekkeli müşriklerle Hudeybiye Sulhü'nü imzalamıştı. Ashab-ı kiramın biat etmelerini, ölene kadar savaşacaklarına ve asla ayrılmayacaklarına dair söz vermelerini, muahede ile değerlendirmişti.[129] Çünkü böyle zor bir meselede biat eden ashabın, geriye dönüp gitme mevzuunda Allah Resûlü'ne (sallallâhu aleyhi ve sellem) itaat etmeleri çok daha kolaydı. Efendimiz'in fetanet ve basiret kaynaklı bu eşsiz tavrı, gayr-i metluv vahyin neticesi olarak görülebileceği gibi, tabiatının gereğini ortaya koymanın bir sonucu olarak da görülebilir.

Hudeybiye Muahedesi'nin maddeleri zâhiren Müslümanların aleyhinde gibi görünüyordu.[130] En başta, kalbleri, Kâbe aşk u iştiyakıyla yanıp tutuşan bin beş yüz insan, o sene, Kâbe'yi tavaf edemeden Hudeybiye'den geri döneceklerdi. Zâhiren bu durum onlar için bir kayıptı. Fakat Hudeybiye Muahedesi'yle kendilerini emniyete alan bu insanlar, dağ-dere, ova-oba, köy ve kasaba demeden her yerde değişik kabileler ve taifeler arasında yayılarak, insanları Kur'ân'ın âyetlerine, İslâm'ın güzelliklerine davet etme imkânı bulmuşlardı. Aynı zamanda muahedenin getirmiş olduğu yumuşak atmosfer neticesinde Mekkeli müşriklerin sertlikleri de yumuşamaya durmuştu. Nitekim çok geçmeden bir iki sene sonra Halid İbn Velid, Osman İbn Talha, Amr İbnü'l-Âs gibi[131] müşarun bi'l-benân olan çok önemli simalar, bulundukları saflardaki o boşluğu hissetmiş, beri tarafta sürekli gelişen gücün farkına varmış, zorla değil, kendi istekleri ve gönülleriyle gidip Müslüman olmuşlardı. İslâm'ı tercih noktasında herhangi bir ikrahla karşılaşmadıklarından dolayı da gönülleri kırılmamıştı.

129 İbn Hişâm, *es-Sîratü'n-nebeviyye* 4/283.
130 Bkz.: Buhârî, *şurût* 15; Müslim, *cihâd* 90-92.
131 Bkz.: İbn Sa'd, *et-Tabakâtü'l-kübrâ* 4/252, 7/395; el-Vâkıdî, *Kitâbü'l-meğâzî* 1/748.

Sadece zikrettiğimiz bu üç zat değil, o gün itibarıyla bu şekilde yüzlerce belki binlerce insan vardı. İşte Efendimiz'in (aleyhi ekmelüttehâyâ) hilm ü silmi sayesinde, Hudeybiye Muahedesi'yle oluşan bu sulh atmosferi içinde, muhalif cepheler bir bir çözülmüş ve o cephedeki insanlar da zamanla gelip teslim olmuşlardı. Sadece teslim olma da değil, o insanlar isteyerek gelip İslâm'a girmişlerdi. Bütün bu hâdiseleri, ufkî bir bakışla önceden gören ve bütüncül bir nazarla değerlendiren Allah Resûlü (sallallâhu aleyhi ve sellem) sadece Kâbe'ye gidip tavaf etmeyi hatta orayı fethetmeyi değil, bunun da ötesinde gönüllere girmeyi, insan kazanmayı hedeflediğinden, Hudeybiye'de zâhiren şartlar aleyhte olsa da böyle bir anlaşma yolunu tercih etmişti. Aynı zamanda O (sallallâhu aleyhi ve sellem), bu hareketiyle çevredeki kabilelerin, "Bunlar Kâbe'ye kan dökerek girdiler." demelerine de meydan ve fırsat vermemişti. Mekke kısa bir müddet sonra, Harem-i Şerif'e saygıda kusur edilmeden ve kan dökülmeden fethedilmişti.[132] Vâkıa Mekke'ye girilirken birkaç insan mukabelede bulunmuş, meselenin temel esprisini kavrayamamış bazı kimseler de onlara müdahale etmişti.[133] Fakat bu, çok cüz'î ve istisnaî bir durumdu.

Sulh Atmosferi İçinde Açılan Gönül Kapıları

Şimdi isterseniz, kuşbakışı naklettiğimiz bu hâdisenin günümüz insanına ilham edeceği hususlar üzerinde duralım: Ulaşım ve iletişim vasıtalarıyla mesafelerin büzüştüğü, farklı kültür ve anlayışların iç içe girdiği günümüz dünyasında farklı dinlere, farklı kültürlere sahip insanlar aynı mekânı paylaşıyor, birlikte yaşıyorlar. Mesela Afrika'daki bir ülkeye gittiğinizde, hâlâ kabile dinlerini yaşayan insanlar olduğu gibi, Hıristiyanlaştırılmış insanların olduğunu da görüyorsunuz. Hatta bazıları itibarıyla bu insanlar, Batı'daki Hıristiyanlardan daha mutaassıplar. Aynı zamanda bunlar arasında İslâm'a karşı olumsuz bir tavır

---

132 Bkz.: İbn Hişâm, *es-Sîratü'n-nebeviyye* 5/42-68.
133 Bkz.: İbn Hişâm, *es-Sîratü'n-nebeviyye* 5/66-67.

ve önyargı içinde olanlar da var. Şimdi bu insanlarla bir münasebet kurulacaksa mevcut tablo çok iyi okunmalı ve her mesele inceden inceye düşünülerek hareket edilmelidir. Zira meselenin kabalığa tahammülü yoktur. Siz hiçbir zaman tepelerine vuruyor gibi bir yaklaşımla insanlarla münasebet tesis edemezsiniz. Bilâkis diyalogla, hoşgörüyle, konuma saygıyla, onları ahsen-i takvîme mazhar görmekle, mahiyet ve donanımları itibarıyla bir mir'at-ı mücellâ olduklarını kabul ederek onlarla sıcak bir münasebet kurabilirsiniz.

İşte bütün bunlar çok iyi okunduktan ve "ben bu zamanın çocuğuyum ve şöyle bir toplum içinde yaşıyorum" dedikten sonra, bir üslûp belirlenmelidir. Zannediyorum günümüzde, bizim en büyük eksiklerimizden birisi, herkesi kucaklayıcı ve âlemşümul böyle bir söylem geliştirememiş olmamızdır. Keşke çağımız insanına böyle yüksek bir üslûbu kazandıracak, diyalog merkezleri gibi, –tabir caizse– söylem geliştirme merkezleri de olsaydı. Bu müesseselerde "tepki almadan, reaksiyona sebebiyet vermeden farklı kültür ve anlayışlara sahip insanlarla nasıl diyalog kurulup nasıl konuşulacağı" izah edilebilseydi. Elimizde Kur'ân ve Sünnet gibi her çağın problemlerine çözüm sunacak engin iki kaynak mevcut. Fakat kanaatimce bunların değişik toplumlara ve farklı kültür çocuklarına en uygun bir tarzda takdimi için müşterek bir beyan diline ihtiyaç var.

O hâlde her toplumun kendi dili, kültürü vb. konularda çok hassas olduğu bir dönemde, adımınızı atmadan önce, muhatabınızı tanımalı ve onun genel hissiyatını hesaba katmalısınız. Bunları görmezlikten gelerek meseleleri sadece kendi doğrularınıza bağlı götürürseniz, yanılırsınız. Trafikte karşı tarafı hesaba katmayan, sadece içinde bulunduğu arabayı iyi kullanmaya odaklanmış bir kişi, iyi bir şoför olamaz. Bunun yerine sağdan ve soldan çıkacak, karşıdan gelecek, şaşkınca şerit değiştirecek insanları da nazar-ı itibara almalı ve ona göre direksiyonda oturmalısınız. Ceffelkalem konuşulduğu, meseleler irticalinin esnekliğine bağlı götürüldüğü ve heyecan tufanlarının muhatabın düşüncesinde ne tür bir saygısızlığa sebebiyet verdiği/vereceği hesaba katılmadığı takdirde insan hiç farkına varmaksızın nice çamlar devirebilir.

Asıl konumuza dönecek olursak, siz de Hudeybiye Musalahası'ndaki o uçtan hareket ederek meseleyi günümüze getirmeli ve küçülüp büzüşen dünyamızda hangi dine mensup olursa olsun insanlarla sulh yolları aramalısınız. Bu istikamette, sivil toplum kuruluşları olarak, toplumlar arası münasebetlerde, mesela bir Afrika anlaşması, Uzak Doğu anlaşması, Kanada anlaşması gibi anlaşmalar yapabilirsiniz. Böylece önünüzü kesebilecek muhtemel taarruz ve önyargılara karşı, "Bizden size bir zarar gelmez." deme fırsatını yakalamış olursunuz. Bu sayede kendinizi başkalarına daha rahat anlatma fırsatı bulursunuz. Aslında sizden, hiçbir kimseye, evvel ve ahir bir kötülük gelmez. Fakat bunu gösterme adına karakterinizi tam ortaya koyabilecek, onlara, sizi dinleme imkânını verecek zeminler oluşturmalısınız. Zira bilmelisiniz ki, diğer insanlar ancak, iç âleminizle, gönül dünyanızla sizi tanıdıkları ölçüde size güven duyacaklardır.

Hâsılı günümüz şartları içinde sizin hesabınıza olumlu bir şeylerin olmasını arzu ediyorsanız, bunun, dostluk, taraftarlık ve sempatizanlık atmosferi içinde olacağını asla unutmamalısınız. Eğer farklı kültür ve anlayıştaki insanlarla görüşür, yüzleşir, el ele tutuşur, bir masa etrafında yemek yer ve aynı servisten çay isterseniz, işte o zaman birbirinizi daha iyi tanıma imkânı bulursunuz. Başkalarının sizi, kendi derinliklerinizle ve kendi kültür enginliklerinizle tanımaları da ancak bu sayede gerçekleşir. Ve yine ancak bu sayede günümüzün farklı kültür ve coğrafyalarda yaşayan insanları sizinle ilgili şartlanmışlık ve önyargılardan kurtulabilirler.

Yeraltı Zenginliklerimiz
ve Bize Düşen Sorumluluklar

Soru: *"Rızkı, yerin derinliklerinde arayın!"* hadis-i şerifi *mü'minlere ne türlü vazifeler yüklemektedir?*

Cevap: Allah (celle celâluhu) insanı yarattıktan sonra, ona, "Git, yeryüzünde başının çaresine bak!" dememiştir. Aksine onu öyle bir zemin ve talimgâha göndermiştir ki, sanki her şey başının ucunda duruyor gibidir. Ne var ki bizim, evimizde otururken "bütün bunlar gelsin ve burnumuzun dibinde sarksın" diye beklememiz doğru değildir. Çünkü dâr-ı hikmet olan bu dünyadaki hâdiseler, esbap dairesi içerisinde cereyan eder ve biz de esbaba riayetle mükellef ve memur kılınmışız. Ahirete gelince, orası kudret yurdudur. Orada hikmet bir adım geride, kudret ise bir adım öndedir. Orada akıldan, hatta hayalden geçen şeyler bile insanın önünde hazır olabilir. Esasında Cenâb-ı Hak, kabul buyurduğu dualarla, dünyada da bunun bazı örneklerini bize göstermektedir. Bazen bakarsınız duada istediğiniz şey, hemen aynıyla size lütfedilir. Kabul olan bu dualar gibi ahirette henüz dudaklarınızı kıpırdatır kıpırdatmaz veya bir şeyi aklınızdan geçirir geçirmez hemen oluverdiğini görürsünüz. Çünkü orada kudret-i kâhire açıktan açığa tasarruflarıyla kendini gösterecektir.

Henüz Bilinmeyen Maden ve Rızıklar

Cenâb-ı Hak, Kur'ân-ı Kerim'de birçok âyette göklerin ve yerin insanın emrine musahhar kılındığını beyan buyurmaktadır. Sağımızda ve solumuzda dal budak salan ağaçlara, şakır şakır akan sulara, emrimize amade olan denizlere, denizlerin altındaki canlı varlıklara, Güneş'in ziyasına vs. baktığımız zaman, bütün bunların nimetlerle tüllendiğini görürüz. Arzı ve denizleri az kurcalayıp karıştırdığımızda ne nimetlerle ne nimetlerle karşılaşırız. Ancak bir yönüyle bütün bu nimetler esbapla izole edilmiş gibidir. Yani Allah (celle celâluhu) umur-i hasise ile kudretin mübaşereti görülmesin diye bütün bu nimetleri bize perdeli vermektedir.[134] İşte bu perdeli gelen nimetlere ulaşmak için bir yönüyle o perdeleri delmek ve yırtmak gerekir. Mesela siz, bir ağacın meyvelerini devşirmek istiyorsanız, öncelikle çekirdeği toprağa atacak veya fideyi alıp dikecek ve ardından da onun büyümesi için müsait ortamı hazırlayacaksınız. İşte Allah Resûlü (sallallâhu aleyhi ve sellem): أُطْلُبُوا الرِّزْقَ فِي خَبَايَا الْأَرْضِ "*Rızkı, yerin derinliklerinde arayın.*"[135] buyurarak, bize, Allah Teâlâ'nın yerin derinliklerinde yaratmış olduğu rızık ve nimetlere ulaşma adına gayret göstermemizi tavsiye ediyor. Nitekim bugün altın, gümüş, bakır, fosfat, uranyum... gibi madenlerin, petrol, doğalgaz... gibi enerji kaynaklarının dünya ekonomisindeki yeri herkesin malumudur. Günümüzde bu maden ve enerji kaynaklarının rezervleri hakkında bir kısım tahminler yapılmaktadır. Ancak bunlar şu an itibarıyla ulaşılabilen rezervlerdir. Yani günümüz şartları altında, bir arıza ve tehlikeye sebebiyet vermeden, insanlar tarafından arzın ne kadar derinliklerine inilebiliyor ve nereleri tetkik edilebiliyorsa, yerin altındaki stoklarla ilgili bilinenler de o kadardır. Fakat jeolojik olarak öyle yerler vardır ki, henüz oralara girilememiştir. Ben meseleyi iptidaî bir âlete bağlayarak ifade edeyim. Eğer siz kazmayı vurduğunuz zaman üzerinize mağmaları fışkırtacaksanız, oralarda bir şey aramaya cesaret edemez ve bu kadar derinliklere giremezsiniz.

---

134 Bkz.: Bediüzzaman, *İşârâtü'l-İ'câz* s.181; *Muhâkemât* s.43.
135 Ebû Ya'lâ, *el-Müsned* 7/347; et-Taberânî, *el-Mu'cemü'l-evsat* 1/274.

Diğer yandan, bazı canlıların mutasyon geçirmeleri gibi, küre-i arzda sürekli bir istihale vardır. Bu istihaleleri yaratan Allah (celle celâluhu) arzın altında sürekli yeni yeni rızıklar da yaratabilir. Bizim bitip tükeneceğini sandığımız bir kısım şeyleri, Allah'ın tekrar tekrar yaratmayacağını kim söyleyebilir? Zira kim bilir, şimdiye kadar küre-i arzda ne değişimler olmuştur, kim bilir kaç defa kutuplar yer değiştirmiş, kaç defa dağlar yerini denizlere, denizler de dağlara terk etmiştir. Bu açıdan yerin altındaki maden ve enerji kaynaklarının rezervleriyle ilgili ortaya atılan iddiaların, spekülasyon ve göz bağcılık maksadına matuf yapılabileceğini de bir ihtimal olarak göz ardı etmemek gerekir. Böyle yapmakla bazı güç odakları, kendi çıkarları doğrultusunda diğer insanları uyutup aldatmak isteyebilirler.

İnsanı Anne Şefkatiyle Kucaklayan Arz

أَلَمْ نَجْعَلِ الْأَرْضَ مِهَادًا "*Biz yeryüzünü bir beşik yapmadık mı?*"[136] buyurmak suretiyle, arzın, insan için ehemmiyetine dikkat çekmektedir. Bu âyet-i kerimede, Allah Teâlâ, sanki annesinden henüz dünyaya gelmiş bir bebek gibi aciz ve zayıf durumda olan insanoğlunu, yeryüzünde merhametsizliğe terk etmediğini, arzı onun için âdeta annenin elleriyle ırgalanan ve maması başının ucunda bulunan bir beşik şekline koyduğunu ifade ediyor. Şimdi böyle bir rahatlık içinde bulunan ve kendisine bu şekilde nazar-ı merhametle bakılan insanoğlu, iradesinin hakkını verdiği takdirde, Cenâb-ı Hakk'ın yeryüzündeki bütün nimetlerinden istifade edebilir. Ne var ki, mevcut imkânlar, insanın gözünü kör ettiğinden dolayı, o, küre-i arzda sergilenen nimetleri tam olarak göremiyor. Oysaki çok ciddî bir acz u fakr duygusuyla, ihtiyaç ve ızdırar ruh hâletiyle, insan gözlerini açıp etrafına bakabildiği takdirde, çevresinde daha önce göremediği nice nimetlerin var olduğunu ve o nimetlerde daha önce farkına varamadığı nice buud ve derinliklerin bulunduğunu görecektir.

Enbiya-i izâm, kâinatta mevcut olan nimetlere ulaşma adına, "bunların şifreli anahtarını bulun, onunla bu nimetlerin kapısını

---

[136] Nebe sûresi, 78/6.

açın ve onlardan istifade edin!" demiş ve aynı zamanda Kur'ân, Tevrat ve İncil gibi ilâhî mesajları göstererek "anahtar olarak bunları kullanın" diye bize yol göstermiştir. Dolayısıyla yeryüzünde bulunan nimetlerden istifade etme adına bizim de elimize Kur'ân-ı Mu'cizü'l-Beyan gibi bir anahtar verilmiştir. Fakat ne acıdır ki biz bu anahtarı bilhassa son asırlar itibarıyla kullanamamış ve bu nimetlerden istifade etme yolunu bulamamışız. Bunun yerine fâikiyet mülâhazası, zafer sarhoşluğu, cismanî arzuların peşinde zevk u safa düşüncesi, ferdî menfaat ve çıkar mülâhazası gibi insan iradesini felç eden hastalıklara tutulmuşuz.

Bu arada dünyaya hükmetme arzusu, ekonomik güce ulaşma isteği gibi dürtüler başkalarının arzularını tetiklemiş ve onları harekete geçirmiştir. Bunlar bir madeni arıyorken zamanla karşılarına bir başka unsur çıkmış ve böylece araştırma, tetkik ve tecrübe aşkıyla tabiatı kurcaladıkça yeni yeni şeyler bulmuşlardır. Bunun neticesinde dünyanın değişik bölgelerinde petrol rezervlerinin, önemli maden yataklarının bulunduğu yerleri keşfederek oraları ele geçirme planları yapmışlardır. Daha sonra bu mütegallip güçler, Devlet-i Âliye'nin parçalanmasını kararlaştırmış ve, "Biz Osmanlı'yı parçalarsak, her birimiz onun bir yerine konarız. Bazılarımız Bingazi'ye, bazılarımız Irak'a, bazılarımız da Arap Yarımadası'na konar ve böylece önemli bir servet üzerinde oturan Osmanlıların bu topraklarını ellerinden alır ve değerlendiririz." demişlerdir. O dönemde Devlet-i Âliye bu meseleyi ne kadar hissetmişti, ne derece bunun farkındaydı ve ne derece bunları değerlendiriyordu, bütün bunların münakaşası yapılabilir. Fakat inkâr edilemez bir vak'a var ki, bir dönemde bizim dünyamızda, düşünce ve aksiyon insanı adına ciddî bir kaht-ı rical yaşanmıştı ve bütün bunlara karşı koyacak bir entelektüel kadro yoktu. Batı ise, o dönemde bir Rönesans ve sanayi inkılâbı yaşıyordu. Büyük değişimler geçiren Batı, dünyayı keşfetme yoluna girmiş ve ciddî bir araştırma aşkıyla eşya ve hâdiseleri didik didik etmeye başlamıştı. Tabiî bu arada Batılılar, "min gayr-i kastin" hiç ummadıkları şekilde bazı yeniliklerle de karşılaşmışlardı. Gümüş ararken altın bulmuş, altın ararken zebercede ulaşmış ve zebercet ararken de yakutla buluşmuşlardı. Bütün bunlar onlarda yeni oluşum ve mülâhazalar hâsıl etmişti.

Hakikat Âşıklarına Muhtacız

Geçmişte olduğu gibi bugün de, dünyaya hükmetme, sözünü dinletme, gözünün içine baktırma gibi mütehakkimane bir anlayışa sahip olanlar vardır ve bunlar dünyanın değişik bölgelerinde yer altı, yer üstü zenginliklerine bütünüyle sahip olabilmek için meşru-gayr-i meşru her türlü vasıtayı mubah görmektedir. Mesela ülkemizde petrol, altın, gümüş ve daha başka madenlerin bulunduğu tahmin edilen bazı yerlerde kapatılmış arazilerin var olduğu o sahanın uzmanları tarafından ifade edilmektedir. Dolayısıyla bu mevzuda irademizin hakkını verip kendi zenginliklerimize sahip çıkmazsak bir kez daha hasret ve hicran yaşamamız kaçınılmazdır.

Hususiyle günümüzde yemenin, içmenin, hayatı rahat bir şekilde yaşamanın, değişik seyahat vasıtalarında kullanılacak malzemeler üretmenin yanı başında enerji kaynakları çok önemli bir faktör haline gelmiştir. Bir yönüyle her şey dönüyor, dolaşıyor ve geliyor enerjiye dayanıyor. Zira aydınlatmadan yollardaki vasıtalara, ondan havadaki uçaklara kadar pek çok şey enerjiye muhtaçtır. Enerji bu derece önem arz ettiğinden dolayı, bu mevzuda hemen her yerde ciddî bir yoğunlaşmanın olduğunu söyleyebiliriz.

Bugün bizim insanımız da, Allah'ın izni ve inayetiyle, yeniden kendi bölgesinde imrenilen, takdir edilen bir konum ihraz etmeye başladı. Anadolu insanı şimdilerde çok farklı coğrafyalarda farklı ülkelerle dostluk köprüleri kuruyor, ticarî, iktisadî münasebetler tesis ediyor. Bu noktada bizim en çok ihtiyaç duyacağımız şey, araştırma aşk u iştiyakıyla dopdolu ve aynı zamanda araştırmalarıyla hakikati bulmaya ve onları sonsuza bağlamaya azmetmiş ilim adamları ve hakikat âşıklarıdır. Natüralizm ve materyalizm, insanı ancak belli bir yere kadar götürebilir. Evet, bu telakkiler, nereye kadar gitmesine müsaade ediyorsa, insan ancak oraya kadar gidebilir. Zira bu sistemler maddenin sınırlarıyla muhattır. Dolayısıyla araştırmacının araştırmaları da o noktada son bulacaktır. Fakat namütenahinin talibi ve bir هَلْ [137]مِنْ مَزِيدٍ ferdi olarak siz, "daha, daha" diyerek meseleyi sonsuza kadar götürebilirsiniz. İşte bu engin anlayışla, bizim ilim adamlarımız ve araştırmacılarımız, kendilerine tahsis edilen laboratuvar ve araştırma merkezleriyle arzın derinliklerini âdeta delik deşik edecek, tâ magmalara kadar inecek, yer altının katmanları arasında insanlığa yararlı ne varsa bulup çıkaracak, yeryüzünü çok iyi sağacak ve her gün kotaracakları yeni yeni şeylerle insanımıza ve insanlığa faydalı olmaya çalışacaklardır.

---

[137] "Daha yok mu?"

Gafleti Dağıtacak İksir: Zikir

Soru: *Gaflet nedir, gaflet perdesini yırtacak farklı zikir türlerinden bahsedilebilir mi?*

Cevap: Gaflet; dalgınlık, dikkatsizlik, insanın çevresinde olup bitenleri fark edememesi, eşyayı mahiyet-i nefsü'l-em-riyesiyle bilememesi, görememesi, hissedememesi gibi mânâlara gelir. Başka bir ifadeyle gaflet; insanın yürüdüğü yolda yapması gerekli olan şeyleri tam olarak sezememesi, akıbetinden habersiz ve endişesiz yaşaması demektir.

Gafleti dağıtacak birçok önemli iksirden bahsedilebilir. Mesela tedebbür, tezekkür, tefekkür ve teemmül gibi hususlar gafleti dağıtacak önemli birer vesiledir. Hazreti Pîr'in âsâr-ı bergüzidesine bakacak olursanız, onların gafleti dağıtmaya matuf bu tür dinamiklerle dolu olduğunu görürsünüz. Evet, onun eserlerinden hangi birine el atsanız, sizi farklı tefekkür vadilerinde dolaştırdığına şahit olursunuz. Okuduklarınızla basar ve basiret ufkunuz açılır; açılır da gördüklerinizi doğru görüp doğru değerlendirmeye başlarsınız. İhsas ve ihtisaslarınız, kalbinizin derinliklerine kadar nüfûz eder, uyuyan duygularınız âdeta yeniden dirilir ve vicdan mekanizmanız birdenbire harekete geçer.

İçten ve samimî bir şekilde eda edilen ibadetler de gafleti dağıtacak önemli bir vesiledir. Mesela kalbin sesi olarak okunan bir ezan, gafletinizi dağıtıp nazarlarınızı semaya çevirir ve sizi namaza hazırlar. Böylece siz, mescide doğru giderken heyecanla dopdolu bir hâlde oraya yürürsünüz. Bazen şadırvan başında aldığınız bir abdest, bazen dinlediğiniz yürekten bir kamet, bazen içten getirilen bir tekbir, bazen de namaz kıldıran imamın gönlünün sesiyle okuduğu bir Fâtiha, sizi heyecana gark ederek farklı bir dünyanın içine çekebilir. Öyle ki yaşadığınız âlemde sanki farklı bir buudda dolaşıyor gibi olursunuz. Dolayısıyla bunların hepsi belli ölçüde insanın gözündeki ve gönlündeki gaflet perdelerini kaldırır ve onu kendi özüyle buluşturur.

Uyuyan Duygular ve Heyecan Paylaşması

Bütün bunların yanında gafleti dağıtan en önemli vesilelerden biri de zikrullahtır. Sofîler, daha ziyade hatm-i hâcegânlar tertip ederek, zikir halkaları oluşturarak Allah'ın (celle celâluhu) değişik isim ve unvanlarını teker teker veya birkaçını bir arada tekrar etmek suretiyle zikrullahı eda ederler/etmişlerdir. Her bir tarikin kendine mahsus takip ettiği bazı usûl ve formatlar vardır. Bu usûl ve formatların da farklı insanlar üzerinde kendine göre ayrı bir tesirinin olduğu söylenebilir. Mesela kimileri, omuzları birbirine temas edecek şekilde el ele tutar ve bir halka teşkil ederler. Serzakir de aralarına girer ve böylece zikre başlarlar. Kimileri ise, benzer zikir halkaları oluştursalar da, daha çok hafîliği esas alırlar. Bu halka teşekküllerinde, lisan bir taraftan "Lâ ilâhe illallah", "Sübhânallah", "Elhamdülillâh", "Allahu ekber" derken, diğer taraftan insanların el ele tutmalarıyla bir yönüyle bir heyecan paylaşması gerçekleşir. Değişik vesilelerle namazla ilgili üzerinde durduğumuz bir hususu bu noktada bir kez daha hatırlamakta fayda var: Eğer imam, namazda Kur'ân okurken, bütün mâsivâ gözünden silinip gidecek şekilde gönlünü Allah'a verir ve bir aşk u heyecan çağlayanına kendini salıverirse, ondaki bu heyecan belli ölçüde arkadaki insanlara da intikal eder. Aynı şekilde safların içinde kalbi Allah'la irtibata geçmiş bir insandan yükselen bir hıçkırık, birdenbire saflara sirayet edip herkesi teyakkuza geçirir. Böylesine heyecanlı bir ruhun ağlaması, bir mânâda, "Uyanın, aklınızı başınıza alın ve sıyrılın şu gafletten!" demek gibidir.

Dolayısıyla asıl önemli olan, zikrin hangi keyfiyet ve derinlikte icra edildiğidir. Evet, zikrullah içten ve samimî bir şekilde gerçekleştirildiğinde bu durum diğer fertlere de sirayet eder. Oradaki insanları yaşadığımız üç buudlu âlemden alır ve ayrı bir âleme götürür. Onlar hiç farkına varmaksızın Cennet sokaklarında geziyor, Firdevs yamaçlarında tenezzühte bulunuyor, Cuma tepelerinde Cenâb-ı Hakk'ı müşâhede ediyor ve "Ben sizden razıyım."[138] sözüyle ifade edilen rıdvan-ı ekbere mazhar olduklarını hissediyor gibi olurlar. İşte bütün bunlar o gaflet perdelerini paramparça ederek, görülmesi gerekli olan şeyleri gösterir, duyulması gerekli olan şeyleri duyurur ve insanın kendini bilip özüne ermesine kapı aralar.

Tabiî zikir sadece bazı şeyleri dille vird-i zeban etmek demek değildir; aynı zamanda o, bazı şeyleri anmak ve hatırlamak suretiyle tefekkür etme ameliyesidir. Bu açıdan, mesela, Mus'ab İbn Umeyr ve Sa'd İbn Muaz gibi zatları, kahramanlıkları ve hakka yürüyüşleriyle hatırlamak da bir zikirdir. Böyle bir hatırlama, gaflet içinde bulunan insanın gafletini dağıtacak, yeniden kendine gelip kendini keşfetmesine, konumu itibarıyla kendini doğru okuyup doğru yorumlamasına ve böylece Cenâb-ı Hakk'ın mârifetine doğru yürümesine vesile olacaktır. Evet, insanın kendini doğru okuması, konumunu belirlemesi, durduğu yer ile durması gerekli olan yere bakması ve aradaki mesafeyi ölçmesi gibi enfüste yapacağı bütün tefekkür, tedebbür ve tezekkürler zikir kategorisi içinde mütalâa edilebilir.

Tezkir veya Sohbet-i Cânan

Bir misal olması açısından ifade edeyim. Nebiyy-i Ekrem Efendimiz (sallallâhu aleyhi ve sellem) Ebû Zerr Hazretleri'ne hitaben şöyle buyurur:

$$جَدِّدِ السَّفِينَةَ فَإِنَّ الْبَحْرَ عَمِيقٌ$$

$$وَخُذِ الزَّادَ كَامِلًا فَإِنَّ السَّفَرَ بَعِيدٌ$$

---

[138] Bkz.: Buhârî, *rikak* 51, *tevhid* 38; Müslim, *îmân* 302, *cennet* 9.

وَخَفِّفِ الْحِمْلَ فَإِنَّ الْعَقَبَةَ كَؤُودٌ

وَأَخْلِصِ الْعَمَلَ فَإِنَّ النَّاقِدَ بَصِيرٌ

"Gemini bir kere daha elden geçirerek yenile, çünkü deniz çok derin. Azığını tastamam al, şüphesiz yolculuk pek uzun. Sırtındaki yükünü hafif tut, çünkü tırmanacağın yokuş sarp mı sarp. Amelinde ihlâslı ol, zira her şeyi görüp gözeten ve hakkıyla değerlendiren Rabb'in senin yapıp ettiklerinden haberdardır."[139] Allah Teâlâ bizi gördüğüne ve her hâlimize nigehbân olduğuna göre insana düşen de her şeyi Allah için yapmasıdır.

Evet, her davranışı Cenâb-ı Hak tarafından görülen ve ahirette de buna göre muamele görecek olan bir insanın böyle önemli bir mevzuda gaflete düşmemesi çok önemlidir. İnsan hiçbir zaman unutmamalı ki, herkes için ölüm mukadderdir. Hiç kimseyi burada tutmak mümkün değildir. İnsanın önünde, anne karnından başlayarak çocukluktan, gençlikten, olgunluktan, yaşlılıktan, kabirden, berzahtan, sırattan geçen ve derken Cennet –Allah idhal buyursun– veya Cehennem ile –Allah muhafaza eylesin– neticelenecek upuzun bir yolculuk vardır. Önünde böyle çetin bir yolculuk bulunan bir insanın gaflete düşmesi anlaşılır gibi değildir.

Bu hususla alâkalı Kur'ân-ı Kerim'de, Resûl-i Ekrem Efendimiz'e (sallallâhu aleyhi ve sellem) hitaben şöyle buyrulmaktadır: وَذَكِّرْ فَإِنَّ الذِّكْرَى تَنْفَعُ الْمُؤْمِنِينَ *"Habibim! Tekrar tekrar hatırlat; çünkü zikir ve hatırlatma mü'minler için mutlaka yararlıdır."*[140] Burada bahsi geçen zikir, sadece lisanla yapılan zikir değildir. Yani burada, "Lâ ilâhe illallah" demekten ziyade, bu hakikatin mü'minlere değişik üslûp ve versiyonlarıyla, tasrif yoluyla hatırlatılması emredilmektedir. Daha sonra da böyle bir hatırlatmanın mü'minlere faydalı olacağı bildirilmektedir. Demek ki, bizim böyle bir hatırlatmaya her zaman ihtiyacımız vardır. İsterseniz konuyu sohbet-i cânan meselesine irca edebilir ve birbirimize karşı devamlı bazı hakikatleri hatırlatma gibi bir

---

[139] ed-Deylemî, *el-Müsned* 5/339.
[140] Zâriyât sûresi, 51/55.

sorumluluğumuz olduğu ve bu sorumluluk yerine getirildiği takdirde çok önemli neticelerin hâsıl olacağı sonucuna ulaşabilirsiniz. Evet, laubalilik ve mâlâyaniyâta karşı kapalı kalma ve aktüaliteye girmeme adına böyle bir hatırlatma çok faydalı ve çok önemlidir. Zira nefsin hoşuna giden aktüel konular, mâlâyanî mevzular girdap gibidirler. Eğer kendinizi onlara kaptırırsanız, alır ve sizi sizden uzaklaştırırlar. Siz, sizden uzaklaşınca da: نَسُوا اللّٰهَ فَاَنْسَاهُمْ اَنْفُسَهُمْ *"Onlar Allah'ı unuttular, Allah da onlara kendilerini unutturdu."*[141] âyet-i kerimesinin tehdidine maruz kalırsınız. Bir mânâda âyet-i kerime diyor ki, onların nefisleri kendileri için bir mirsattı, bir temâşâ yeriydi, bir müşâhede merkeziydi. Onu bir dürbün ve teleskop gibi kullanarak Cenâb-ı Hakk'a ait âsâr-ı bergüzideyi, esmaya ait mecâlîyi ve O'nun tecellîlerine ait mezâhiri temâşâ edeceklerdi. Fakat onlar gaflete daldılar da, Allah'ı unuttular. Allah da onlara kendilerini unutturdu ve onları kendi darlıklarına, düşünce, mantık, cismaniyet ve beden darlıklarına mahkûm etti.

Bu sebeple mü'minler tezkiri bir vazife bilerek sürekli birbirlerine hatırlatmada bulunmalıdırlar. وَذَكِّرْ âyetinden sonra, وَمَا خَلَقْتُ الْجِنَّ وَالْاِنْسَ اِلَّا لِيَعْبُدُونِ *"Ben cinleri ve insanları, başka değil, sadece Beni bilip Bana kulluk yapsınlar diye yarattım."*[142] âyet-i kerimesinin geldiğini düşünecek olursak, esas hatırlatılması gerekli olan hususun ne olduğunu da anlamış oluruz. Yani nazarlar hep kulluk ve mârifete doğru çevrilmelidir. Kabiliyet ve istidadı ölçüsünde her bir ferdin önüne ârif-i billâh olma yolu açılmalı, derecesine göre herkesin eşya ve hâdiselere farklı bakması, onları farklı görmesi ve onlar hakkında farklı düşünmesi temin edilmelidir. Daha doğrusu teker teker her bir ferde, kendi darlıklarını bir kenara bırakıp O'nun gördürmesiyle görme, O'nun işittirmesiyle işitme, O'nun tutturmasıyla tutma ve O'nun hissettirmesiyle hissetme ufku gösterilmelidir.

---

[141] Haşir sûresi, 59/19.
[142] Zâriyât sûresi, 51/56.

Hakka Hizmete Engel Olan Gaflet Türleri

Soru: *Hakka hizmet yolunda bulunan bir insanı, yapabileceği hizmetlerden alıkoyacak gaflet türleri nelerdir? İzah eder misiniz?*

Hak ve hakikati gönüllere duyurma, ruh-u revân-i Muhammedî'nin dört bir yanda şehbal açmasını sağlama, bilhassa günümüz itibarıyla bazılarının yanlış anlatıp yanlış tanıttığı Müslümanlığın doğru anlaşılması istikametinde gayret sarf etme, onun dırahşan çehresine saçılan ziftleri silme ve yıkama, mü'min olmamızın gereği, müntesip bulunduğumuz dine vefa borcumuz ve en büyük sorumluluğumuzdur. Başka bir ifadeyle devr-i risalet penahide yaşanan Müslümanlığı mükemmel bir temsille mahiyet-i nefsü'l-emriyesine uygun olarak ortaya koyma, onu Allah ve Resûlü'nden geldiği ve sahabe tarafından yaşandığı şekliyle insanlığa yeniden ve bir kere daha armağan etme bizim hayatımızın gayesi olmalıdır. Zira günümüzde hakikaten dünyanın dört bir tarafında yangın var. Sûzî gibi diyecek olursak:

> *"Sefine-i kalbime alevli bir kor attın ey dost*
> *Bülend âvâz ile dersin, bakın deryada yangın var!"*

Eğer derya yanıyorsa, o zaman yanmadık yer yok demektir. Fertler yanıyor, yuva yanıyor, bir mânâda mâbed yanıyor, mektep yanıyor, idare yanıyor... hâsılı topyekûn âlem-i İslâm ve dünya cayır cayır yanıyor. İşte bir baştan bir başa alevler içinde yanıp duran insanlığın bu perişan hâlini görmeme, bu perişaniyeti kendi nefsinde hissetmeme, meseleyi böyle bir hassasiyet ve duyarlılık içinde ele almama, hak ve hakikat yolunda koşturan insanlar için bir gaflettir. Oysaki hizmet erlerinin, dünyanın her neresine bir ateş düşerse düşsün, nerede bir perişaniyet yaşanırsa yaşansın, sanki kendi çoluk çocuğunun içine o ateş düşmüş, kendi evlâd u iyali o perişaniyet içinde bulunuyormuş gibi bir hassasiyet ve duyarlılıkla hareket etmesi gerekir. Bu da peygamberane bir ruh taşımaya, peygamberane bir azim, kararlılık, ızdırap ve diğergâmlıkla meseleye sahip çıkmaya bağlıdır. Elbette ki peygamberlik sona erdiğine göre artık bu vasıflara sahip olan bir kimse peygamber olamaz. Peygamberler bizi merkûp kabul etseler, onu başımıza taç yaparız. Fakat onların sahip olduğu o evsaf-ı âliyeye her zaman talip olunabilir. Allah (celle celâluhu) insanlar içinde peygamberlere teveccüh buyurduğuna göre, peygamberane vasıflara sahip olmaya çalışan o yolun yolcularını da perişan etmez ve hezimete uğratmaz. Bu açıdan evsaf-ı nebevî ile donanarak O'na yaklaşma yolunu araştırmak gerekir. Çünkü İnsanlığın İftihar Tablosu'nun sıfatları huluk-u âzamdır[143] ve aynı zamanda Kur'ân ahlâkıdır;[144] dolayısıyla Allah ahlâkıdır. Siz de ancak bu sayede kendi gerçek değerinizi bulmuş, kendi derinliklerinize açılmış ve gerçekten kendinizi duymuş olursunuz.

Zannediyorum ancak bu evsaf-ı âliyeye sahip olanlar Resûl-i Ekrem Efendimiz'in (sallallâhu aleyhi ve sellem) bulunduğu ufka yelken açabilir ve kendi seviyesine göre o ufukta O'nunla aynı duyguları paylaşabilirler. Dine hizmet yolunda bu duyguları paylaşanları ise O (aleyhissalâtû vesselâm) yarı yolda bırakmaz. Evet, âlem-i İslâm'ın derdiyle kıvranan, oturup kalkıp bir şeyler

---

yapabilmek için beyin sancısıyla iki büklüm olan, ulaşılmadık hiçbir gönül kalmasın diye sürekli plan ve projeler üreten hizmet yolcularını, Allah Resûlü (sallallâhu aleyhi ve sellem) hiçbir zaman yarı yolda bırakmayacaktır. Siz, "yolda kaldık" dediğiniz an, yemin edebilirim, vallahi O, size, o ışıktan elini uzatacaktır. Belki rüyanıza girerek size, "yürüyün" diyecek, belki mübarek ruhaniyetiyle temessül ederek aranızda dolaşacak ve bir vesileyle kuvve-i mâneviyenizi takviye buyuracaktır. Resûl-i Ekrem Efendimiz (sallallâhu aleyhi ve sellem) sizin yanınızda olunca, Allah'ın izni ve inayetiyle O'nun arkasında yer alan ve başta Ehl-i Beyt olmak üzere tasarrufu devam eden diğer zatlar da sizinle beraber olacaktır.

Maceraperestlik Gafleti

Asıl konumuza dönecek olursak, günümüzde hak ve hakikat yolcuları için tehlike arz eden bir diğer gaflet çeşidi ise vazifede dikkatsiz davranmaktır. Bunun da değişik türleri vardır. Mesela karambole hareket etmek, diplomasinin gerektiği yerde diplomasiyi kullanmamak, kötülüğe kilitli menfî oluşumları hesaba katmaksızın sadece kendi durumumuzu nazar-ı itibara alarak adım atmak, macera adına yanlış işlere girmek, popülizm mülâhazasına takılmak, "kredimizi yükseltelim" anlayışının peşinde koşmak, değişik testlere tâbi tutarak başarılı bir sonuç elde edileceğini garanti altına almaksızın bir işe teşebbüs etmek… gibi yanlışlıklar vazifede dikkatsiz davranmanın çeşitleridir. Esasında bu gafletlerin her biri insanı yerin dibine batırmaya yetebilir. Hatta bu tür gafletlere düşen insanlar sadece kendileri batmaz, aynı zamanda gafil bir kaptan gibi, arkalarına takılan insanları da beraberlerinde batırırlar. Çünkü gafil bir kaptanın emrindeki geminin rotası, denizin dibidir.

Diğer yandan bir iş yaparken, bir hakikate tercüman olurken, muhataplarımızı rencide etmeme, kimseyi kırıp geçirmeme, şefkatle herkesin üzerine eğilme, tulumbası elinde bir itfaiyeci gibi sürekli insanların imdadına koşma, celâlden gelen cefa ile cemalden gelen vefayı bir görüp insanlara karşı sürekli cemalî bir tavırla muamelede bulunma, acz u fakrımızı bilme, şevk ü şükürle metafizik gerilim içinde bulunma ve sürekli tefekkürle beslenme mesleğimiz açısından çok önemli esaslardır. Bizim bu esaslara bağlı kalarak, fetanetle hareket etmemiz gerekir. Her teşebbüsümüzde, netice mutlaka hesap edilmelidir. Acaba attığımız bir adımla geriye, kin, nefret ve öfke mi kalacak; yoksa sevgi, muhabbet ve alâka mı? İşte önceden mutlaka bunun değerlendirilmesi gerekir. Hulâsa, yapılan bütün işlerde öyle dikkatli davranıp öyle basiretli hareket etmemiz gerekir ki, ümitli gözlerle bizden bir şeyler bekleyen insanlar karşısında mahcubiyet yaşamayalım.

Neticeyi Sebeplere Bağlama Gafleti

Sebeplere çok önem verme, her şeyi sebeplere bağlayarak Müsebbibü'l-Esbab'ı hatırdan uzak tutma veya O'nu görememe ya da görmezden gelme de ayrı bir gaflettir. Hazreti Pîr umum Risalelerde esbap perdesini sıyırmak suretiyle Müsebbibü'l-Esbab'a kapılar aralamaya ve O'na baktırmaya çalışmıştır. Mesela bir yerde sebeplerin hikmet-i vücuduyla ilgili olarak şöyle demiştir: "İzzet ve azamet ister ki, esbap, perdedar-ı dest-i kudret ola aklın nazarında. Tevhid ve celâl ister ki, esbap ellerini çeksinler tesir-i hakikîden."[145] Başka bir yerde de kudretin, ümur-u hasise ile mübaşeretinin görünmemesi için sebeplerin vaz' edildiğine dikkat çeker.[146] Demek ki sebepler, müessir-i hakikî değildir. Belki esbabın kıymet-i harbiyesi şudur: Onlar Cenâb-ı Hakk'ın esmasının çok perdelerden geçmiş cilvesinin cilvesidir. Bu açıdan sebeplere bir kıymet verilecekse O'nun hatırına bir değer vermek gerekir. Ama onları bütün bütün değerden düşürmek de cebrîlik olur. Fakat sebepleri her şey gören bir insan da hiç farkına varmaksızın Müsebbibü'l-Esbap'tan gaflette bulunuyor demektir.

[145] Bediüzzaman, *Sözler* s.552 (Yirmi Dokuzuncu Söz, Birinci Maksat), s.574 (Yirmi Dokuzuncu Söz, İkinci Maksat), s.759 (Lemeât)
[146] Bkz.: Bediüzzaman, *İşârâtü'l-İ'câz* s.181; *Muhâkemât* s.43

Bir misal olması açısından ifade edeyim. Diyelim ki bir arkadaşınız ilk defa bir yere gitti ve orada birdenbire çok semeredâr oldu. Öyle ki bütün diken tarlalarında güller açmaya, bülbüller de şakımaya başladı. Orası âdeta Cennet'e döndü. İşte böyle bir durumda onun bir arkadaşı, "falan olmasaydı bütün bunlar olmazdı" diyerek meydana gelen bütün güzellikleri ona atfetmeye başladığında kendisi bir gaflet içinde bulunduğu gibi, bu sözleriyle arkadaşını da gaflete sürükleyebilir. Çünkü bu tür ifadeler karşısında, eğer arkadaşı bu ağır yükü taşıyabilecek durumda değilse, Efendimiz'in (sallallâhu aleyhi ve sellem) beyanlarına göre, arkadaşının boynunu kırmış olur.[147]

Bir heyet tarafından yapılan hizmetlerin sadece önde görünen bir insana izafe edilmesi de bu gafletin bir çeşididir. Hâlbuki bir ordunun ganimetini sadece komutanına vermek, umum askerin hakkını yeme demektir.[148] Evet, birçok insanın himmet ve gayretiyle elde edilen semereler, sadece işin başındaki insana verilemez. Ayrıca unutmamalıdır ki, Allah'ın tevfikine vesile olan husus, o insanların vifak ve ittifaklarıdır. Yani Cenâb-ı Hak, her birinin kendine göre bir enaniyet ve gururu olan o insanların, kendi aralarında problem çıkarmaksızın ittifak ve ittihat edebilmelerine lütufta bulunup onları muvaffak kılmaktadır. Şimdi bütün bunları görmezlikten gelerek, başarı ve muvaffakiyetleri tutup da baştaki bir veya birkaç insana verme, "falan yaptı, filân etti" deme, sebepleri görüp de Müsebbibü'l-Esbap'tan gaflet etme demektir.

Kendini Bilmeme Küstahlığı

Meseleyi daha geniş bir dairede düşündüğünüzde, aynı tehlikenin bir heyet, bir topluluk için de söz konusu olduğunu görürsünüz. Mesela dine ve insanlığa hizmet adına yapılan işlerin neticelerini bir camia, kendi gayretine terettüp eden semereler olarak gördüğü takdirde yine gaflete düşmüş demektir. Zira mevcut

---

[147] Bkz.: Buhârî, *şehâdât* 16, *edeb* 54, 95; Müslim, *zühd* 65.
[148] Bkz.: Bediüzzaman, *Şuâlar* s.349 (On Dördüncü Şuâ).

pozisyonun hâsıl olabilmesi için, ortamın müsait olması, ehl-i dalâlet ve ehl-i gafletin kıskançlık, çekememezlik ve gayz gibi engelleyici duygularla sizi takip etmelerine karşılık kimsenin size bir zarar verememesi, gönüllerin muhabbetle size açılması, gidilen yerlerde umulmadık ve beklenmedik ölçüde alâka gösterilmesi, dünyadaki genel atmosferin bu işe müsait olması... gibi, belki elli tane unsurun bir araya gelmesi gerekiyor. Bu ise, ihtimal hesaplarına göre ancak milyonda bir olabilecek bir şeydir. Hâl böyleyken nasıl olur da, hâlihazırdaki bunca güzelliği basit birkaç sebebe irca edebilirsiniz. Böyle bir düşünce şimşek gibi aklınızdan gelip geçtiğinde dahi hemen istiğfara yönelmelisiniz. Sızıntı mecmuasının kapaklarına bir iki satırlık nazım gibi bir şey yazarken, bir seferinde içime, "Bu buraya iyi düştü." gibi bir düşünce gelmişti. Hemen şirke girmiş gibi, "Estağfirullah yâ Rabbi! Bu eşeğin canını al ve yaptığı işi ona beğendirme!" diye tevbe ve istiğfarda bulundum. Bu açıdan, mesela "Yaptığım konuşma gönüllere tesir etti ve insanları harekete geçirdi." gibi bir düşünce şahsın kendini bilmemesidir, daha doğrusu kendini bilmeme küstahlığıdır. Çünkü böyle bir mülâhazayla o, bin ihtimalle ancak hâsıl olabilecek bir tabloyu basit bir sebebe veriyor demektir.

Meselenin bir diğer yanı da şudur: Yapılan hizmetlerde Müsebbibü'l-Esbab'ı görmemek bir gaflettir. Fakat o yolda koşturan insanların kuvve-i mâneviyelerini takviye etmemek, aşk u şevklerinin kırılmasına sebep olmak da ayrı bir yanlışlıktır. Bunun yerine, hizmet eden insanlara, "Allah sizden ebeden razı olsun. Cenâb-ı Hak size böyle bir iş gördürüyor. Eğer size değer atfetmeseydi, böyle bir kaderî senaryoda size bu rolü vermez ve sizi birer figüran olarak kullanmazdı. Demek ki Allah'ın size bir teveccühü var. Rabbim, size olan bu teveccühünü devam ettirsin." diyerek duada bulunmalı ve şirke kapı aralamaksızın onların kuvve-i mâneviyelerini takviye etmeliyiz. Bu noktada göz önünde bulundurulması gereken ölçü şudur: Otuz kırk senedir değişik hizmet faaliyetlerinin içinde olup da önde görünen insanlara boylarından aşkın payeler vereceğimize, onları kutbiyet ve gavsiyetlerle takdir edeceğimize, çok ciddî inhirafı

görülmemiş olan bu insanlara olan muhabbet ve hüsnüzannı-
mızı fevkalâde sadakat ve fevkalâde vefa ile ortaya koymalı-
yız. Hatta onların düşmüş olduklarını görsek bile, hemen tutup
kucaklamalı, düştüğü yerden kaldırmalı, çamurlarını silmeli ve
bağrımıza basmalıyız. Dolayısıyla Müsebbibü'l-Esbab'a bakma
demek, hizmet için canla başla koşturan insanları bütün bütün
görmezlikten gelme demek değildir. Ancak bu görme sadakat
ve vefa çerçevesi içinde olmalıdır.

Tekvînî emirlere bakıp da onları okuyamama, onlardan
mânâlar çıkaramama, onlar vasıtasıyla Allah'a yürüyememe de
önemli bir gaflettir. Konuyla ilgili bir âyet-i kerimede şöyle buy-
rulur: وَكَأَيِّنْ مِنْ اٰيَةٍ فِي السَّمٰوَاتِ وَالْأَرْضِ يَمُرُّونَ عَلَيْهَا وَهُمْ عَنْهَا مُعْرِضُونَ
*"Göklerde ve yerde nice deliller vardır ki, inanmayan insanlar
gelip geçerken (onları kasdî tetkike almadıklarından dolayı) yüz
çevirmiş olurlar da farkına varamazlar."*[149]

Baştan beri ele aldığımız bütün bu gafletlerin biri diğerine gö-
re nispeten daha önemli olabilir. Başka bir ifadeyle bu gafletle-
rin önem derecesi şahsın istidat ve kabiliyetine göre değişiklik arz
eder. Kimisi için biri, bir başkası için ise diğeri daha ciddî bir im-
tihan unsuru olarak insanın karşısına çıkabilir. Fakat dinimiz ve
Müslümanlığımız açısından meseleye bakılacak olursa çok rahat-
lıkla şunu söyleyebiliriz ki, her gaflet def edilmesi gereken şeytanî
bir fikir ve şeytanî bir histir. Bundan kurtulmak ise, her zaman
basiretle hareket etme, hassas ve duyarlı olma, eşya ve hâdiseleri
mahiyet-i nefsü'l-emriyesine uygun görmeye çalışma, her zaman
gönül gözlerini açık tutma, bakarken görme, kulak kabartırken
dinleme, temas ederken hissetme ve bütün bunları vicdana du-
yurma... gibi kalbî, ruhî, fikrî amel ve aksiyonlara bağlıdır.

---

[149] Yûsuf sûresi, 12/105.

İçtimaî Değişimler Karşısında Kıvamın Korunması

Soru: *Ahmet Cevdet Paşa, Osmanlı Devleti'nin Kanuni Sultan Süleyman'a kadar olan yükselme ve büyüme dönemini bedevîlik, daha sonraki dönemi ise hadarîlik ya da medenîlik devri olarak görüyor. Ayrıca Osmanlı'nın son dönemindeki bozulma ve çözülmeyi de bir toplumun geçirmesi gereken tabiî bir süreç şeklinde değerlendiriyor. Onun bu taksim ve mülâhazaları nasıl anlaşılmalıdır?*

Cevap: Esasında Ahmet Cevdet Paşa'nın bu yaklaşımı, tarihçi, sosyolog ve tarih felsefecilerinin genel mütalâası gibidir. Yakın zamanda yaşayan Gibb ve Renan gibi araştırmacılar da bu düşünceyi dile getirmişlerdir. Zannediyorum bu mülâhazaları ilk defa seslendiren de İbn Haldun olmuştur. Bütün bunların icmalî mânâda ifade ettikleri husus ise şudur: Tıpkı fertler gibi toplumlar da dünyaya gelir, olgunluk çağına erer, ardından yaşlanır ve sonra da ölürler. Yani bütün toplumların önlerinde, kendilerini bekleyen bir çukur vardır ve onların bu çukura düşmeleri mukadderdir.

İşte bu yaklaşımı biraz daha açarak Osmanlılar hakkında düşündüğümüzde, onların ilk dönemine bir mânâda "bedeviyet devri" denilebilir. Fakat Osmanlı'nın kendine ait hususiyetleri göz önünde bulundurulduğunda, bu döneme, olumsuz mânâda "bedeviyet devri" demekten ziyade "nim-medeniyet" devri denilmesi herhâlde daha uygun olur. Bu ifadeyle kastettiğimiz mânâ ise şudur: Bu dönem saf inanç dönemidir ve bu dönemde insanlara hâkim olan duygu ve düşünce safvet, duruluk ve sadeliktir. Yapılan işlerin arkasında herhangi bir beklenti yoktur. Onlar, sadece mefkûrelerinin kendilerine gösterdiği yolda yürümüş, azim ve gayretle hedeflerine ulaşmaya çalışmışlardır. Böyle bir safvet ve sadelik içinde bulunan, içlerine dünyevîlik mülâhazası girmeyen ve tamamen Allah'ın rızasına kilitlenen bu insanlar, hangi mefkûreye dilbeste olmuş ve nasıl bir gaye-i hayale bağlanmışlarsa, onu gerçekleştirmek için harıl harıl koşmuşlardır.

Kıvamı Koruma İradesi

Değişik milletlerin farklı zaman dilimlerinde yaşadıkları şanlı dönemler vardır. Türk milletinin hayatında da Osmanlı dönemi dillere destan böyle bir devrin adıdır. Onun özellikle ilk yüz elli senelik faslı muhteşem bir döneme tekabül eder. Osman Gazi Hazretleri, Söğüt'ün bağrından çıkmış, hayatını çadırda geçirmiş ve yine bir çadırda ruhunu Allah'a teslim etmiştir. O, elde ettiği zafer ve galibiyetlerle, rahat imkânlar içinde yaşayabilecekken hep basit ve sade bir hayatı tercih etmiştir. Denilebilir ki, o, bir mânâda, Hazreti Ebû Bekir, Hazreti Ömer, Hazreti Osman ve Hazreti Ali efendilerimizle aynı çizgide bir hayat yaşamıştır. Demek ki gidilen yol aynı olunca, sonuç da aynı oluyor. Orhan Gazi Hazretleri'nin hak ve hakikate hizmet aşkı, cihad ruhu, bunun yanında sadelik ve duruluğu da babasından farklı değildir. Neredeyse bütün hayatını at üzerinde geçirmiştir. Birinci Kosova Muharebesi'nde şehit edilen Murat Hüdavendigâr'ın Hakk'a yürürken dile getirdiği, "Attan inmeyesüz!" sözü ise bu duygu ve düşüncenin tarihe nakşolmuş ses ve soluğudur. İyi bir devlet adamı ve iyi bir erkân-ı harp olan bu koca Hünkâr aynı zamanda gözü mânâ âlemine açık bir mâneviyat büyüğüdür.

Sadece bazılarına bir iki cümleyle işaret edip geçtiğimiz bu büyük kâmetler döneminde Osmanlı, insanlık tarihi açısından parlak ve göz alıcı bir tablo ortaya koymuştur. Şebâbet dönemi de diyebileceğimiz bu dönem İstanbul'un fethine kadar sürmüştür. İstanbul'un fethiyle birlikte ona, Batılılar tarafından "imparatorluk" denmeye başlamıştır. Bu tarihten itibaren "başlangıçtaki safvet ve sadelik, kıvam ve iç duruluk bütün bütün kaybedildi" denemez. Fakat elde edilen zafer ve galibiyetlerle başların dönmediği, bakışların bulanmadığı da söylenemez. Gerçi İstanbul'un fethinden sonraki dönemde de meseleyi ilk dönemin safvet ve samimiyeti içinde götürme adına gayret gösteren ve bir tekke ve zaviye insanı gibi yaşayan İkinci Bayezid Han Hazretleri vardır. Daha sonra, hak ve hakikati ikâme, yeryüzünde muvazene unsuru olma gayreti içinde bulunan, böyle ulvî bir mefkûrenin gerektirdiği azim, kararlılık, hasbîlik ve fedakârlığı temsil eden Yavuz Cennetmekân gelmiştir. Bu büyük kahramanın akabinde, onun ortaya koyduğu anilmerkez hareketin gücünden aldığı bir hızla kırk altı sene ne ölçüde korunması mümkünse o ölçüde Devlet-i Âliye'yi koruyan Kanuni Sultan Süleyman gibi önemli bir zat vardır. Fakat içtimaî hayat açısından bütün bu dönemler daha yakından tetkike tâbi tutulduğunda, bu safahatta bir kıvam kaybının yaşanmaya başladığı da görülecektir.

Belki başlangıç dönemindeki safvet ve duruluğun anilmerkez gücüyle devlet daha muhteşem bir hâle gelmiştir. Krallar onun kapısında halâyık gibi diz çöküp gözünün içine bakmaya başlamıştır. Fakat bir yönüyle içten içe, yavaş yavaş bir karbonlaşmanın başladığı da muhakkaktır. Nitekim Kanuni Cennetmekân'dan sonra ne Sarı Selim ne Üçüncü Murat ne de –bazı istisnaları hariç– ondan sonraki hükümdarlar ordunun başında sefere çıkmamışlardır. Düşünün ki, Sultan Reşad Balkanlar'a ziyarette bulunduğunda, halk Padişah'ın bu ziyaretini harikulâde bir hâdiseymiş gibi büyük bir sevinçle karşılamıştır. Hâlbuki padişahların halkın içinde olmaları, ordularının başında bulunmaları kuvve-i mâneviyeleri açısından çok önemlidir. Aynı zamanda böyle bir davranış, kötülük ve düşmanlık planlayan düşman cephenin yüreğine de korku salma demektir.

Ne var ki, uykusu gelir gelmez hemen yatağa koşan, başını yastığa koyan, sabah kalktığında kahvaltısını yapan, sonra bir ara öğün yiyen, ardından öğle yemeği diyen, sürekli çoluk-çocuğuyla beraber olmak isteyen bir insan için atın üzerinde sefere çıkmak çok zor bir iştir. Çünkü insan zamanla bu tür alışkanlıkların esiri ve bağımlısı olur. Atın üzerinde koşturup dururken bunları yapamayacağından tercihini de o istikamette kullanır. Dolayısıyla bütün bunlar peyderpey bir gevşeme dönemine girme demektir. İşin doğrusu dünyanın cazibedâr güzelliklerinin insan yüzüne tebessüm ettiği böyle bir dönemde kıvamı korumak hakikaten oldukça zordur. Belki Osmanlı'nın bu kıvamı koruma adına gösterdiği en yüksek performans, tekke ve zaviyelerde ruh ve mânâ insanları yetiştirmek olmuştur. Aynı zamanda yetiştirdiği güçlü Şeyhülislâmlarla bu kıvamı korumaya çalışmıştır. Demek ki bunlar da olmasaydı, karbonlaşma faslı daha önceden başlayacaktı.

Ömrü Uzatma Adına Yapılan Gayretler

Bu mülâhazalarımızdan, onları suçlama gibi bir niyet ve kastımızın olduğu anlaşılmamalıdır. Zira yaşanan böyle bir süreç, bir yönüyle bizim de kabul etmemizde mahzur olmayacak "belli bir yere kadar muayyeniyet" veya başka bir ifadeyle "şartlı determinizm" olarak değerlendirilebilir. Tabiî bir süreç olan bu tür bir karbonlaşma toplumlar için kaçınılmaz gibi görülmektedir. Fakat hâzık hekimlerin elinde bir ömür uzatma meselesi her zaman için mümkündür. Bu takdirde Allah'ın bu mevzudaki kazası da muâlecelere bağlı olarak değişebilir. Belki de, İbn Haldun ve diğer bazı Batılı sosyal tarihçilerin gözden kaçırdıkları nokta burasıdır.

Şimdi söylediğimiz bu hususu biraz daha açmaya çalışalım: Cenâb-ı Hak tarafından toplumların diriliş, yükseliş ve çözülüş dönemleri için kaderî planda belli bir zaman takdir edilmiştir. Fakat biz takdir edilen bu zamanın süresini bilemeyiz. Mesela, hayatlarını başkalarını diriltmeye vakfeden, "âlemi diriltmezsek bizim de dirilmeden nasibimiz olamaz" mülâhazasına kilitli bulunan iman ve aşk u şevk kahramanlarının yaşadığı dönemi birinci fasıl olarak ele alalım. Şimdi biz, kaderî planda bu fasıl için takdir edilen zamanı bilemediğimizden dolayı, "bu faslın ömrü elli senedir; yüz senedir" gibi bir değerlendirmede bulunamayız. Çünkü kader, ilm-i ilâhînin bir tezahürüdür. Biz ise bu ilmî programı bilemeyiz. O hâlde bize düşen, ister birinci, ister ikinci, isterse üçüncü fasıl olsun, hangi dönemde bulunursak bulunalım, irademizin hakkını vererek o dönemdeki hayır ve güzelliklerin ömrünü uzatmaya çalışmak olmalıdır.

Mesela hakkınızda, "Şayet şöyle davranırsanız, çok ciddî bir kırılmaya maruz kalır ve bir daha asla belinizi doğrultamazsınız." şeklinde hüküm takdir buyruldu ve bu takdirin emareleri görülmeye başladı. Fakat siz her şeye rağmen bu mevzuda çok ciddî bir kıvam sergilediniz. Mesela dünya ayağınızın dibine kadar geldiği, müsteşarlıklar, genel müdürlükler, bakanlıklar... size tebessüm ettiği hâlde siz, "Ben Allah'ın rızasına kilitlenmiş ve onu bir âbide halinde ikâme etmeye çalışırken bu insanların bana teklif ettikleri şeye bak!" dediniz, ihlâs ve samimiyetinizin gereği olarak bütün bunlara karşı müstağni davrandınız. İşte ihtimal ortaya koyduğunuz bu kıvamı koruma cehdi sayesinde, hakkınızdaki kaza atâya çevrilir ve siz çözülüş sürecinde yeni bir diriliş faslı yaşarsınız. Bir misal olması açısından dile getirdiğim bu ifadelerimle yukarıdaki vazifeleri hafife aldığım zannedilmesin. Elbette ki bunlar toplum hayatı açısından önemli makamlardır. Bir milletin devlet hayatında bunlara mutlaka ihtiyaç duyulur. Ne var ki çok önemli bir mefkûreye dilbeste olmuş insanlar yaptıkları hizmetler karşılığında hiçbir zaman makam ve mansıp arzusunda olmamalı, dünyevî-uhrevî herhangi bir beklentiye girmemeli ve asla bu tür arzular karşısında bir kırılma yaşamamalıdırlar.

Evet, insanlar, kıvamlarını koruduğu sürece hayat ve canlılıklarını muhafaza edebilir ve toplumların ömrü olan bu zamanı uzatabilirler. Mesela adanmış ruhların, yerlerinden fırlayıp maratona başladıkları döneme şahit olup, "Allah'ın izniyle, bu insanlar, bu performansla elli sene bu işi sürdürürler" diye bir tespitte bulundunuz. Fakat onlar, kıvamlarını korur, iyi ve doğru beslenir, oturup kalkıp hayatlarını sohbet-i cânana bağlı götürür,

Allah rızasına kilitlenir ve yürekten Allah'a bağlılıklarını korurlarsa, bakarsınız elli sene gibi görünen bu süre, yüz sene olur. Hatta heyecan devam eder ve onların hayatına alabildiğine bir metafizik gerilim hâkim olursa, bakarsınız bu süre yüz elli seneye çıkar. Bundan da öte, iktisadî, siyasî ve kültürel hayatın içine girildiği, değişik yönleriyle dünyevîliğin hâkim olduğu, bir mânâda sanat vb. aktivitelerle teselli olunduğu yani kültür faslının yaşandığı dönemde bile insanlar, belli ölçüde hâlâ kıvamlarını koruyorlarsa –ama düşerek ama kalkarak, ama oksijen çadırında ama yoğun bakımda– bakarsınız yüz elli sene daha yaşayabilirler. Bu fasıldaki yeni bir hamle ve yeni bir teveccüh, Cenâb-ı Hakk'ın ayrı bir atâsı ve ekstra bir lütfuna vesile olabilir.

Asıl konumuz olan Osmanlı Devleti'ne dönecek olursak, esasında bu kadar çok hasımlarla muhat olan bir devletin yıkılmasına değil, nasıl bu kadar uzun ömürlü bir hayat sürebildiğine hayret etmek lazım. Çünkü biz, yirmi beş senedir dağdaki bir avuç eşkiya ile başa çıkamadık. Düşünün ki, koskocaman hasım bir cephe, denizler de dahil, dört bir taraftan Osmanlı'yı çepeçevre sarmışlardı. Bu hasımlarla mücadele ederken onun yeniden kendi olarak ayağa kalkması, derlenip toparlanması oldukça zordu. Fakat o, her şeye rağmen varlığını sürdürdü ve belli ölçüde tarihî misyonunu eda etti. Bütün bunları göz önünde bulundurarak Osmanlı'nın faziletlerini ilân ve itiraf etmek, mehâsinlerini hayırla yâd etmek ve Allah'tan onlar için mağfiret dilemek gerekir. Altı asır ayakta durabilmek dünyada başka hiçbir "imparatorluğa" nasip olmamıştır. –Roma İmparatorluğu'nun da böyle uzun bir dönem varlığını sürdürdüğü iddia edilebilir. Ancak bildiğiniz üzere Roma'nın başına altı-yedi sülâle gelmiş ve farklı süreçler yaşanmıştır. Mısır'daki Firavunlar da tek sülâle değildir; onlar da iki, üç asırda bir değişmişlerdir.– Dolayısıyla bir taraftan Doğu'dan-Batı'dan büyük bir hasım cephenin sürekli hücum ve taarruzlarına maruz kalmalarına, diğer taraftan memerr-i akdâm olan çok tehlikeli bir noktada bulunuyor olmalarına rağmen Osmanlı Devleti'nin altı asır payidâr olması kanaat-i acizanemce hayret edilmesi gereken bir husustur.

Beşerî Münasebetlerde Nezaket ve Zarafet

Soru: *Oturuş-kalkışımızdan hitap şeklimize kadar günümüzde pek çoğumuzun âdâb-ı muaşeretten mahrum olduğu görülüyor. Âdâb-ı muaşeret kitaplardan öğrenilebilir mi? Âdâb-ı muaşerete ait güzelliklerle donanmak ve onları tabiatımıza mâl etmek için neler tavsiye edersiniz?*

Cevap: Âdâb-ı muaşeret, insanın, diğer insanlarla münasebetlerinde, iffetli, hayâlı, nazik ve saygılı olması, kötü muamele ve acı hâdiseler karşısında bile elinden geldiğince, kırıcı ve incitici tavırlar içine girmemesi, söz ve davranışlarını hep zarafet, incelik ve içtenlik esaslarına bağlı sürdürmesi demektir.

Melekleri imrendirecek bir edep ve nezaket medeniyeti inşa eden İslâm dünyası, maalesef, belli bir dönemden sonra bu hususiyetini kaybetmiş ve âdeta Asr-ı Saadet öncesi cahiliye dönemi gibi, yeni bir cahiliye devri yaşamaya başlamıştır. Muhammed Kutup, bu hakikati ifade için yazdığı bir eserine, "yirminci asrın cahiliyesi" mânâsına, جَاهِلِيَّةُ الْقَرْنِ الْعِشْرِينَ ismini vermişti. Zira bu dönemde, sahip olduğumuz bütün değerler, Necip Fazıl'ın ifadesiyle, künde künde üstüne devrilip gitmiştir. Evet, yirminci asır, ruh ve mânâ köklerimizin üzerinde neşv ü nema bulduğu inanç sistemimizden ibadet ü taat hayatımıza, ondan, sizin de soruda ifade ettiğiniz âdâb-ı muaşeret anlayışımıza kadar bize ait bütün değerlerin yıkılışına şahit olmuş bir asırdır. Dinle irtibatımız kopunca, âdâb-ı muaşeretle ilgili değerleri, disiplin ve terminolojiyi de kaybettik; kaybettik ve oturup kalkışımızdan konuşma ve hitap tarzımıza kadar insanlarla münasebetlerimizde kendi düşünce ve kültür dünyamıza yabancı hâle geldik.

Mesela geçmiş dönemde bir insan, erkek evlâdını muhatabına takdim edeceği zaman, "mahdumunuz" demeye özen gösterirdi. Şayet takdim etmek istediği kız çocuğuysa o zaman da "kerimeniz" diye ifade ederdi. Kişi, kendinden bahsetme mecburiyetinde kaldığında "bendeniz"le söze başlardı, fertler birbirine hitap etmek istedikleri zaman ise, "zat-ı âliniz", "efendim" gibi saygı ifadeleri kullanırlardı. Böyle bir üslûp sun'î ve yapmacık da değildi, aksine sahip olduğumuz terbiyenin bir gereğiydi. Günümüzde ise, geçmişteki o tabirleri, "benim mahdumum", "benim kerimem" şeklinde kullananlara şahit oluyoruz. Hatta hiç unutmuyorum, yüksek eğitim görmüş ve profesör olmuş bir zatın, "Ben, zat-ı âlileri bu meseleyi şöyle düşünüyorum." dediğini işittiğimde ne diyeceğimi şaşırmıştım. Alçakgönüllülük ve ruh inceliğinin yansıması bu tabirler nasıl olup da bu tür ifade yanlışlıklarına maruz kalmıştır? Çünkü biz, birkaç asırdan beri, âdâb-ı muaşeretle alâkalı meseleleri yaşamamış ve hayatımıza mâl etmemiştik. Eğer siz âdâba ait bu meseleleri, onların dayandığı ahlâk ve değerleri silip hayatın dışına atarsanız, o mevzuda kullanılmayan kelimeler de zamanla bayatlar, partal bir eşya hâline gelir ve unutulur gider. Daha sonra siz, mânâ ve muhteva olarak kaldırıp bir kenara attığınız bu kelimeleri bir lüks ve fantezi olarak kullanmaya kalktığınızda da bu gibi falsolara girmeniz kaçınılmaz olur.

Meselenin Özü İnsana Saygı

O hâlde yapılması gereken nedir? Bizim öncelikle insanın zatına mahsus olan saygıyı ortaya koymamız gerekir. Çünkü insan, saygı gösterilmesi gereken kerim bir varlıktır. Allah (celle celâluhu): لَقَدْ خَلَقْنَا الْإِنْسَانَ فِي أَحْسَنِ تَقْوِيمٍ *"Muhakkak biz insanı ahsen-i takvîme mazhar yarattık.*"[150] buyurarak, kasemle insanın kerim ve kıymetler üstü kıymete mazhar bir varlık olduğunu beyan buyuruyor. İşte potansiyel olarak insan, bu ölçüde bir kıymet ifade eder. Malûmunuz bir Yahudi cenazesi geçerken Allah Resûlü (sallallâhu aleyhi ve sellem) toparlanmış ve ayağa kalkmıştır. Kendisine onun bir Yahudi olduğu hatırlatıldığında ise, fazla bir şey konuşmadan, *"Ama insandı."* buyurmuştur.[151] Bu sebeple birisi size karşı saygısızlık yapsa bile, sizin mükerrem olarak yaratılan insana karşı saygıyı hiçbir zaman elden bırakmamanız gerekir. Şayet bazıları sizin sahip olduğunuz değerleri hafife alıyor, Allah ve Resûlü'ne karşı saygısızlık yapıyorlarsa, onlara da ancak namusunuz saydığınız kendi âdâp ve üslûbunuza göre cevap vermelisiniz. Unutmamalısınız ki, siz Müslümansınız, edeb-i Muhammedî ve Kur'ân ahlâkı ile donanmışsınız. Yani sizin benimsemiş olduğunuz ahlâk, Kur'ân ahlâkıdır. O hâlde nasıl olur da başkaları gibi davranabilirsiniz? Elin âlemin ağzı, dili bozuk olabilir; bazıları geçtikleri yeri kirletebilir ve herkese –kusura bakmazsanız o kelimeyle ifade edeceğim– diş gösterebilirler. Fakat siz asla böyle davranamazsınız. En kötü durumlarda bile siz kendi hususiyet ve farklılığınızı ortaya koyma mecburiyetindesiniz.

Aslında –hâşâ ve kellâ– Zât-ı Ulûhiyet'e veya Resûl-i Ekrem Efendimiz'e (aleyhissalâtü vesselâm) dil uzatıldığı zaman, insan, hakikaten kâmil bir mü'minse, orada kalbi duracak hâle gelmelidir. Fakat mü'min-i kâmil, her şeye rağmen, edeple ve nezaketle muamelede bulunur; "Benim Allah ve Resûlü'nden aldığım edep gereği burada şöyle davranmam, onlara şu çerçevede mukabelede bulunmam lâzım!" der ve başka değil sadece Allah ve Resûlü'nün hatırına bu tür olumsuzluklara katlanır. Katlanır ama sevgi ve şefkat edalı yumuşak ve nazik bir üslûpla meselenin hakikatini muhatabına anlatmayı da ihmal etmez.

Evet, temel espri olarak öncelikle işe "insana saygı"dan başlamalı ve derecesine göre, bütün insanlara sahip oldukları hususiyetlere göre saygı gösterilmelidir. Mesela siz, birine, inanmasa

---

150 Tîn sûresi, 95/4.
151 Buhârî, *cenâiz* 50; Müslim, *cenâiz* 81.

da Allah'ın bir kulu olduğu, diğerine, Allah'a inanan bir kul olduğu, öbürüne Allah'ı doğru kabul eden bir kul olduğu, bir diğerine ise sizinle aynı kaderi paylaşan ve aynı hedefe doğru koşan bir kul olduğu hakikatinden hareket ederek, derecesine göre her birine saygı gösterirsiniz. Böylece sizin insanlara karşı gösterdiğiniz saygı, her birinin konumuna göre katlana katlana değerler üstü değere ulaşır. Evet, öncelikle böyle bir saygı duygusunun bizim içimizde belirmesi gerekir. Daha sonra sesimiz soluğumuz bu duygunun sesi ve soluğu olmalı, bu mesele işlene işlene tabiatımızın bir derinliği hâline getirilmelidir. Ben, aile içinde oturmuş bir terbiyenin gereği olarak, kardeşlerin bile birbirine, "falan efendi", "filân efendi" diye hitap ettiği aileler biliyorum. Söz konusu fert ister ağabey, isterse küçük kardeş olsun, insana saygının gereği, onların bu türlü unvanlarla yâd edilmeye hakkı vardır. İşte siz öncelikle bu hakikati kabul etmelisiniz ki, daha sonra bunu telaffuz edesiniz.

Mesela bir televizyon kanalında çalışanlar, günümüzde benimsenen genel üslûptan farklı olarak, birbirine hitap ederken, "bey" diye hitap etmeye başlıyorlar ve zamanla bu mesele aralarında oturuyor ve bir müddet sonra artık yadırganmayacak hâle geliyor. Belki böyle bir üslûp ilk başta bazılarına sun'î gelmiş olabilir. Fakat zamanla bu mülâhaza da izale oluyor. Bu açıdan bize ait saygı ifade eden ne kadar değer varsa, bunları birer birer ihya ederek yeniden hayatımızda canlandırmaya çalışmalıyız. İşte asıl o zaman kendimizi, kendimiz olarak hissedecek ve saygı atmosferi içinde rahatça kendimizi ifade edebileceğiz. Dolayısıyla hiç kimse de, birilerini rencide eden, inciten, kulak tırmalayan nâsezâ, nâbecâ sözlerle karşılaşmayacaktır.

Üç-Beş İnsanla Dahi Olsa
Vira Bismillâh Demeli

Bu ahlâk ve âdâbın kabul edilip benimsenmesi ise belli bir zamana bağlıdır. Zira toplumumuz uzun zamandan beri çok ciddî bir saygısızlık tufanına maruz kalmıştır. Günümüzde umumiyet itibarıyla ölçüsüz ve nizamsız bir şekilde konuşulmaktadır.

Denilebilir ki, bütün topluma yayılmış bir "argo" lisanı hâkimdir. Medyanın hâli ise toplumdaki bu durumu bile aratacak seviyededir. Öyle ki, medyada dile getirilen bazı kelimelerin mânâlarını bulmak için sözlüklere müracaat etseniz, kelimenin başında, "külhanbeylerin kullandığı ağız, kaba konuşma" mânâsını ifade eden "argo" kaydıyla karşılaşırsınız. Bu açıdan işe bir kenarından başlayarak saygı duygusunu yeniden ihya etmeye çalışmalıyız. Belki başta bu hassasiyete özen gösteren üç-beş insan olacak, bunlar dar dairede de olsa üslûplarıyla, tavır ve davranışlarıyla bu farklılıklarını her platformda ortaya koyacak ve başkalarına da numune-i imtisal olacaklardır.

Aslında bizde edebe dair yazılmış pek çok kitap vardır. Elbette ki bunlara bakılmalı ve bunlardan istifade edilmelidir. Fakat unutulmaması gerekir ki, kitaplarda yer alan bu mevzuların kabul edilmesi, bunların hususî mahfillerde işlenip hayata geçirilmesine bağlıdır. Bir dönem, camilerimizdeki imam ve müezzinlerimizin kürsü ve minberdeki tavır ve davranışları, yaptıkları konuşmalar insanlara çok şey kazandırıyordu. Toplumun camiden aldığı pek çok güzellik vardı. Caminin yanında tekye ve zaviyelerdeki insanlar da ayrı bir edep dersi veriyordu. Oradaki münasebetler hep saygı ve hürmet ufkunda cereyan ediyordu. Hayat hep saygıyla götürüldüğünden dolayı da, saygı tabiatın bir derinliği hâline gelirdi. Dolayısıyla insanlar konuşmalarında ve davranışlarında zorlanmadan, tekellüf ve sun'îliğe girmeden çok tabiî olarak saygılı ve edepli davranırlardı. Geçmişte bir sokakta ilerlerken bu türlü nurefşân ocakların belki elli tanesiyle karşılaşırdınız. Elli yerde elli tane bilgenin oturduğunu ve çevresine bize ait güzellikleri neşrettiğini görürdünüz. Oraya uğrayan insanlar da mutlaka böyle bir insibağla farklılaşır ve öyle geriye dönerlerdi.

Şimdi ise sokak korkunç bir yokluk ve kıtlık yaşıyor. Bazı müesseseler bu mevzuda bir kısırlaşma dönemi içindeler. Birçoğundan da mahrumuz. Müesseseler olmadığı gibi, ahlâk-ı âliye-i İslâmiyeyi talim edebilecek şahıslar da yok. O hâlde böyle bir durumda yapılması gereken, dar alanlı, hususî mahfillerde üç-beş insanla da olsa âdâb-ı muaşerete ait bu değerleri yeniden diriltmeye çalışmak olmalıdır. Siz bir evde iki, üç arkadaş bir arada kalıyorsanız, vira bismillâh deyip bu edep ve saygıyı orada yeniden ihya etmeye bakacaksınız. Israrla bu mevzuun üzerinde duracak ve bunu tabiatınız hâline getireceksiniz. Zira âdâba dair bu hususlar, Allah'a, Peygamber'e, haşr ü neşre iman, namazın ciddî eda edilmesi gibi dünya ve ukbamızı mamur hâle getirecek önemli ve hayatî meselelerin yanında tali gibi görünse de ihmal edilmemesi gereken disiplinlerdir. İnsanlığın İftihar Tablosu (aleyhissalâtü vesselâm) imanın yetmiş küsur şube olduğunu, bunun en başının iman-ı billâh, en küçüğünün ise yollardaki eziyet verici şeyleri bertaraf etmek olduğunu ifade buyuruyor ki, en küçük şube sayılan bu davranış da bir edeptir. Evet, birinin ayağına diken batmasın, birisi yola atılan bir nesneyle zarardîde olmasın diye çeri çöpü kaldırıp bir tarafa atma imana bağlı şubelerden bir şube olarak sayılmaktadır. Aynı şekilde, mü'min kardeşinle karşılaştığın zaman tebessüm etmen, kuyudan doldurduğun bir kovanın suyunu oraya gelen birinin kovasına boşaltman gibi hususlar da imanın şubeleri içinde gösterilmiştir. Bu açıdan bu gibi hususları asla hafife almamak gerekir.

Son bir husus olarak şunu ifade edeyim ki, imana ait bütün bu şubeler ve onlara bağlı ameller birbirini tamamlayıcı unsurlardır. Eğer siz Allah rızası için, âdâba dair bir meseleyi eda ediyorsanız, bu aynı zamanda size Allah'ı, Peygamber'i, haşr ü neşri hatırlatır. Bir an O'nu hatırlama, bir an-ı seyyale O'nunla beraber olma ise binlerce sene O'nsuzluğa denktir. O hâlde küçük gibi görünse de, bu gibi mevzular, çağrıştırdığı mânâlar itibarıyla çok büyüktür. Bu açıdan başkaları ne yaparsa yapsın, bizim eskilerin âdâb-ı İslâmiye ve âdâb-ı Kur'âniye dedikleri meseleleri kendi aramızda ihya etmemiz, kendi terbiye anlayışımızı, kendi nezaket ve zarafetimizi ortaya koymamız gerekir.

İnayet Çağrısı

Soru: *Mü'mince bakış açısına göre, peygamberâne bir cehd ve gayret ortaya koymakla beraber, bu cehd ve gayreti, Allah'ın rızası ve hizmette muvaffakiyet için izafî gayret, nisbî çırpınış ve bir inayet çağrısından ibaret görmek gerektiği ifade ediliyor. İzafî gayret, nisbî çırpınış ve inayet çağrısı kayıtlarının ardındaki mülâhazaları lütfeder misiniz?*

Cevap: İnsan, niyetiyle, cehd ü gayretiyle, plan ve projeleriyle yüksek bir mefkûreye dilbeste olmalı, yüce bir gaye-i hayal takip etmeli ve gerekirse bu mevzuda her şeyini feda etmeye âmâde bulunmalıdır. İsterseniz böyle bir yolda ortaya konulması gereken performansa, peygamberâne bir cehd de diyebilirsiniz. Zira gönüllerde kalıcı müessiriyetin yolu, hakikî mürşid olan enbiya-i izâmın muttasıf bulunduğu evsaf-ı âliyeye sahip olmaktan geçer. Onların sahip oldukları ismet, sıdk, emanet, sadakat, fetanet, tebliğ gibi sıfatlar, insanlık semasının yıldızları o zatların kalbî ve ruhî hayatlarının farklı buud ve derinlikleridir. Bu yüce sıfatların bütünü onların mânevî mahiyetlerini meydana getirir. Allah (celle celâluhu) bütün bu vasıflarla, onları etemmiyet ve ekmeliyete mazhar kılmıştır. Zira etemm ve ekmel olan bir din, öyle olmayan insanların eliyle yeryüzünde tesis edilemez. Mademki, Allah (celle celâluhu) اَلْيَوْمَ أَكْمَلْتُ لَكُمْ دِينَكُمْ وَأَتْمَمْتُ عَلَيْكُمْ نِعْمَتِي *"İşte bugün sizin dininizi kemâle erdirdim* *ve üzerinizdeki nimetimi tamamladım.* "[152] fermanıyla anlattığı bu dini, tabir caizse, resûllerinin eliyle tesis buyurmuş; o hâlde, peygamber yolunun yolcuları da imanda, İslâmiyet'te, ihlâsta, aşk u şevkte bu etemmiyet ve ekmeliyetin talibi olmalıdır.

"Enaniyet Hesabına Hareket Edeceksem..."

Resûl-i Ekrem Efendimiz (sallallâhu aleyhi ve sellem), ruhunun ufkuna yürümeden önceki son gecesinde Hazreti Ebû Bekir'i imam tayin buyurmuştu.[153] Hazreti Ebû Bekir'in böyle bir göreve tayin edilmesi önemli bir mazhariyet olduğu gibi, cemaatin o imamın imamlığını kabul etmesi de ayrı bir mazhariyettir. Evet, sahabe-i kiram engin havsalasıyla bu durumu kabullenmiş ve iktida edilmesi gereken o zata iktida etmişti. Bu esnada Peygamber Efendimiz (aleyhissalâtü vesselâm) mübarek sütresini sıyırıp, cemaatin o mübarek mukteda bihin arkasında huzur içinde ubûdiyetlerini ifa ettiklerini görmüş, vazifesini yapmış olmanın sürûruyla tebessüm buyurmuş ve perdeyi indirmişti.[154] O perde aynı zamanda dünyaya karşı da inmişti; fakat Kâinatın İftihar Tablosu ruhunun ufkuna yürürken mesrurdu. Çünkü iman davasını omuzlayacak o güzide topluluk, birlik ve beraberlik ruhu içerisinde Allah huzurunda el pençe divan durmuştu. Zaten İki Cihan Serveri'nin hayatının gayesi de buydu. Bundan dolayıdır ki, mübarek sütresini huzur ve itminan içerisinde indiriyordu. Aynı ulvî yaklaşımı, aynı duygu ve düşünceyi Resûl-i Ekrem Efendimiz'in cin taifesiyle görüşüp onlara dini tebliğ etmesi hâdisesinin akabinde de görüyoruz. Bir rivayette, Abdullah İbn Mesud Hazretleri, Allah Resûlü'nün, bu görüşmeden sonra, "ins ve cinnin iman edeceklerinin kendisine vaat edildiğini, insanların inandığını, şimdi de cinlerin iman ettiğini, böylece bu vaadin gerçekleştiğini, dolayısıyla vazifesinin bittiğini ve ölüm vaktinin yaklaştığını" iş'arda bulunduğunu nakleder. Evet, İki Cihan Serveri, dünyada bulunuyor olma

152 Mâide sûresi, 5/3.
153 Bkz. Buhârî, *ezan* 51; Müslim, *salât* 90-97.
154 Bkz. Buhârî, *ezan* 94, *amel fi's-salât* 6, *meğâzî* 83; Müslim, *salât* 98.

gayesini, vazifesine bağlamıştı. Vazifesi biter bitmez de bu ten cenderesinden kurtulup bir an önce Hakikî Dost'a kavuşma arzusundaydı.[155]

Aslında böyle bir düşünce, Kur'ân'a dilbeste olmuş ve insanlık çapında yeniden bir "ba'sü ba'de'l-mevt"i gerçekleştirmeye çalışan her bir ferdin mefkûresi olmalıdır. Evet, bir diriliş kahramanı, hayatını bu yüce mefkûreyi ikameye bağlamalıdır. Hatta yeri geldiğinde; "Allah'ım, bugüne kadar vifak ve ittifaka vesile kıldığın ve hak yolunda istihdam buyurduğun bu 'bende'n, eğer bugünden sonra, enaniyet hesabına hareket edecek, benliğini işin içine katarak ihtilâf ve iftirak çıkmasına sebebiyet verecekse, ne olur, onu, nezd-i ulûhiyetine al; al da onu baş aşağı yuvarlanıp gitmekten ve mahv u perişan olmaktan kurtar!" demesini bilmelidir. İnsan bu konuda hep yiğitçe davranmalı ve her gece yatağa girdiğinde, "Eğer dinim adına bir şey ifade ediyorsam dünyada kalmamın bir mânâsı vardır. Dinim adına bir şey ifade etmiyorsam burada kalmanın da bir anlamı yoktur." mülâhazalarıyla başını yastığa koymalıdır.

İnsan bütün bu mülâhazalarla peygamberâne bir azim ve cehd içinde olmalı, bu konuda himmetini âli tutmalı ve onların sahip oldukları sıfatlara talip bulunmalıdır. Demelidir ki: "Allah'ım, Sen istidatları daha da inkişaf ettirebilirsin. Senin 'kader'inin yanında 'kaza'n 'kaza'nın yanında da 'atâ'n vardır. Kaza buyuracağın şeyleri atânla değiştirebilirsin. Bize nâmütenâhî istidatlar bahşeyle! İstidatlarımıza yeni yeni inkişaflar lütfeyle! Bizi her şeyi daha doğru okumaya, daha doğru değerlendirmeye muvaffak eyle!"

Kendisine peygamberlik payesi verilmeyen hiçbir insan, elbette ki enbiyanın ufkunu yakalayamaz. Çünkü onlar insanlığı irşad için, hususî bir donanımla gönderilmişlerdir. Hatta insanın, İmam Âzam Ebû Hanife, İmam Malik, İmam Şafiî, İmam Ahmed İbn Hanbel, İmam Evzâî, İmam Sevrî gibi insanların ufkunu bile yakalaması çok zordur. Hususiyle dört mezhep imamı,

---

[155] Bkz.: Buhârî, *fezâilü's-sahâbe* 5, *meğâzî* 83-84; Müslim, *fezâilü's-sahâbe* 85, *selâm* 46.

kutuplardan bile daha büyük bir ufkun insanıdır. Çünkü onlar ortaya koydukları kitaplar ve yetiştirdikleri talebelerle hayatî ve çok önemli bir ihya hareketini gerçekleştirmenin yanı başında, o ihya duygu ve düşüncesinin istikamet içinde devamı adına da çok önemli vazife görmüşlerdir.

Yeter ki Kendimizi Sıfırlayabilelim!

Evet, peygamberlerin ihraz ettikleri konumun zılliyet planındaki seviyesi bile bizim boyumuzu aşkındır. Fakat insan bütün bunlara rağmen Cenâb-ı Hak'la münasebet ve O'nun dinine hizmet noktasında himmetini hep âli tutmalı ve her zaman çok yüksek hedeflere talip olmalıdır. Bir taraftan Allah'tan bu yüce evsafı dilerken, diğer taraftan alabildiğine safvet, samimiyet ve vefa içinde meseleye sahip çıkmalıdır.

İşte başta peygamberler ve onları takip eden âbide şahsiyetlerin akabinde, onlardan sonra gelen insanlar bu yolda ortaya koydukları cehd u gayrete, izafî ceht, izafî gayret, nisbî çırpınış veyahut inayet çağrısı diyebilir. Bir misalle bu durumu ifade edecek olursak, bizim bu mevzuda göstereceğimiz gayret, yüzme bilmediği hâlde kendisini denize atan ve yüzebilmek için çırpınıp duran bir kimsenin hâline benzer. Nasıl ki, denize düşmüş ve orada çırpınıp duran böyle bir insana şahit olanlar, "Bu adam yüzme bilmiyor, onu kurtaralım." derler. Aynen bunun gibi, büyüklerin takip ettiği yolda ilerlemeye çalışan birinin, "Allah'ım bu yolda yürümek benim haddim değil ama ben kendimi bu işe verdim. Enbiya-yı izâma, evliya-i fihâma, ebrar-ı kirama baktım, hepsi bu deryada yüzüyorlar. Ben de her ne kadar yüzmeyi beceremesem de onların yolundan gitme arzu ve niyetindeyim." deyip o deryaya atlaması bir inayet çağrısı olur. Allah (celle celâluhu) Kendisine teveccüh etmiş böyle bir kulun boğulmasına fırsat vermez ve elinden tutup onu oradan çıkarır. Daha sonra ona yeni yeni ufuklar açar. Zerreyi Güneş, damlayı derya, hiç ender hiçi de her şey yapar onun için. Yeter ki biz bu anlayışla kendimizi sıfırlayabilelim. Yeter ki biz, varlık iddiasından, benlik davasından sıyrılabilelim. Bildiğiniz gibi sıfırın hiç değeri yoktur fakat bakarsınız yanına bir rakam konur ve birdenbire, onun değeri on kat artar.

Bu açıdan insan bir taraftan ölesiye bir cehd göstermeli, ölesiye çırpınmalı ama diğer yandan da her zaman haddini bilmeli, konumunun farkında olmalı, temkin ve teyakkuz içinde bulunmalıdır. Kendi üzerinde görünen güzelliklere asla sahip çıkmamalı, hatta mazhar dahi olmadığını, olsa olsa bir memerr olduğunu hiçbir zaman unutmamalıdır. Çünkü bizim üzerimizde görülen güzellikler bizim zatımızın lâzım-ı gayr-i mufarıkı değildir. Suyun üzerinde Güneş'in aksini alan kabarcıklar gibi bu güzellikler de bizim üzerimizde bazen görünüyor, bazen de görünmüyor. Öyleyse bütün bu güzellikler, O Güzeller Güzeli'ne mahsustur. Evet, bu güzellikler bize ait değil ve bizden kaynaklanmıyor. İşte kendisine bu mülâhazalarla bakan bir insan, iş ve gayretlerine bereket kazandırır, لَئِنْ شَكَرْتُمْ لَأَزِيدَنَّكُمْ *"Eğer şükrederseniz nimetimi artırırım."*[156] âyetinin kahramanı hâline gelir; gelir de Allah (celle celâluhu) onun üzerindeki nimetlerini artırdıkça artırır.

---

[156] İbrahim sûresi, 14/7.

Suizan ve Haset

Soru: *Suizan ve hasedin birer ruhî hastalık olduğu ifade ediliyor. Bu tür rahatsızlıkların oluşumuna sebebiyet veren hususlar nelerdir? Tedavisi adına neler yapılabilir?*

Cevap: Her ikisi de başlı başına birer büyük günah olan suizan ve haset arasında telâzum vardır. Yani birinin olması diğerinin olmasını netice verir; biri, diğerini gerektirir. Mesela, çevresine suizan merceğiyle bakan kişi, suizan ettiği kişinin tavır ve davranışlarında hep bir kötülük düşündüğünden hiç farkına varmaksızın o insana karşı içten içe düşmanlık duyguları beslemeye başlar. Aynı şekilde kişi, haset ve düşmanlık beslediği insanın en masumane tavır ve davranışlarında bile suizanna girebilir. Mesela haset ettiği kişi, hakikatte Allah rızası için koşturup duran bir insandır. Fakat hâsit adam, onu, kendini gösterme ve duyurma peşinde koşan biri olarak görür ve o şahıs hakkında hep bu tür zanlarda bulunur. Hâsılı, bazen suizan hasede, bazen de haset suizanna sebebiyet verir. Bu yönüyle neseb-i gayr-i sahih olan bu iki günahın her biri, insanı fasit bir daire içine sokar. Mü'min ise, fasit değil, salih dairenin peşinde olmalıdır. Yani mü'min, öyle işlere talip olmalıdır ki, yaptığı her iş, başka hayırlı işlerin referansı olsun. Böylece o, hayırlı bir işi bitirir bitirmez hemen başka bir hayrın peşine düşsün.

Kıvılcım ve Yangın

Suizan ve haset, esasında mebdede, küçük bir inhiraf olarak başlar. Fakat iradenin hakkı verilip gerekli tedbirler alınmazsa bu meyiller zamanla ruhî birer hastalığa dönüşür. Başka bir ifadeyle, merkezdeki küçük bir inhiraf, muhit hattında kocaman bir açı meydana getirir. Mesela, haset eden bir kimse, haset duyduğu kimsenin namaz, hac gibi tamamen ahirete müteveccih ibadetlerini dahi çekememeye başlar. Hatta zamanla iş öyle bir noktaya gelir ki, bu hastalıklı ruh hâli, küfür ölçüsünde bir çekememezliğe inkılâp eder; eder de hâsit, haset ettiği mü'min kardeşi hakkında: "Keşke onun ayağı kırılsa veya bindiği uçak düşse de hacca gidemese!" türünden imanla telifi zor sözler söylemeye başlar. Bu açıdan kalbde çok küçük olarak beliren bu tür duygulara karşı insan, daha başta hayat hakkı tanımamalı ve onların daha büyük günahlara davetiye çıkarmasına fırsat vermemelidir. Zira insan küçükken bu tür günahların hakkından daha kolay gelebilir. Fakat bu marazlar, ilk başını çıkardığında tevbe ve istiğfarla temizlenmezse, temizlenmeyip büyümelerine fırsat verilirse, zamanla kalbin bütün bütün kararmasına veya onun mühürlenmesine sebebiyet verebilir. Hatırlayacağınız üzere Hazreti Pîr, Lem'alar'da günahların bu hususiyetini şöyle ifade eder: "Her bir günah içinde küfre gidecek bir yol var. O günah, istiğfarla çabuk imha edilmezse, kurt değil, belki küçük bir mânevî yılan olarak kalbi ısırıyor."[157] Resûl-i Ekrem Efendimiz de (sallallâhu aleyhi ve sellem) bu hakikati bir hadis-i şeriflerinde şöyle dile getirir: إِذَا أَخْطَأَ خَطِيئَةً نُكِتَتْ فِي قَلْبِهِ نُكْتَةٌ سَوْدَاءُ فَإِذَا هُوَ نَزَعَ وَاسْتَغْفَرَ وَتَابَ سُقِلَ قَلْبُهُ وَإِنْ عَادَ زِيدَ فِيهَا حَتَّى تَعْلُوَ قَلْبَهُ وَهُوَ الرَّانُ الَّذِي ذَكَرَ اللهُ كَلَّا بَلْ رَانَ عَلَى قُلُوبِهِمْ مَا كَانُوا يَكْسِبُونَ *"Kul bir günah işlediği vakit kalbine siyah bir nokta konulur. Şayet o günahtan vazgeçer, avf diler, tevbe edip Allah'a dönerse kalbi yine parlar. Eğer bunları yapmaz günah ve hataya devam ederse siyah nokta artırılır ve neticede bütün kalbini kaplar. Yüce Allah'ın: 'Yapmaya alıştıkları kötü işler, gitgide kalplerini paslandırdı.'*

---

157 Bediüzzaman, *Lem'alar* s.9 (İkinci Lem'a, Birinci Nükte).

âyetinde zikrettiği pas işte budur."[158] Hadis-i şerifte de görüldüğü üzere işlenen her günah, sadrımızdaki kalbde değil, kalbî hayatımızda bir leke bırakır. Her bir leke ise, bir başka lekeye davetiye çıkarır. Nasıl ki dişinizin dibinde bir mikrop ortaya çıktığı zaman o, hemen diğer mikropları; "Gelin burası müsait bir zemin. Beraber bu dişin dibini oyalım ve diş etinde bir yara meydana getirelim." diyerek çağırır. Aynen öyle de, kalbde oluşan bir leke, "Beni yalnız bırakmayın." diyerek diğer lekelere çağrıda bulunur. Böylece bir lekeyi başka bir leke takip etmeye başlar. Bir leke, ardından başka bir leke, birbirini takip edip dururken, Kur'ân-ı Kerim'deki: كَلَّا بَلْ رَانَ عَلَى قُلُوبِهِمْ مَا كَانُوا يَكْسِبُونَ *"Yapmaya alıştıkları kötü işler, gitgide kalblerini paslandırdı."*[159] hakikati tecellî eder. Bunun neticesinde kalbde, öyle simsiyah bir atmosfer oluşur ki, artık insanın böyle bir atmosferde doğruyu "doğru" olarak, eğriyi de "eğri" olarak görmesi mümkün değildir. Neyin doğru neyin eğri olduğunu tam kestiremediğinden dolayı da insan doğru zannettiği eğri yollarda yürür durur.

Sohbet-i Cânandan Sohbet-i Cânana Koşmalı

Böyle bir tehlikeden kurtulmanın en önemli ve en etkili yolu ise, üç-beş insanla da olsa her gün sürekli sohbet-i cânan meclisleri oluşturarak imanı yenilemektir. Evet, bu tür hastalıklar ancak vicdanda her zaman ter u taze duyulabilen iman hakikatleriyle tedavi edilebilir. Bu sebeple insan, her gün imana başka bir zaviyeden bakabilmeli, her yeni güne girerken, "Allah'ım dün Seni böyle tanımamıştım. Meğer ben neleri fevt etmiş bir insanmışım. Bugün ise vicdanımda Seni, çok daha farklı duyuyor, çok daha farklı tanıyorum." diyerek yepyeni bir iman ve mârifet ufkuna uyanmalıdır. Aynı mülâhazalarla haşr u neşr akidesi üzerinde durulmalı, ahiret endişesi ve hesap korkusu tavır ve davranışlarımız üzerinde belirleyici rol oynamalıdır. Bizim *ebedî* saadet yurdu olan Cennet'e kavuşabilmemiz, kabirden, sırattan,

---

158 Tirmizî, *tefsîru sûre (83)* 1; İbn Mâce, *zühd* 29; Muvatta, *kelâm* 18.
159 Mutaffifîn sûresi, 83/14.

mizandan sıyrılmamıza bağlıdır. Eğer sıyrılamazsak –hafizanallah– akıbet çok kötü ve çok karanlık demektir. Bu açıdan ahirete iman mevzularını "elif-be"yi bildiğimiz gibi bilmemiz ve her gün yeni bir renk, yeni bir desen ve yeni bir şive ile onu ele alarak bir kere daha vicdanlarımızda duymaya çalışmamız gerekir. Ahirete imanın yanında nübüvvete iman meselesi de öyle ele alınmalı ve öyle bir üslûpla sunulmalıdır ki, İnsanlığın İftihar Tablosu (aleyhi elfü elfi salâtin ve selâm) akıllara geldiği zaman insanların burunlarının kemikleri sızlamalı. Keza kadere öyle inanmalıyız ki, en büyük musibetlere maruz kaldığımızda bile, اَلْخَيْرُ فِيمَا قَدَّرَهُ اللّٰهُ "Hayır, Allah'ın takdir ettiğindedir."[160] Veya اَلْحَمْدُ لِلّٰهِ عَلَى كُلِّ حَالٍ سِوَى الْكُفْرِ وَالضَّلَالِ "Küfür ve dalâlet dışında her türlü hâlimiz için Allah'a hamd olsun."[161] diyebilmeliyiz. Belâ ve musibetlerle, çetin imtihan ve zorluklarla karşılaştığımızda hemen doğrulup, "Vardır bunda da bir hayır. Demek ki Cenâb-ı Hak bizi ikaz ediyor." mukabelesinde bulunabilmeliyiz. İman hakikatleri üzerinde yoğunlaşmak çok önemli olduğu gibi, İslâmî esasları, milimi milimine, arızasız kusursuz ve ciddî bir taabbudîlik ruhuyla yerine getirmek de çok önemlidir. Zira emre itaatteki inceliği kavramak, bin aklın bin muhakemesinden çok daha önemlidir. Şeytan muhteşem aklını kullanmış ve kaybetmiştir. Hazreti Âdem (alâ nebiyyinâ ve aleyhisselâm) ise bir yönüyle sürçtükten sonra emre itaatteki inceliği kavramış ve yeniden bir kavis çizerek amudî yükselişle meleklerin bile önüne geçmiştir.

Bütün bunların gerçekleştirilebilmesi adına, kafasında şöyle böyle malûmatı bulunan ve dili dönen herkes seferber olmalı, bu işi hızlandırmalı, dersten derse koşmalı ve meseleleri hep sohbet-i cânan etrafında ele almalıdır. Nasıl ki sonbahar döneminde insana musallat olan gribal enfeksiyonların önüne geçme adına mebdede bazı tedbirler alınıyor, cismanî ve bedenî marazlardan çok daha büyük olan ruhî hastalıkların önüne geçme

---

160 Aliyyü'l-Kârî, *el-Esrâru'l-merfûa* s. 196; el-Aclûnî, *Keşfü'l-hafâ* 1/478.
161 Bkz.: Bediüzzaman, *Lem'alar* s.12 (İkinci Lem'a, Üçüncü Nükte).

adına da mutlaka tedbirler alınmalı, plan ve projeler geliştiril-
melidir. Çünkü mânevî hastalıklar, maddî hastalık ve musibet-
lerden kıyas kabul etmeyecek ölçüde çok daha büyük ve daha
tehlikelidir. Bedenî hastalıklar insana biraz çektirir ve en faz-
la onun fani hayatına mal olur. Ruhî hastalıklara gelince, on-
lar bu dünyada kalbî ve ruhî hayatı öldürdükleri gibi, ötede de
insanın ebedî hayatının mahvolmasına sebep olurlar. Bu açı-
dan problemin büyümesine fırsat verilmeksizin daha başlan-
gıçta onun üzerine gidilip halledilmelidir. Vakıa, mürşid konu-
munda bulunanlar haset, çekememezlik ve kıskançlık gibi ruhî
hastalıkların tedavisinde her zaman başarılı olabilirler mi ola-
mazlar mı, bilemiyorum. Zira insanların kalbindeki, kirin, pa-
sın, mührün silinmesi veya silinmemesi Allah'ın bileceği bir iş-
tir. Fakat her halükârda, وَأَنْ لَيْسَ لِلْإِنْسَانِ إِلَّا مَا سَعَى⊛وَأَنَّ سَعْيَهُ سَوْفَ
يُرَى *"İnsan için ancak çalıştığı vardır. Onun çalışmasının seme-
resi şüphesiz görülecektir."*[162] âyet-i kerimesi gereğince bize dü-
şen sa'yetmektir. Evet, inanan bir gönül, fert ve toplum haya-
tında oluşan çatlakları tamir etmeye, yaralı insanları iyileştirme-
ye, sarsılan ve sendeleyen insanların elinden tutmaya, zihinle-
re hatta hayallere gelip çarparak tasavvurları kirleten olumsuz
mülâhazaları gidermeye çalışmalıdır. Mü'minden beklenen ve-
fa, mü'minden beklenen insanlık işte budur. Aksi ise ciddî bir
vefasızlık ve insanî duyarlılığın kaybedilişi demektir.

---

[162] Necm sûresi, 53/39-40.

Sohbet ve Nasihatten İstifade

Soru: *Yapılan nasihatten kâmil mânâda istifade hangi esaslara bağlıdır? Hem konuşan, hem de dinleyen açısından verimli ve faydalı bir sohbet için dikkat edilmesi gereken hususlar nelerdir?*

Cevap: Nasihat, başkaları için iyilik düşüncesi içinde bulunmak, iyilik mülâhazasıyla oturup kalkmak, hayırhahlık yapmak demektir. Bu işin usûl ve tarzı, diyen ve denilen arasındaki münasebete göre şahıstan şahsa, toplumdan topluma farklı farklı olabilir. Bazıları mev'izelerle, bazıları kitap yazmak suretiyle, bazıları broşürler hazırlayarak, bazıları da vazife ve misyonlarının müsaadesi ölçüsünde değişik yollar bularak, aynı atmosferi paylaştığı insanların ruhlarına girme ameliyesiyle, onlar için hayırlı olma işini eda edebilirler. Nasihat, her konumdaki insan için, her zaman gerekli olan çok önemli bir ihtiyaçtır. Kur'ân-ı Kerim; وَذَكِّرْ فَإِنَّ الذِّكْرَى تَنْفَعُ الْمُؤْمِنِينَ *"Onlara hatırlat; çünkü zikir ve hatırlatma mü'minler için mutlaka yararlıdır."*[163] beyanıyla, bu önemli hususa dikkatlerimizi çeker. Âyet-i kerimede geçen "hatırlatma"nın, imana, İslâm'a, ihsana, imanda derinleşmeye, İslâm'ı bir bütün olarak kavramaya çağırma gibi kendine göre

---

[163] Zâriyât sûresi, 51/55.

farklı dereceleri vardır. Buradaki وَذَكِّرْ kelimesinin tef'îl babında gelmesi de hatırlatmanın önemini ve sürekliliğini göstermesi açısından ayrıca dikkat çekicidir. Zira bu babın özelliği teksir (çokluk) ifade etmesidir. Buna göre âyet-i kerimenin mânâsı, "Sürekli ve sonsuza kadar hatırlatmaya ve nasihat etmeye devam et." demektir. Yani âyet-i kerime, "Denmesi gerekli olan hususları ben bir kere, iki kere, üç kere dedim. Fakat bu insanlar, temerrüt ve inat içinde olduklarından yine de bildikleri gibi yaşamaya devam ediyorlar." anlayışıyla nasihatin kesilmemesi ve hatırlatmanın süreklilik arz etmesi gerektiğini, zira bunun mü'minlere mutlaka faydalı olacağını ifade buyurmaktadır.

Resûl-i Ekrem Efendimiz de (sallallâhu aleyhi ve sellem) اَلدِّينُ النَّصِيحَةُ "*Din bütünüyle nasihattir.*"[164] lâl ü güher sözüyle bize bu hakikati ferman buyurmuştur. Evet, dinin ruhu nasihattir, ferdî ve içtimaî plânda dinin yaşanıp yaşatılması için o, zaruret ölçüsünde bir ihtiyaçtır. Bu vazife yapılmadığı takdirde, İslâm binasının er veya geç yıkılması mukadderdir. Zaten Resûl-i Ekrem Efendimiz'in (aleyhissalâtü vesselâm) mübarek hayatı da hep nasihat ekseninde cereyan etmiştir. O (aleyhi ekmelü't-tahâyâ) günün belli vakitlerinde Mescid-i Nebevî'de oturur, sahabe-i kiram efendilerimiz de gelir ve O'nun etrafında halka teşkil ederlerdi. Bazıları ibadetlerle ilgili neyin nasıl yapılacağını, bazıları Efendimiz'in beyanından anlamadıkları sözlerinin izahını, bazıları da Kur'ân'dan bazı âyetlerin mânâsını sorarlardı. Bütün bunlar karşısında Allah Resûlü'nün (aleyhissalâtü vesselâm), "Ben artık bugün konuşmayacağım, sorularınıza da cevap vermeyeceğim." şeklinde hiçbir sözünü hatırlamıyorum. O, hayatı boyunca sadece bir kere hanımlarına îlâ yapmış ve bir hücrede inzivaya çekilmişti. Siyerde bunun dışında başka bir halvetten bahsedilmiyor.[165] Evet, İnsanlığın İftihar Tablosu, devamlı ashab-ı kiram efendilerimizin içinde bulunur, Kur'ân âyetlerini tefsir eder, onların sorularına cevap verir, müşkillerini çözerdi.

---

164 Buhârî, îmân 42 (bâb başlığında); Müslim, îmân 95.
165 Bkz.: Tahrîm sûresi, 66/1-5; Buhârî, ilim 27, savm 11, mezâlim 25, nikâh 83, 91, 92, talâk 21, eymân 20; Müslim, talâk 30.

Hadis külliyatı içinde yer alan sünnet-i sahihanın kavlî kısmı böyle oluşmuştu. O'nun ef'âl-i nebevî dediğimiz mübarek davranışları ise Sünnet-i Sahiha'nın fiilî kısmını oluşturuyordu. Bir de O'nun, mübarek gözü önünde yapılan amellere sükût buyurması vardı ki, bu da Sünnet-i Sahiha'nın takrirî kısmını teşkil ediyordu. Çünkü O'nun bir sahabînin bir davranışı karşısında sükûtu, bu davranışta bir mahzur olmadığının göstergesiydi. Diğer bir ifadeyle Resûl-i Ekrem'in sükûtu, dinin sınırları içine alınabilecek hâl ve hareketlerin tespitinde bir filtre vazifesi görüyordu. Sahabe-i kiram da o filtreye göre, "Tamam, bu içeriye alınabilir." diyorlardı. İşte Allah Resûlü (sallallâhu aleyhi ve sellem) her üç yolla da tâlim edilmesi gerekli olan hususları sürekli tâlim buyuruyordu.

İhtiyaca Göre Konuşmak

Konuşan ve dinleyenlerin samimî olması şartıyla, sohbetlerin bu şekilde soru-cevap tarzında cereyanı, onun daha verimli ve daha faydalı olmasını temin edebilir. Yani insanların kafalarına takılan problemleri getirip sormaları, konuşanın da bu problemlere cevap teşkil edebilecek mevzuları anlatması sohbeti daha verimli hâle getirecektir. Yoksa dinleyicilerin hissiyatını hesaba katmayan, onların neye ihtiyaç duyduklarını nazar-ı itibara almayan bir konuşmacı, kürsüde, kendisine göre hamasî destanlar kesebilir, dinleyicilere hoş dakikalar geçirtebilir fakat anlattığı mevzuların kalıcı olarak kimseye bir faydası olmaz. Bundan dolayı bir muallimin mektepte öğreteceği konuları, talebelerin seviyesine göre haftalara, aylara, yıllara yayarak, adım adım onlara hazmettirmesi gibi, bir nâsih veya vaiz de muhataplarının ufuk, idrak ve müktesebatını hesaba katarak, anlatacaklarını tedricî bir plan çerçevesinde ele almalı ve böylece muhatapların, anlatılan mevzuları sindirmelerini ve içselleştirmelerini sağlamalıdır. Ne var ki, böyle bir takdim şekli, meseleye ancak mahrutî bakanların yapabileceği bir iştir. Günü kurtarma derdinde olanların anlatacağı mevzular ise bir bütünlük teşkil etmeyeceğinden muhataplar üzerinde gerekli istifadeyi sağlamayacaktır. Bu açıdan öncelikle toplumun *neye* ihtiyacı olduğu iyi tespit edilmelidir. Mesela, namaz hakkıyla eda edilmiyorsa, namaz hakikati, onun ruhu, özü, esası dile getirilmelidir. Resûl-i Ekrem Efendimiz (sallallâhu aleyhi ve sellem) kamet-i kıymeti ölçüsünde tanınmıyor ve bilinmiyorsa, bütün yönleriyle İnsanlığın İftihar Tablosu anlatılmalı, ruhlara O'nun sevgisi nakşedilmelidir. Bu arada, daha derin açılımların gerçekleştirilmesi için konuşma esnasında dinleyenlerin zihinlerine takılabilecek soruları sorma imkânı oluşturulabilir. Böylece tıpkı su potansiyeli olan bir kuyuya kova salma ve çektikçe suyun kaynağının açılması gibi, onlar da sordukları sorularla anlatılan mevzuun daha da açılması istikametinde konuşmacıya yardımcı olmuş olurlar. Evet, dinleyenlerin, sordukları sorularla, konuşan zatı sağmaları sohbetin verimliliği adına çok önemlidir.

Sohbet ve Nasihatte Fâni Olmak

Diğer yandan nasihatin faydalı olması, her şeyden önce, konuşanın samimiyetine ve dinleyenlerin de anlatılanlardan istifadeye açık bulunmalarına bağlıdır. Evet, konuşan çok samimî olmalıdır; dinleyen de istifade niyeti içinde bulunmalıdır. Ayrıca din, Allah tarafından gönderilen ilâhî bir sistem olduğu için, onun mutlaka Allah ile münasebet içinde anlatılması gerekir. Bunun yanında sohbet eden kimse, anlattığı konuların içine girebilmelidir. Öyle ki, oturduğu yerde, âdeta kendini unutmalı, anlattığı hâdisenin aktör veya figüranlarından birisi hâline gelmelidir. Mesela o, Hazreti Hamza'yı veya Enes İbn Nadr'ı anlatıyorsa, orada anlattığı kahraman hâline gelmeli, kendinden geçmeli ve tamamen konunun güdümüne girmelidir. İsterseniz buna "fenâ fi's-sohbet" veya "fenâ fi'l-vaaz" hâline gelme de diyebilirsiniz. Anlattığı konuyla bütünleşmiş böyle bir insanın ağlaması, tebessüm etmesi, kimi zaman coşkun bir ruh hâliyle sesini yükseltmesi tamamen konunun yönlendirmesine göre olacaktır. Böyle bir ufku yakalama da, insanın söylediği hususlara yürekten inanmasına bağlıdır. İki taraflı bu faaliyetin öbür ucunda sohbeti dinleyen insanlar da, sohbet eden zatın anlattığı mevzular içinde onunla beraber dolaşabilmelidir. Mesela sohbet eden zat, bir cenk meydanında dolaşıyor veya kanat açmış miraca doğru uçuyor ya da seyr ilallah istikametinde bir seyr u sülûk yapıyorsa onlar da kendi tahayyül ve tasavvurları içinde onu takip ve ona refakat etmelidir.

Önyargılar Birer Perdedir

Sohbete kulak veren insanların sohbet eden zat hakkında olumsuz düşüncelere girmemeleri ve söylenilen sözleri kabule açık bulunmaları da sohbetten istifade adına çok önemlidir. Konuşulan sözlerin, sadece kulağa girmesi değil, kalbe de tesir ederek değişik değerlendirme mekanizmalarında hazmedilebilmesi, ancak dinleyenin önyargılardan uzak bulunmasına bağlıdır. Ayrıca bir kişinin sohbetten istifade edebilmesi için, kat'iyen herhangi bir kıskançlık ve çekememezlik içine girmemesi, "ben" dememesi ve anlatılan mevzular hakkında malûmatfuruşluk yapmaması gerekir. Hatta konuşulan mevzuların içinde tam olarak kabul edilemeyecek bir kısım hususlar bulunsa bile, dinleyen kişi; "Bu konuyu sohbetten sonra görüşür ve tashih ederiz." diyerek her şeye rağmen söylenenlere kulak vermeli, zihin ve kalbini sürekli konuşulanlara açık tutmalıdır. Eğer bunlardan herhangi birinde bir eksiklik olursa, sohbet edenle sohbet dinleyen arasında bir husuf ve küsufun (Ay ve Güneş tutulması) yaşanması mukadderdir. Evet, sohbet veya vaaz u nasihat dinlerken, eğer onların içine garazlarımızı, kinlerimizi, nefretlerimizi, bencilliklerimizi, enaniyetimizi, bilgimizi katıyorsak, iki ene olamayacağından, kendi içimizde bir müsademe başlar ve bu da istifadenin önüne set çeker. Bu hâlet-i ruhiye içinde olan insanlar, İmam Gazzâlî, İmam Rabbânî, Alvar İmamı veya Hazreti Pîr-i Mugan gibi büyük zatları dinleseler, hatta İki Cihan Serveri'nin sohbetiyle müşerref olsalar, O'nun huzurunda bulunsalar bile yine de istifade edemezler. Nitekim Ebû Leheb, Ebû Cehil gibi niceleri O'nu dinlemiş, fakat istifade edememişlerdir. Günümüzde de görüldüğü üzere, nice Ebû Lehebler, Kur'ân ve Sünnet'i dinliyor, büyük zatların sohbetlerine muttali oluyor fakat onlardan hiç mi hiç istifade edemiyorlar. Son bir husus olarak şunu ifade edeyim ki, başarı, muvaffakiyet, makam, mansıp bir imtihan olduğu gibi ilim de bir imtihandır ve çokları böyle bir imtihanda kaybeder. Evet, "biliyorum" düşüncesi insan için öyle bir perdedir ki, insanın, bir nâsih veya vaizden istifadesine engel olduğu gibi, aynı zamanda onu dinden, diyanetten, Allah'tan, Peygamber'den de uzaklaştırabilir. Cenâb-ı Hak, Zümer Sûresi'nde قَالَ مِنَّا نِعْمَةً خَوَّلْنَاهُ إِذَا ثُمَّ دَعَانَا ضُرٌّ الْإِنْسَانَ مَسَّ فَإِذَا يَعْلَمُونَ لَا أَكْثَرَهُمْ وَلَكِنَّ فِتْنَةٌ هِيَ بَلْ عِلْمٍ عَلَى أُوتِيتُهُ إِنَّمَا "*İnsana bir zarar isabet ettiği zaman, Biz'e yalvarır, ama sonra onu tarafımızdan bir nimet ile serfiraz kıldığımız zaman: 'Ben bilgi ve becerim sayesinde bunu elde ettim.' der. Hayır! İşin doğrusu bu bir imtihan unsurudur, ama çokları bunu anlamazlar.*"[166] buyurarak bu hususa dikkat çeker ve bize ikaz ve tembihte bulunur. Esasında insanı Allah'tan uzaklaştıran nimet, nimet görünümlü musibetten başka bir şey değildir. Evet, makam, mansıp, paye, değişik üniversitelerde veya idarî sistemlerde elde edilen ad ve unvan gibi Allah'ın bize ihsan ettiği nimetler, şayet bize O'nu unutturuyor ve içimizde gaflet hissi hâsıl ediyorsa, bütün bunlar bizim için nimet suretine girmiş Allah belâsı birer nikmettir. Böyle bir tehlikeden korunmanın yolu ise, hem söyleyenin hem de dinleyenin meseleyi sadece Allah rızasına bağlı götürmesi, kalb ibresinin hep O'nun hoşnutluğunu göstermesidir. Gerek sohbet yapacak insanın gerekse onu dinleyenlerin daha başta kendi içlerinde böyle bir hazırlığa girmeleri, tezkiye-i nefis etmemek suretiyle tezkiye-i nefis etmeleri,[167] nefislerinin tepesine elli tane balyoz indirmeleri gerekir. Temelde böyle bir hazırlık yapılır, halis niyet, kalb safveti ve iç duruluğuyla meselenin içine girilirse, Allah'ın izniyle, işte o zaman nasihat ve sohbetler daha verimli, daha bereketli ve daha yararlı olur.

---

[166] Zümer sûresi, 39/49.
[167] Bkz.: Bediüzzaman, *Sözler* s.519 (Yirmi Altıncı Söz, Zeyl); *Mektubat* s.516 (Yirmi Dokuzuncu Mektup, Zeyl).

En Yüce Gaye
ve Merak Duygusu

S **oru:** *Günümüzde, insandaki merak duygusu daha çok günlük haberler, siyasî polemikler, meşhurların hayatları gibi konulara yönlendiriliyor. Merak duygusunun, insana veriliş hikmeti nedir? Bu duygu, yaratılış gayesi istikametinde nasıl kullanılabilir?*

Cevap: Merak duygusu, insanın içinde gerçeğe ulaşma arzusunu, hakikat aşkını, araştırma iştiyakını tetikleyen önemli bir faktördür. İnsan bu denli önemli bir dinamiği, yüce ve yüksek bir gaye hesabına kullanmalıdır. Peki, insan için yüceler yücesi en yüksek gaye nedir, ne olmalıdır? Bence, insan için en önemli gaye; kendisini yoktan var eden, varlık içinde mahlûkatın eşrefi kılan, bu dünyayı Cennet'in koridoru şeklinde onun önüne seren, esmâ-i ilâhiyesiyle kâinatı süsleyip ahiretin bir mezrası hâline getiren, hiç yanıltmayan rehberler göndermek suretiyle gözündeki perdeyi açan ve her şeyi dosdoğru görmesini sağlayan Zât-ı Ecell-i Âlâ'yı tanıyıp bilmektir. Bu sebeple insan, bir ömür boyu, sürekli içindeki merak duygusunu tetikleyip harekete geçirerek, ne kadar tanıması mümkünse o ölçüde, bî-kem u keyf (kemmiyetsiz, keyfiyetsiz) Zât-ı Ulûhiyet'i tanıyıp bilme peşinde koşmalıdır.

Zât-ı Bârî İdrak Edilemez

Bu noktada, Resûl-i Ekrem Efendimiz'in (sallallâhu aleyhi ve sellem) şu beyanı bizim için önemli bir ölçüdür: *"Cenâb-ı Hakk'ın nimet ve kudret eserlerini tefekkür edin! Ama zinhâr Zât-ı Bârî'yi tefekküre kalkışmayın; zira o, insan düşüncesini aşan bir mevzudur."*[168] Belki bazıları vicdan enginliği, ihsas ve ihtisas derinlikleriyle Zât-ı Baht'la alâkalı bî-kem u keyf bazı şeyler duyup hissetmiş olabilirler. Fakat duyulup hissedilen bu hakikatler, herkese müyesser olacak türden değildir. Bu açıdan bize düşen vazife, İnsanlığın İftihar Tablosu'nun belirlediği sınıra riayet edip esmâ ve sıfât dairesi içinde cevelân edip durmaktır. Zira لَا تُدْرِكُهُ الْأَبْصَارُ وَهُوَ يُدْرِكُ الْأَبْصَارَ *"Gözler O'nu ihata edemez, O ise basar ve basîret her şeyi kuşatır/kuşatandır."*[169] âyet-i kerimesinde de ifade edildiği üzere Zât-ı Bârî idrak edilemez. O, her şeyi aşkındır. Çünkü O, muhittir. Muhit ise, muhit olduğu aynı anda idrak edilmek suretiyle muhat olamaz. Şayet her şeyi kuşatan ve ihata eden O ise, ihata edilenler ihata edeni ihata edemezler. Bu açıdan insanın nereye kadar, neyi, nasıl bileceğinin farkında olması ve herkese açık olan alanlar içinde bilebileceği şeyleri öğrenmeye çalışması gerekir.

İnsan Tanıdıkça Sever, Sevdikçe Daha Çok Tanımak İster

İnsanın hayatının gayesi olan bu yüce hakikate Bediüzzaman Hazretleri de şu ifadeleriyle dikkat çeker: "Kat'iyen bil ki, hilkatin en yüksek gayesi ve fıtratın en yüce neticesi, iman-ı billâhtır. Ve insaniyetin en âli mertebesi ve beşeriyetin en büyük makamı, iman-ı billâh içindeki mârifetullahtır. Cin ve insin en parlak saadeti ve en tatlı nimeti, o mârifetullah içindeki muhabbetullahtır. Ve ruh-u beşer için en hâlis sürur ve kalb-i insan için en sâfi sevinç, o muhabbetullah içindeki lezzet-i ruhaniyedir."[170] Hazreti

---

[168] et-Taberânî, *el-Mu'cemü'l-evsat* 6/250; el-Beyhakî, *Şuabü'l-îmân* 1/136; Ebu'ş-Şeyh, *el-Azame* 1/220.

[169] En'âm sûresi, 6/103.

[170] Bediüzzaman, *Mektubat* s.253 (Yirminci Metup, Mukaddime).

Pîr, burada iman-ı billâh, mârifetullah ve muhabbetullahı talep etmenin yanında lezzet-i ruhaniyeyi de bir hedef olarak göstermiştir. Ancak siz isterseniz bunu dünyada talep edersiniz, isterseniz "Allah'ım bunu ahirete sakla!" diyerek öteye bırakılmasını arzu edersiniz. Fakat bilinmesi gerekir ki, her hâlükârda zevk-i ruhanî hafife alınacak bir şey değildir. Kim bilir zevk-i ruhanî içinizde tecellî ettiğinde هَلْ مِنْ مَزِيدٍ "Daha yok mu?" diyerek daha ne türlü yeni yeni araştırmaların arkasına düşeceksiniz.

Bilinmesi gerektiği ölçüde Cenâb-ı Hakk'ı böyle bir mârifet enginliğiyle bilebilsek, zannediyorum, hayatımızı ona göre planlayacak, hep bu istikamette yürümeye çalışacak ve bilip duyduğumuz şeyleri başkalarına da duyurma heyecanıyla oturup kalkacağız. Herhâlde sahabe-i kiram ve havari-i fihâm efendilerimizin bu mevzudaki aşk ve heyecanlarının arka planında da mârifetullah mevzuundaki böyle bir enginlik ve derinlik vardı. Evet, onlar Allah'ı çok iyi biliyor, vicdanlarında O'nu çok iyi duyup çok iyi hissediyor ve böylece imanda derinleştikçe derinleşiyorlardı. Bunun neticesinde iman onlarda öyle bir heyecan uyarıyordu ki, "İçimizde değişik tecellîleriyle tecellî eden ve yankılanıp duran bir Zât'ı nasıl olur da başkalarına anlatmayız!" mülâhazalarıyla hep metafizik gerilim içinde bulunuyorlardı.

Allah'a imanın yanında diğer erkân-ı imaniye ve esasat-ı İslâmiye de aynı şekilde mahiyet-i nefsü'l-emriyeleriyle kavrandıkça onlara karşı ciddî bir alâka duyulmaya başlanacaktır. Mesela insan, İki Cihan Serveri'nin (aleyhissalâtü vesselâm) nezd-i ulûhiyetteki kıymetinin ne olduğunu ve O'nun getirdiği mesajın insanlık için ne ifade ettiğini merak ettiğinde O'nu mahiyet-i nefsü'l-emriyesine uygun tanıma cehdi içine girer. Böylece O'nu tanıdıkça, O'na olan muhabbet ve saygısı daha da artar. Zamanla insan, her türlü hâl ve hareketinde, O'nun, kendisini yönlendiren bir rehber hâline geldiğini müşâhede eder.

Evet, iman ve İslâm esasları bilindiği ölçüde, onların güzellikleri ve tabiatımızla olan uyumları daha iyi anlaşılır. Bütün bunları vicdanında duyup hisseden insan, "Allah'ım sana kurban olayım! İyi ki bize Kendini ve Efendiler Efendisi'ni bu ölçüde bile olsa tanıtıp duyurmuşsun. Hayatımız için hayatî derecede lüzumlu ve bizi Sana yakınlaştırıcı olan İslâmiyet'i bize nasip etmişsin. Allah'ım bütün bunlardan dolayı Sana binlerce hamd ü senâ olsun!" diyecek ve sonra da Pîr-i Mûgân'ın Âyetü'l-Kübra'da ifade ettiği gibi هَلْ مِنْ مَزِيدٍ deyip mârifetini daha da artırmak için mârifet zeminini biraz daha kazmaya çalışacaktır.[171] Şayet siz elinizde bir kovayla bir kuyunun başında durur ve kendinizi su çekmeye verirseniz, zannediyorum çektikçe kuyunun suyunu coşturursunuz. Kuyunun suyu coştukça, sizde de çekme heyecanı coşar. Böylece siz doyma bilmeyen bir aşk u iştiyakla her defasında daha bir şahlanır ve bir هَلْ مِنْ مَزِيدٍ ferdi olursunuz.

Merak İlmin Hocasıdır

Kâinat kitabını okuma mevzuunda da merak çok önemli bir unsurdur. Hazreti Pîr'in ifadesiyle merak, ilmin hocasıdır.[172] Buradaki ilimden maksat, günümüzde kullanılan şekliyle dar anlamdaki bilim değil; zâhiri bilgi, bâtını mârifet, daha ötesi muhabbet ve onun da ötesi aşk u iştiyak olan ilimdir. Dolayısıyla Cenâb-ı Hakk'ın Nebiyy-i Ekrem'e (sallallâhu aleyhi ve sellem) hitaben buyurduğu: وَقُلْ رَبِّ زِدْنِي عِلْمًا "*Yâ Rabbi! Benim ilmimi artır, de!*"[173] ifadesinde geçen ilim, mücerret olarak mahiyet-i eşyayı bilme değil, irfana dönüşen, vicdan kültürüne uzanan, muhabbetullahı netice veren, aşk u şevk derinliğine ulaşan bir kavramdır. İşte merakın ilmin hocası olmasını bu mânâda anlamak gerekir.

Vâkıa, bir kısım ehl-i dünyanın da kâinat kitabını okumada belli ölçüde merakı vardır. Onların bu merakını bir yönüyle takdirle karşılamak gerekir. Fakat onlar, meseleye sadece tabiat kuralları çerçevesi içinde, naturalist ve materyalist mülâhazalarla baktıklarından metafizik mülâhazalara açılma imkânı bulamıyorlar. Belki bu insanların içinde ruh ve mânâya açık duran

---

171 Bkz.: Bediüzzaman, *Şuâlar* s.101 (Yedinci Şuâ, Birinci Bâb).
172 Bkz.: Bediüzzaman, *Mektubat* s.537 (Hakikat Çekirdekleri).
173 Tâhâ sûresi, 20/114.

insanlar da vardır. Hatta onların bir kısmı kendilerini parapsikolojinin enginliklerine salmışlardır. Mesela Batı'da materyalizmin gemi azıya alıp gittiği dönemde bile ruh ve cin çağırmanın oldukça yaygın olduğu görülür. Meşhur Victor Hugo bile bu meseleye ciddî düşkünlük gösterir. Zannediyorum Sefiller'i inceden inceye tetkik ettiğinizde satır aralarında bu tür temayülleri sezebilirsiniz. Sadece Victor Hugo değil, materyalist düşünceye sahip daha pek çok insan bu tür faaliyetlerle teselli olmaya çalışmıştır. Ne var ki fünun-u müspete ile meşgul olan bu insanlar, pek çoğu itibarıyla ya rehbersizlikten veya bağlı bulundukları din telakkileri bu mevzuda yeterli olmadığından bir yere kadar gitmiş, orada takılıp kalmış ve daha ötesine geçememişlerdir.

Her şeye rağmen, kâinat kitabını didik didik etmede, gidebildikleri yere kadar gittikleri için bu insanların gayretlerini takdir etmemek mümkün değildir. Daha önce de arz etmiştim; içlerinde bütün hayatını sadece bir hayvanın yaşayışını öğrenmeye adayan bir hayli insan vardır. Mesela bir tanesi, akreplerin hayatıyla yirmi sene uğraştığını ifade ediyor. Bir başkası, bir kobranın hayatına ömrünü adadığını belirtiyor. İşte bütün bunlar, merakın bir neticesidir. Ama biraz önce de ifade ettiğimiz gibi metafizik mülâhazalar onlara bir şey ilham etmediğinden, onların bu çalışmaları gitmiş gitmiş, nihayette tabiat serhaddine dayanmış ve orada kalmıştır. Onlar hiçbir zaman eşyanın verasına geçememiş, metafizik mülâhazalara açılamamışlardır. Kalb ve ruha inememiş, içlerine dönüp, "Acaba bütün bunlar kendi kendine nasıl böyle mükemmel cereyan ediyor?" diyerek Hakikî Fâil ve Hakikî Müessir'e ulaşamamışlardır. Ayrıca insana verilen sonsuzluk arzusunu, onun ebediyete uzanan emellerini ve diğer insanî enginliklerini maddî âlem içinde müşahede etmek mümkün değildir. Demek ki bütün bunlar ona başka bir âlemden gelmiş ve başka bir âlem için ona verilmiştir. İşte metafiziğe kapalı bilim adamları ve araştırmacılar, bütün bunları görememe gibi bir körlük, bunlarla ilgili mesajları duyamama gibi bir sağırlık yaşamış ve böylece tefekkür, tezekkür ve tedebbürden uzak bir donukluğun esiri olmuşlardır.

Onlar pozitivist ve materyalist mülâhazalarıyla bir yerde takılıp kalsalar da, mü'min böyle yapmamalıdır. Çünkü o, iman hakikatlerine dair kendisine verilen doneler sayesinde her zaman insan, kâinat, eşya ve hâdiselerle alâkalı mülâhazalarını derinleştirebilir; derinleştirip tefekkür, tedebbür, tezekkür ve tefakkuhla farklı düşüncelere yelken açabilir.

Elbette ki her bir insanın, kendine göre bir ihata, bir anlayış ve bir bilgi ufku vardır. Sofîler, ilme'l-yakîn, ayne'l-yakîn ve hakka'l-yakîn kavramlarıyla insanlar arasındaki bu farklılığa dikkat çekmişlerdir. Ne var ki insan, ilmin ayağıyla yürüyerek tekvînî emirleri okuyup, onları yorumlamaya çalışırken, yol boyu, kâinatın tercüme-i ezeliyesi, kavl-i şârihi ve burhan-ı vazıhı olan Kur'ân'a[174] sürekli müracaat etmelidir. Böylece tekvînî emirlerdeki muğlâk ve müphem gibi görünen yerleri doğru okuyup doğru yorumlayabilecektir. Evet, insan, fizik, kimya, astronomi, antropoloji, zooloji gibi ilimlerle iştigal ederken, yanlış yorumlara düşmeme adına, yanıltmayan rehber konumunda bulunan Kur'ân-ı Mucizü'l-Beyan'a her zaman müracaat etmelidir. Böylece ilimlerin dili doğru anlaşılabilecek, o ilimlerin ifade ve işaret ettiği Zât da daha iyi tanınıp daha çok sevilecektir.

---

[174] Bkz.: Bediüzzaman, *Sözler* s.393 (Yirmi Beşinci Söz, Mukaddime).

Mü'minin Mü'mine Karşı En Büyük Yardımı: Dua

S **oru:** *Aramızda birbirimizden dua talebi çok yaygınlaş-tı. Fakat kimi zaman bu isteğin sıradan bir talep hâlinde dile getirildiği görülüyor. Dua isteyen ve böyle bir talebe muhatap olan insanların ruh hâli ve yapması gerekenler hakkında mütalâalarınızı lütfeder misiniz?*

Cevap: Dua, hem kulun Allah'la arasındaki alâka ve münasebet adına, hem de Allah'ın (celle celâluhu) kula muamelesi açısından çok önemlidir. Dua eden bir insan, her şeyden önce, Allah ile münasebet ve alâkasının şuurunda demektir. Evet, dua mülâhazasıyla ellerini kaldıran insan, yüceler yücesi bir dergâhla münasebet içinde olduğunun şuuruna erer. İnsanın Cenâb-ı Hak'la kuracağı böyle bir münasebet ve alâka, Allah'ın da ona olan muamelesinin farklı bir şekilde cereyan etmesine vesile olur. Bazı yerlerde "Bahane Tanrısı" dedikleri gibi, Cenâb-ı Hak, insanın bu kadarcık olsun kendisine yönelmesini bir vesile kabul buyurur; buyurur da o insana, Kendi azamet ve ululuğuna yakışır şekilde muamelede bulunur.

Sırlı ve Safî Bir Ubûdiyet

Diğer yandan dua, sebepler üstü Cenâb-ı Hakk'a yalvarmanın bir unvanıdır. Bu yönüyle o, sırlı ve safî bir ubûdiyettir.

Diğer ibadet ü taatlerin mânevî de olsa sebepler kategorisi içerisinde bir izahı vardır. Mesela, abdest almanın veya namaz kılmanın kendine göre bir külfeti vardır. Aynı şekilde oruç tutma veya hacca gitme gibi ibadetlerin içinde de bir kısım mekârih mündemiçtir. Dolayısıyla bu ibadetleri yerine getirirken çekilen meşakkat, Cenâb-ı Hakk'a karşı bir sebep olarak sunularak, bunun karşısında O'ndan bir şeyler talep etme düşüncesi içine girilebilir. Fakat insanın acz u fakr şuuru içinde ihtiyaç tezkeresiyle ellerini açıp bütün samimiyetiyle O'na yönelmesi, O'ndan bir şeyler beklemesi öyle sırlı bir kulluk ameliyesidir ki, bu, hâlis bir ubûdiyete tekabül eder. Bu yönüyle duanın ibadetler içinde apayrı bir hususiyeti vardır. İnsanlığın İftihar Tablosu'nun (sallallâhu aleyhi ve sellem) hayat-ı seniyyelerine baktığımızda da, O'nun bütün hayatını duayla geçirdiğini, duayla oturup duayla kalktığını, gece-gündüz hep Cenâb-ı Hakk'a yalvarıp yakardığını görürüz. O (aleyhissalâtü vesselâm), yatarken,[175] kalkarken,[176] bir bineğe binerken,[177] cihada giderken,[178] insanları karşılarken,[179] bir sıkıntıya maruz kaldığında...[180] hep dua etmiş ve hayatının her anını âdeta bir dantelâ gibi duayla örgülemiştir. O'nun duaya dair nurlu beyanlarına bakıldığında da, onların tam yerli yerinde ve Cenâb-ı Hak'la münasebet açısından çok yakışıklı düşen sözler olduğu görülür. Temkin ve tedbir abidesi olan Nebiler Sultanı, Allah'ı en iyi bilen zât olduğundan, Cenâb-ı Hak'tan neyin nasıl isteneceğini de en güzel ve en mükemmel şekilde bilen ve ifade eden O'dur. Evet, O, dualarında nüanslarına dikkat ederek öyle enteresan kelimeler seçmiştir ki, O'nun ifade ettiği sözlerin hiçbirisini sorgulamak mümkün değildir. Cenâb-ı Hakk'ın Zât'ına yaraşır yerli yerinde sözlerle O'na teveccühte bulunma çok önemli bir husus olduğuna göre, biz de Efendiler Efendisi'nin nurlu beyanlarıyla Rabbimiz'e teveccüh edebiliriz. Bu açıdan bir insan dualarında bin defa:

---

175 Bkz.: Müslim, *zikir* 60; Ahmed İbn Hanbel, *el-Müsned* 2/79.
176 Bkz.: Buhârî, *daavât* 7, 8, 16, *tevhîd* 13; Müslim, *zikir* 59.
177 Bkz.: Müslim, *hac* 425; Tirmizî, *daavât* 46; Ebû Dâvûd, *cihâd* 72.
178 Bkz.: Tirmizî, *daavât* 41; Ahmed İbn Hanbel, *el-Müsned* 5/83.
179 en-Nevevî, *el-Ezkâr* s.180.
180 Bkz.: Ebû Dâvûd, *vitr* 26; İbn Mâce, *duâ* 17; Ahmed İbn Hanbel, *el-Müsned* 6/369.

اَللّٰهُمَّ إِنَّا نَسْأَلُكَ مِنْ خَيْرِ مَا سَأَلَكَ مِنْهُ نَبِيُّكَ مُحَمَّدٌ صَلَّى اللّٰهُ عَلَيْهِ وَسَلَّمَ

وَنَعُوذُ بِكَ مِنْ شَرِّ مَا اسْتَعَاذَ مِنْهُ نَبِيُّكَ مُحَمَّدٌ صَلَّى اللّٰهُ عَلَيْهِ وَسَلَّمَ

"Allah'ım, nebin Hazreti Muhammed'in (sallallâhu aleyhi ve sellem) Senden istediği her hayrı Senden istiyor, yine nebin Hazreti Muhammed'in (sallallâhu aleyhi ve sellem), şerrinden Sana sığındığı şeylerden de yine Sana sığınıyoruz."[181] dese, yine de şahsı adına bunu az görüp "daha çok olabilir" demelidir. Çünkü Allah Resûlü (aleyhi ekmelüttehâyâ) Allah'ın sevmediği, O'nun razı olmadığı bir şeyi O'ndan istememiştir.

Efendiler Efendisi'nin Sahabîden Dua Talebi

Soruda ifade edilen "dua talebi" mevzuu da bizim için çok önemlidir. Bakın, İki Cihan Serveri'nin kendisi kim bilir kaç sahabîden dua talebinde bulunmuştur. Mesela rahatsızlandığı zaman Hazreti Âişe Validemiz'den dua talep etmiştir.[182] Allah Resûlü (aleyhissalâtü vesselâm), ruhunun ufkuna yürümeden önce, derecesinin yükselmesi, Makam-ı Mahmud'un inkişafı, şefaat alanının genişlemesi, bütün ümmetini kucaklayabilecek imkân ve salahiyetin kendisine bahşedilmesi için ümmetine çektirilecek sıkıntılar, âdeta O'na da çektiriliyordu. Zaten, bir hadis-i şerifte de ifade buyrulduğu üzere, belâya en çok maruz kalanlar enbiya-i izâmdır.[183] Bu açıdan hastalık, bütün nebilerin sultanı olan Efendimiz'i hususiyle son zamanlarında, demir pençesine almıştı. Öyle ki, mübarek başının ağrısının dinmesi için, başına sımsıkı sargı sarıyordu. İşte Hazreti Âişe Validemiz, bu durumdan kurtulması için Allah Resûlü'nün (sallallâhu aleyhi ve sellem) elinden tutuyor ve O'na dua ediyordu. Ancak son zamanlarda Hazreti Âişe Validemiz, yine O'na dua etmek üzere elinden tutmak istediğinde, Efendimiz (sallallâhu aleyhi ve sellem) elini çekmiş ve اَللّٰهُمَّ الرَّفِيقَ الْأَعْلَى *"Allah'ım yüce dostluğunu istiyorum."* demiştir.[184] Yani Allah Resûlü, artık murad-ı ilâhînin

[181] Tirmizî, *daavât* 88.
[182] Bkz.: Buhârî, *fezâilü's-sahâbe* 5, *meğâzî* 83-84; Müslim, *fezâilü's-sahâbe* 85, *selâm* 46.
[183] Bkz.: Buhârî, *merdâ* 3 (bâb başlığında); Tirmizî, *zühd* 57; İbn Mâce, *fiten* 23.
[184] Buhârî, *meğâzî* 83, *fezâilu ashâbi'n-nebî* 5; Müslim, *selâm* 46, *fezâilu's-sahâbe* 85.

öteye müteveccih bir istikamette olduğunu anlamış ve kendi ruh ufkuna seyahatin söz konusu olduğu bir yerde elini çekmiş ve dua talebinde bulunmamıştır.

Başka bir zaman Hazreti Ömer (radıyallâhu anh) umreye gitmek üzere Allah Resûlü'nden izin istediğinde ona izin verdikten sonra şöyle buyurmuştur: لَا تَنْسَنَا يَا أُخَيَّ مِنْ دُعَائِكَ *"Ey kardeşçeğizim, duanda bizi de unutma."*[185] Allah'ın himayesinde istiğna-i mukayyet içinde bir hayat geçirmesine ve Cenâb-ı Hakk'ın, kendisinin bütün dualarına icabet buyurmasına rağmen Efendimiz'in (aleyhissalâtü vesselâm) Hazreti Ömer'den veya diğer sahabîlerden dua talep etmesi, bu meselenin hafife alınmayacak derecede önemli bir mesele olduğunu gösterir.

En Hızlı Kabul Olunan Dua

Konuyla ilgili bir hadis-i şerifte Allah Resûlü (sallallâhu aleyhi ve sellem) şöyle buyurmuştur: إِنَّ أَسْرَعَ الدُّعَاءِ إِجَابَةً دَعْوَةُ غَائِبٍ لِغَائِبٍ *"En süratle kabule karin olan dua, gâibin gâibe duasıdır."*[186] Hazreti Pîr de 23. Mektup'ta duanın kabulünün hangi şartlara müstenit olduğunu anlatırken, diğer şartların yanında bu hususu da zikrederek bizahri'l-gayb (gıyaben) yapılan duanın kabule karin olacağının rahmet-i ilâhiyeden kaviyyen ümit edileceğine dikkat çeker.[187] Ayrıca Üstad Hazretleri, eserlerinin birçok yerinde, "Sabah ve akşam duamda dâhilsiniz. Siz dahi beni duanızda dâhil ediniz. Şu âlemde mü'minin mü'mine karşı en büyük yardımı dua iledir."[188], "Ahiret kardeşiniz olan Said ise, her sabah-akşam dergâh-ı ilâhîde dua vasıtasıyla sizinle beraberdir."[189], "...Senden ve ahiret hemşirem yani ikinci validem ve kardeşimin muhterem validesinden duanızı istiyorum. Madem duada sizi şerik ediyorum; siz de benim duama âmin hükmünde

185 Ebû Dâvud, *vitr* 23; Ahmed İbn Hanbel, *el-Müsned* 1/29, 2/59.
186 Ebû Dâvud, *vitr* 29; Abd İbn Humeyd, *el-Müsned* s.134.
187 Bediüzzaman, *Mektubat* s.316 (Yirmi Üçüncü Mektup, Birinci Sual).
188 Bediüzzaman, *Barla Lâhikası* s.234.
189 Bediüzzaman, *Barla Lâhikası* s.324.

olarak dua ediniz."[190], "Ben onları duama dâhil ediyorum; onlar da bana dua etsinler."[191] gibi ifadelerle bu meselenin hafife alınmaması gerektiğini göstermiştir. Bu noktada soruda dikkat çekilen husus üzerinde durmak istiyorum: Bu meselenin aramızda yaygınlaşması ölçüsünde işin ruhu ve mânâsı göz ardı edildiğinde, bazen dua talebi beylik bir söz hâlinde dile getirilebilir. Dolayısıyla bu talep, ruhsuz, şuursuz, tabir caizse tadı tuzu kaçmış bir hâlde ifade edilebilir. Mesela, "Kardeşim bize dua et!" ifadesi, ayağa düşürülen sözler kabîlinden bir söz hâline gelebilir. Bu açıdan evvelâ dua talep eden insan bu mevzuda çok samimî olmalı ve hakikaten yürekten dua talebinde bulunmalıdır. Yani, şuurun taalluk etmediği, sırf ağızdan çıkan beylik bir laf hâlinde değil; hüsnüzannımızın bir neticesi olarak, ciddî bir arzu ve iştiyakla dua talep edilmelidir. Dua isterken de, her zaman; "İnşallah bana dua eder ve inşallah onun duası kabul buyrulur." diye düşünmeli ve halisane bizahri'l-gayb yapılan duayı Allah'ın kabul buyuracağına inanmalıyız. Bu açıdan dua talebinde bulunurken iç dünyamıza hâkim olan mülâhazalar şöyle olmalıdır: "Allah'ın inayeti ve bir yönüyle o inayetin tecellîsine vesile olacak salih mü'minlerin duası olmasa, kendimi hatar-ı azimle karşı karşıya görüyorum. Hafizanallah, dalâlet içine devrilip gideceğimden çok korkuyorum." İşte bu duygu ve düşüncelerle, "Kardeşim, şayet size külfet olmayacaksa rica ediyorum, ne olur, Allah aşkına mü'min kardeşlerin hepsine dua ederken, hatırlayabilirseniz dualarınızda beni de anın!" diyerek dua talebinde bulunmalıdır. Evet, başkasından dua isteyen bir insan acz, fakr ve zaafının farkında olmalı, Allah'ın inayeti olmazsa ayakta durmasının mümkün olmayacağına inanmalı ve kendisi için yapılacak duayı Allah'ın inayeti adına en büyük bir vesile bilmelidir.

Dua ve Vefa

Dua isteyen bu düşüncelerle isterken, kendisine dua emanet

---

[190] Bediüzzaman, *Barla Lâhikası* s.267.
[191] Bediüzzaman, *Barla Lâhikası* s.306.

edilen insan da, vefanın gereği olarak dua etmeyi ihmal etmemelidir. O, böyle bir talep karşısında, gerektiğinde geceleyin kalkmalı, teheccüt mü, vitr-i vacip mi, yoksa hacet namazı mı, hangi namazı kılacaksa kılmalı sonra da ellerini açıp başka dua edilecek isimlere dua ettikten sonra hiç olmazsa birkaç dakikasını da dua isteyen arkadaşına ayırmalıdır. Böylece kardeşine karşı vefa ve civanmertliğini ortaya koymuş olur. Çünkü o, bu dakikalarını kendisine ayırabilirdi. Sadece bir kere "Allah'ım beni Cennet-i Firdevsinle sevindir!" diyeceğine, bunu beş kere söyleyebilirdi. Fakat o, kendisi hakkında sadece bir defa bunu istedikten sonra Ali, Veli, Bekir, Osman, falan sınıf, filân zümre için de istemektedir. Böylece kardeşlerine karşı vefa borcunu, onları duasında yâd etmek suretiyle yerine getirmiş oluyor. Aslında bunun mânâsı: "Allah'ım ben, Sana inanan, benimle aynı safta duran bir mü'min kardeşim için içimi döküp Senin vefana sığınıyorum!" demektir. Zira unutmamak lâzım ki, hiç kimse Allah kadar vefalı olamaz. Aynı şekilde diyelim ki size yüz kişilik bir liste getirip dediler ki: "Bunlar, dünyanın dört bir yanına seyahat eden, gittikleri yerlerde bursla çalışan, örneği kendinden bir hareketin bizi utandırmayan temsilcilerinden. Bu arkadaşlarımızın, gittikleri yerde dimdik durabilmesi, hizmetlerinin müessir olması ve orada herhangi bir gâileyle karşı karşıya kalmamaları için dua talep ediyoruz." Hakkınızda bu kadar hüsnüzan eden insanlara karşı siz de vefanın gereği olarak, Cenâb-ı Hakk'ın, rahmet ve lütfuyla dünya semasına nüzûl buyurduğu, buyurup, *"Dua eden yok mu, duasını kabul edeyim?"*[192] dediği eşref saatlerini değerlendirerek ellerinizi açmalı ve ister tanıyın ister tanımayın gelen listedeki isimleri okuyup onlara dua etmelisiniz.

Şuur Vizeli Dualar

Tabiî bütün bu dualar yapılırken, dua eden kimsenin, söylediği her bir kelimeyi şuuruyla vizelendirerek söylemesi çok önemlidir. Evet, insanın ağzından çıkan her bir kelimenin üzerinde

---

[192] Buhârî, *tevhîd* 35, *teheccüd* 14; Müslim, *salâtü'l-müsâfirîn* 166.

şuurunun mührü bulunmalıdır. Zira Efendimiz (sallallâhu aleyhi ve sellem); اِنَّ اللّٰهَ لَا يَقْبَلُ دُعَاءً مِنْ قَلْبٍ غَافِلٍ لَاهٍ buyurmak suretiyle, Cenâb-ı Hakk'ın ne dediğini bilmeyen, söylediğinden habersiz olan kimselerin duasını kabul etmeyeceğini ifade buyurmuştur.[193] Bu açıdan insan, duada her bir kelimeyi vicdanında derinlemesine duyarak söylemeli ve ne istediğinin farkında olmalıdır. Bu arada, kendisinden dua talep edilen için şöyle bir tehlike ihtimalinin bulunduğunu da ifade etmemiz gerekir: Bir insan, kırk-elli sene Allah yolunda çalışıp çabalayan bir daire içinde bulunduğundan, bazıları ciddî hüsnüzan beslediği bu zattan dua talebinde bulunabilirler. Haddizatında kırk-elli sene müstakim bir çizgide yaşayan böyle sâdık bir insana karşı hüsnüzanda bulunulması tabiîdir ve bunun asla hafife alınmaması gerekir. Böyle bir vefa ve sadakati hafife alma, bir mânâda Allah'ın hoşnutluğunu hafife alma ve Allah'a karşı bir saygısızlık demektir. Hatta ben, böyle bir zatın mefkûreyi ne denli derin bir düşünceyle ele aldığına, temel çerçevesiyle ne kadar onu kavrayıp ihata ettiğine ve yapması gerekli olan şeyleri ne ölçüde yapmış olduğuna bile bakmam. Meseleyi bütün bunlardan tecrit ederek onun sadece durması gerekli olan bir kapının önünde durması ve o eşiğe bir ömür boyu başını koyması açısından bakar ve bunu çok önemli görürüm. Mesela Hazreti Pîr'in mebde-i hayatından, münteha-yı hayatına kadar geçen sürede hiç tavır değiştirmeksizin o sağlam ve dimdik duruşu, sizin kitaplar dolusu dua döktürmenizden çok daha önemli olabilir. Bu açıdan bazıları gözüne kestirdiği böyle bir kimseye gelerek ondan dua talep edebilirler. Fakat böyle bir durumda o şahsın da kulluk konumunun farkında bulunması ve haddini bilmesi gerekir. Evet, diğer insanlar kendilerine düşeni yaparak böyle bir zata gelip ondan dua talebinde bulunabilirler. Bu durum karşısında ise o insanın, fevkalâde mahviyet ve tevazu içinde, haddini bilerek; "Allah'ım bunlar hüsnüzan edip benden dua talebinde bulunuyorlar. Onları bu zanlarında yalancı çıkarma. Bu insanlara karşı alâkasız kalmaktan utanıyor ve onları geri çevirmekten hicap duyuyorum." deyip isteyeceğini

---

193 Tirmizî, *daavât* 65; el-Hâkim, *el-Müstedrek* 1/670.

Cenâb-ı Hak'tan istemesi gerekir. Duasına icabet buyrulduğu takdirde de böyle bir neticenin Allah'tan olduğunu hiçbir zaman unutmamalı; bunu, bir ölçüde dua isteyenlerin hüsnüzannına ve onların Cenâb-ı Hakk'a samimi teveccühlerine bağlamalıdır. Bu mülâhazalarla meseleye yaklaşılırsa, hem şirke girilmemiş hem de dua istenilen insanın enaniyeti beslenmemiş olur. Bu mevzuda herkesin temkinli hareket etmesi gerekir. Eğer Allah (celle celâluhu) birinin eliyle bir başkasına şifa verdiyse, bu, her zaman ve her hâlükârda Allah'tan bilinmelidir. Mesela, dua edecek kimse elini hastanın üzerine koyarken; "Yâ Rabbi! Ne olur Efendiler Efendisi'nin mübarek eli de elimin üzerinde olsun ve bu insan bu rahatsızlığından sıyrılsın. Ben biliyorum ki, böyle bir netice benim elimle hâsıl olacak bir şey değildir. Fakat madem bu insanı, hüsnüzannı buraya kadar getirmiş, Sen onu geriye boş çevirme. Riayetinle, kilâetinle, inayetinle ona şifa ihsan eyle!" diyerek meseleyi gerçek Sahibine vermeli; verip kendisi o işin içinden sıyrılmalıdır. Ayrıca günümüzde bazılarının yaptıkları gibi, hususî ocaklar, dua ve kehanet evleri açma, oralarda gelene gidene muska yazma, bu işi bir meslek ve sanat hâline getirme gibi uygulamaların din-i mübîn-i İslâm'da yerinin olmadığını ifade etmemiz gerekir. Duanın yapılacağı yerler ve yapılma mülâhazası vardır. Ancak bu işin bir sanat hâline getirilerek şifanın ille de bu yolla oluyormuş gibi gösterilmesi dua edenin kendisine bir şeyler izafe etmesi mânâsına geleceğinden dolayı çok tehlikeli ve çok hatarlıdır. İnanan mü'minler olarak biz, her zaman temkinli olmalı, kendimizi düz insan olarak görmeli, düz insan nazarıyla dua etmeli ve bütün hayatımızı böyle bir şuur ve hassasiyet içinde geçirmeliyiz.

Beşerî Zaafların İnsanın Terakkisine Vesile Olması

Soru: *"Fıtratımda hırs, adavet, inat gibi kötü ahlâk ve fena hasletler var ve bunlardan bir türlü kurtulamıyorum." diyen bir insana tavsiye adına neler söylenebilir?*

Cevap: İnsan câmi bir varlık olması itibarıyla, hem âlem-i ulvî hem de âlem-i süflîye ait bir kısım istidatlarla donatılmıştır. Yani onun, hem mülk hem melekût, hem cismanî hem ruhanî, hem bedenî hem de kalbî hususiyetleri vardır. Dolayısıyla insanın yükselip kurtuluşa ermesi, mahiyetine konulan bütün bu nüveleri yaratılış gayesi istikametinde kullanmasına bağlıdır. Evet, ahsen-i takvîme mazhar yaratılan insanoğlu,[194] melekûtî ve ruhanî keyfiyetini tam olarak ortaya koyabildiği ve değişik hikmetlere binaen mahiyetine konulan menfî duygulara karşı da iradesinin hakkını verip meşru daire içinde hayatını sürdürebildiği takdirde, meleklerle atbaşı hâle gelebilir. Hazreti Mevlâna'nın da ifade ettiği gibi, insan öyle bir noktada durmaktadır ki, mahiyetinde cismanî, nefsanî ve şehevanî hisler bulunmasına rağmen ortaya koyduğu güzel işlerden dolayı kimi zaman melekleri hâline imrendirir, kimi zaman da şeytanları bile utandıracak duruma düşebilir.

---

[194] Bkz.: Tîn sûresi, 95/4.

Ey İnsan! Kendini Oku!

Bu açıdan insan öncelikle kabiliyet ve zaaflarıyla, meziyet ve boşluklarıyla kendini çok iyi okuyup tanımalı ve sahip olduğu bir kısım menfî duyguları terakkisi adına bir yükselme rampası olarak görmelidir. Zira insan sahip olduğu bu kötü duyguları kontrol altına alıp aştığı ve onların yüzünü hayra çevirebildiği takdirde, içindeki Cennet çekirdeği neşv ü nema bulmaya başlayacaktır. Kalbde kurulan o Cennet-misal hayat ise, bu dünyayı Cennet'e uzanan bir koridor hâline getirecektir. Artık siz böyle bir dünyanın her faslında, her lahzasında ve her maktaında bir kere daha Cennet'i duyabilir; duyup onun sonsuz güzelliklerini daha buradayken zevk ve müşahede edebilirsiniz. Bu hakikati şu şekilde de ifade edebiliriz: İnsanın mahiyetinde bulunan müspet duygular işlettirildiği takdirde doğrudan doğruya onun terakkisine vesiledir. Negatif gibi görünen nüveler ise teyakkuz, temkin ve Allah'ın emir ve yasaklarına riayet etmek suretiyle baskı altına alındığı ve negatif tesirlerinden uzak durulduğu takdirde, onlar da Allah'ın ayrı bir ihsanına vesile olur. Başka bir ifadeyle, sizin onlara karşı tavır almanız, kararlı ve dik duruşunuz Allah indinde ibadet hâlini alacaktır. Mesela namaz, insanı yükselten, onu arş-ı kemalât-ı insaniyeye îlâ eden çok önemli bir ibadettir. Aynı şekilde cismanî arzular karşısında başkaldırma da en azından onun kadar önemli bir ibadettir. Cenâb-ı Hak: وَأَمَّا مَنْ خَافَ مَقَامَ رَبِّهِ وَنَهَى النَّفْسَ عَنِ الْهَوَى﴿فَإِنَّ الْجَنَّةَ هِيَ الْمَأْوَى *"Rabbinin makamından korkan ve nefsini kötü arzulardan uzaklaştırmış bulunan kimsenin varacağı yer, şüphesiz Cennet'tir."*[195] buyurmak suretiyle bu hakikate işarette bulunmuştur. Bu açıdan bir kez daha ifade edelim ki, zâhirî yönleri itibarıyla negatif gibi görünen bu duygular, zapturapt altına alınır ve hayra tevcih edilirse insanın Cennet'e girmesinin en önemli vesilelerinden biri olabilir.

---

[195] Nâziât sûresi, 79/40-41.

İnsan İradesiyle İnsandır

Allah, insanı hayvan gibi belli sınırlar içinde yaratmamıştır. Tabir-i diğerle o, insiyaklarının kulu-kölesi değildir. Allah insana irade vermiş ve lütfedeceği nimetleri de şart-ı adi planında iradesinin hakkını vermesine bağlamıştır. Gerçi insanın yaptığı amellerle Cenâb-ı Hakk'ın ona lütfedeceği nimetler arasında tenasüb-i illiyet prensibine göre bir münasebet yoktur. Fakat Allah (celle celâluhu), lütuflarını ona bağlamıştır. Mesela Cenâb-ı Hak, "Elinizi kaldırdığınız zaman, gökteki yıldızları başınıza dökerim." diyebilirdi. Böyle bir durumda elin yukarı kalkmasıyla gökteki yıldızların aşağı dökülmesi arasında herhangi bir münasebet aramamak gerekirdi. Aynen öyle de, insanın yapmış olduğu ibadetler ve hak yolunda katlandığı bazı mekârih neticesinde Cenâb-ı Hakk'ın ona bahşettiği mükâfat ve lütuf çok büyük olduğundan arada tenasüb-i illiyet çerçevesinde bir münasebet aranmamalıdır. Demek ki Allah (celle celâluhu) şart-ı adi planında insanın yapmış olduğu amelleri âdeta bir nüve gibi kabul ediyor ve bunları ileride cennetin ebedî ağaçları, bağları, bahçeleri hâlinde ona geri iade ediyor.

Sağ ve Soldan Gelen Hücumlar

İnsanın mahiyetinde bulunan ve onun terakkisinde önemli bir yeri olan müspet duyguları insanın sağ tarafına, menfî duyguları da onun sol tarafına benzetebiliriz. Zannediyorum Kur'ân-ı Kerim'de yer alan: ثُمَّ لَآتِيَنَّهُمْ مِنْ بَيْنِ أَيْدِيهِمْ وَمِنْ خَلْفِهِمْ وَعَنْ أَيْمَانِهِمْ وَعَنْ شَمَائِلِهِمْ وَلَا تَجِدُ أَكْثَرَهُمْ شَاكِرِينَ *"Sonra elbette önlerinden, arkalarından, sağlarından, sollarından, geleceğim ve onların çoğunu, şükredenler olarak bulmayacaksın."*[196] âyet-i kerimesinde de bu hususa işaret edilmektedir. Evet, şeytan, insanın mahiyetindeki boşluklara bakınca ellerini ovuşturup âdeta şöyle demektedir: Onların önlerinden gelerek, ileriye matuf ümitlerini, Cennet'e giden yollardaki köprülerini yıkabilir ve onların

---

[196] A'râf sûresi, 7/17.

yönlerini Cehennem'e çevirebilirim. Arkalarından gelerek geçmişlerini hep bir mezar-ı ekber suretinde gösterip onlara baba ve dedelerini inkâr ettirerek hayatlarının sanki kendileriyle başladığı kuruntusunu verebilirim. Sağdan yaklaşarak hayırlı işler yaparken bile onları aldatır, yapmış oldukları amellerini riya ve süm'a ile kirletirim. Allah'ı, Peygamber'i anlatırken veya ellerine kalemi aldıkları zaman onlara kendilerini ifade ettirir, kendilerini nazara verdirir ve sürekli "ben" mülâhazalarıyla temiz ve güzel işlerini kirletmek suretiyle onların canlarına okurum. Ve nihayet onların sollarından gelerek haramları güzel gösterir, altın tepsiler içinde onlara zehirli bal sunar ve yoldan çıkarırım.

Konuyla alâkalı bir hadis-i şeriflerinde de Efendimiz (sallallâhu aleyhi ve sellem) şöyle buyurur: حُفَّتِ الْجَنَّةُ بِالْمَكَارِهِ وَحُفَّتِ النَّارُ بِالشَّهَوَاتِ *"Cennet çepeçevre nefsin hoşuna gitmeyen şeylerle sarılmış, Cehennem de (bedenî arzu ve iştihâları kabartan) şehevâtla..."*[197] Buna göre Cennet nefse ağır gelen, insanın zor yapabileceği şeylerle kuşatılmıştır. İnsan, onları aşa aşa, atlaya atlaya, derelere ine ine, yokuşlara tırmana tırmana, kandan irinden deryaları geçe geçe Cennet'e girecektir. Cehennem'e götüren yol ise, insanın cismanî, nefsanî ve şehevanî duygularıyla muhattır. Bu açıdan şeytan insanı en çok, yeme, içme, yan gelip kulağı üzerine yatma gibi cismanî ve bedenî arzularının arkasında koşturarak vurabilir.

Hazreti Pîr de insan mahiyetinde bulunan ve bilhassa günümüzde çok öne çıkan bu boşluklara Hücümat-ı Sitte'de dikkat çekmiştir. Orada sayılan zaaflar, makam sevgisi, korku, tamah, menfî milliyetçilik, enaniyet ve tenperverliktir.[198] Bunları daha da çoğaltmanız mümkündür. Mesela hırs, başkalarını çekememe, şunun bunun ırz ve namusuna göz dikme, millete caka yapma, sürekli davul gibi ötme gibi zaaflar da şeytanın içimize nüfuz edeceği boşluklardır.

---

[197] Buhârî, *rikak* 28; Müslim, *cennet* 1.
[198] Bediüzzaman, *Mektubat* s.465 (Yirmi Dokuzuncu Mektup, Altıncı kısım).

Duayla Etrafınızda Surlar Oluşturun

Şeytanın bu boşlukları değerlendirmesi onun soldan gelmesi demektir. Onun فَبِعِزَّتِكَ لَأُغْوِيَنَّهُمْ أَجْمَعِينَ *"Senin izzetine yemin ediyorum ki, onların hepsini baştan çıkaracağım."*[199] demesine karşılık İnsanlığın İftihar Tablosu da bizlere: *"Allah'ım, ayıplarımı ört ve beni korkularımdan emin kıl. Allah'ım, önümden-arkamdan, sağımdan-solumdan ve üstümden (gelecek tehlikelerden) beni koru. (Yere batırılarak) altımdan helâk edilmekten de azametine sığınırım."* duasını öğreterek, sabah akşam bu duayı okumayı çok görmeden bizi şeytandan Allah'a sığınmaya davet etmiştir.[200] Zira şeytan çok profesyonel bir varlıktır. O, öyle fentler, öyle oyunlar biliyor ki, bu oyunlarını kullanarak şimdiye kadar nice devleri devirmiştir. Mesela şeytan, teheccüde kalkmak isteyen insanın kalkmaması için gece boyu elli türlü oyun oynar, çeşitli telkinlerde bulunur. Bunda başarısız olduğu ve o insan her şeye rağmen sıcak yatağını terk edip teheccüde kalktığında şeytan yine boş durmaz; kul, abdest almaya doğru giderken ayrı bir oyun oynar, namaza durduğunda ise daha farklı bir oyunla onun karşısına çıkar. Mesela, o ferdin sesini bir başkasına duyurmaya çalışır ya da alt kattaki insanların, "Maşallah adam gece yarısı kalkmış ibadet ediyor." demeleri için zeminin üzerinde gezinirken ona ses çıkartır. Evet, şeytanın o kadar çok farklı farklı fendi vardır ki, onlarla başa çıkmak bir hayli zordur, ciddî bir azim ve irade ister ve her zaman Cenâb-ı Hakk'ın inayet ve sıyanetine sığınmak gerekir. Bu açıdan bize düşen, şeytanın bu oyunlarına karşı bir surla yetinmeyerek o surun kenarına bir sur daha, bir sur daha... yapmaktır. Hiçbir zaman inşa edilen bu surları çok görmemek gerekir. Bakın İnsanlığın İftihar Tablosu (aleyhissalâtü vesselâm) istirahat buyurmadan önce, Kur'ân-ı Kerîm'den Mülk Sûresi,[201] Yâsîn Sûresi,[202] Secde Sûresi,[203] Muavvizeteyn sûreleri,[204]

---

[199] Sâd sûresi, 38/82.
[200] Ebû Dâvûd, *edeb* 100; Ahmed İbn Hanbel, *el-Müsned* 2/25.
[201] Bkz.: en-Nesâî, *es-Sünenü'l-kübrâ* 6/535.
[202] Bkz.: Dârimî, *fezâilü'l-Kur'ân* 21; İbn Hibbân, *es-Sahîh* 6/312.
[203] Bkz.: ed-Deylemî, *el-Müsned* 5/411.
[204] Bkz.: Buhârî, *fezâilü'l-Kur'ân* 15, *tıb* 39; Tirmizî, *daavât* 22; Ebû Dâvûd, *edeb* 108.

Bakara sûresi'nin son iki âyeti[205] gibi yerleri okumanın yanı ba-
şında; اَللّٰهُمَّ أَسْلَمْتُ نَفْسِي إِلَيْكَ وَوَجَّهْتُ وَجْهِي إِلَيْكَ وَفَوَّضْتُ أَمْرِي إِلَيْكَ

وَأَلْجَأْتُ ظَهْرِي إِلَيْكَ رَغْبَةً وَرَهْبَةً إِلَيْكَ لَا مَلْجَأَ وَلَا مَنْجَى مِنْكَ إِلَّا إِلَيْكَ اٰمَنْتُ

بِكِتَابِكَ الَّذِي أَنْزَلْتَ وِبِنَبِيِّكَ الَّذِي أَرْسَلْتَ "*Allah'ım! Hem ümit ede-
rek hem de korkarak kendimi Sana teslim ettim, yüzümü Sana
çevirdim, işimi Sana ısmarladım, sırtımı Sana dayadım. Sana
karşı yine Senden başka sığınak, Senden başka dayanak yok-
tur. İndirdiğin kitabına, gönderdiğin Peygamberine iman ettim.*"[206]
gibi dualarla Cenâb-ı Hakk'a sığınmış ve bize, "Zinhar, kendinizi
gaflete salmayın, şeytandan her zaman Allah'a sığının!" ikazın-
da bulunmuştur. O hâlde inanan fertler olarak bizim yapmamız
gereken de, beşerî boşluk ve zaaflarımızı insan olmamızın bir
gereği şeklinde görmek, onlara karşı sürekli Cenâb-ı Hakk'a ilti-
ca etmek, iradelemizin hakkını vermek ve böylece o menfî unsur-
ları bir yükselme basamağı hâline dönüştürmek; aynı zamanda
hakikî mürşidlerin rehberliğinde kalb ve ruhun derece-i hayatı-
na ulaşma ve o yörüngede seyahatimizi sürdürme gayreti içinde
bulunmak olmalıdır.

---

205 Bkz.: Buhârî, *fezâilü'l-Kur'ân* 10; Müslim, *salâtü'l-müsâfirîn* 256.
206 Buhârî, *daavât* 6, *tevhîd* 34; Müslim, *zikir* 56.

Çaresizlerin Duası ve Ardına Kadar Açılan Rahmet Kapıları

Soru: *Neml Sûresi'nde geçen,* أَمَّنْ يُجِيبُ الْمُضْطَرَّ إِذَا دَعَاهُ وَيَكْشِفُ السُّوءَ وَيَجْعَلُكُمْ خُلَفَاءَ الْأَرْضِ ءَإِلَهٌ مَعَ اللهِ قَلِيلًا مَا تَذَكَّرُونَ *"(Ona ortak koştukları şeyler mi üstün) yoksa muztar dua ettiği zaman, onun duasına icabet eden, başındaki sıkıntıyı gideren ve sizi yeryüzünde halifeler kılan Allah mı? Hiç Allah ile beraber başka tanrı mı olur? Elbette olmaz! Ne de az düşünüyorsunuz!"[207] âyet-i kerimesini fert ve toplum hayatına bakan yönü itibarıyla izah eder misiniz?*

Cevap: Cenâb-ı Hak bu sûrede, اللهُ خَيْرٌ أَمَّا يُشْرِكُونَ *"Allah mı yoksa O'na koştukları ortaklar mı daha hayırlıdır?"[208] buyurduktan sonra, peşi sıra gelen iki âyette kâinattaki icraat-ı sübhaniyesi ve onlardaki tevhit delillerini nazara vermiş ve ardından da, أَمَّنْ يُجِيبُ الْمُضْطَرَّ إِذَا دَعَاهُ buyurmak suretiyle, muztarın duasına icabet etmesini de bir tevhit delili olarak zikretmiştir. İlk bakışta muztarın duası ve o duaya icabet buyrulması, insan hayatında ender bir durum olarak görülebilir. Hâlbuki eşya ve hâdiseleri

---

207 Neml sûresi, 27/62.
208 Neml sûresi, 27/59.

süzerek ve tecessüs ederek yaşayan bir insan, hayatında bu mülâhazaya açılmış pek çok pencere müşâhede eder. Ne var ki, bazı insanlar dikkatsiz yaşadığı, başından geçen hâdiseleri hassasiyetle takip etmediği, hayatını bir filtreden geçirmediği ve çevresini doğru okuyamadığından dolayı, çoğu zaman Cenâb-ı Hakk'ın kendisine olan bu tür hususî teveccühlerini göremeyebilir. Oysaki insan, geçmişe bakıp hayatını süzdüğünde, nice kereler, nâçâr kaldığı demlerde, Allah'ı birlediği, O'nu tam duyup tam hissettiği ve sadece O'na dayanıp O'ndan yardım dilediğinde, nur-u tevhit içinde sırr-ı ehadiyetin zuhur ettiğini yani kendi donanımına göre hususî bir ilâhî teveccühe mazhar olduğunu anlar. Evet, nice zamanlar sıkışmışızdır, iki ayağımız bir pabuç içine girmiştir de, bu ıztırar ruh hâliyle Cenâb-ı Hakk'a yönelmişizdir; bunun mukabilinde ise O, elimizden tutmuş, sıkıntımızı gidermiş ve bizi inşiraha kavuşturmuştur. Fakat yaşadığımız bu hâdiseleri ciddî bir tecessüs içinde ele almadığımızdan, ihsaslarımızın yanında ihtisaslarımızı da harekete geçirmediğimizden ve onları sebep-sonuç münasebeti içinde ciddî bir analize tâbi tutamadığımızdan dolayı bu fevkalâdelikleri unutup gitmişizdir.

Tükenen Sebepler ve Fevkalâde İnayetler

İnsan hemen her zaman samimiyet ve içtenlikle Rabbine el açıp yöneldiğinde, teveccühüne teveccühle karşılık verildiğini vicdanında duyabilir. Fakat Cenâb-ı Hakk'ın muztar durumdaki insanlara yardımı çok daha açıktan cereyan eder. Mesela Seyyidina Hazreti Yusuf'un kıssasına baktığımızda, onun bir kuyunun dibine atılarak ölüme terk edildiğini görürüz. Zâhirî şartlara bakıldığında Hazreti Yusuf'un atıldığı o kuyudan kurtulma imkânı yok gibidir. Ancak Allah (celle celâluhu) hususî teveccühüyle tam vaktinde bir kervan göndermiş ve kervandakilerin eliyle onu oradan çekip almıştır. Müteakiben o, başka bir yere götürülüp saray ahalisinden birisine satılmış ve orada ihtimam görmüştür. Daha sonra, farklı bir belâya maruz kalmış, bu imtihan karşısında da o, iradesinin hakkını vermiş ve bir iffet kahramanı olarak zindanı saraya tercih etmiştir. Hazreti Yusuf (alâ nebiyyinâ ve aleyhissalâtü vesselâm), Cenâb-ı Hakk'a olan teveccüh-ü tammı sayesinde hapishanede de fevkalâde inayetlere mazhar kılınmış, oradan çıkarılmış, anne-babasına kavuşmuş ve neticede Mısır'da gönüllerin sultanı olmuştur.[209]

Allah'ın (celle celâluhu), Firavun'un ordularından kaçan Hazreti Musa'ya yardımı da bundan farklı değildir. Kur'ân-ı Kerim'in: فَلَمَّا تَرَاءَ الْجَمْعَانِ قَالَ أَصْحَابُ مُوسَى إِنَّا لَمُدْرَكُونَ❊قَالَ كَلَّا إِنَّ

مَعِيَ رَبِّي سَيَهْدِينِ "*İki topluluk birbirini görecek kadar yaklaşınca Musa'nın arkadaşları: 'Eyvah! Bize yetiştiler!' dediler. Hazreti Musa; 'Hayır, asla! Rabbim benimledir ve O muhakkak ki bana kurtuluş yolunu gösterecektir.' dedi.*"[210] ifadeleriyle tasvir ettiği o anda Hazreti Musa ve beraberindekiler bütün bütün çaresiz kalmıştır. Öyle ki, önlerinde Kızıl Deniz, arkalarında ise Firavun ve askerleri vardır. Tarık İbn Ziyad'ın ifadesindeki gibi, önlerinde düşman gibi bir derya, arkalarında ise deniz gibi bir düşman bulunmaktadır. İşte böyle bir anda Hazreti Musa: إِنَّ مَعِيَ رَبِّي

سَيَهْدِينِ "*Rabbim benimledir ve O muhakkak ki bana kurtuluş yolunu gösterecektir.*" diyerek Allah'a yönelmiş ve bunun üzerine Cenâb-ı Hak da: فَأَوْحَيْنَا إِلَى مُوسَى أَنِ اضْرِبْ بِعَصَاكَ الْبَحْرَ "*Biz Musa'ya: 'Asânı denize vur!' diye vahyettik.*"[211] buyurmuştur. Hazreti Musa, asâsını yere vurunca deniz ikiye ayrılmış, o ve beraberindekiler denizin ortasından geçip gitmiş ve fevkalâde bir lütuf ve ihsanla sahil-i selâmete ermişlerdir.

Evet, çarelerin bütün bütün tükendiği, sözün bittiği, yapılacak hiçbir şeyin kalmadığı bir yerde kalb her şeyden tamamen sıyrılarak Allah'a öyle bir teveccüh ediyor ki, Allah (celle celâluhu) orada hiç beklenmedik şekilde yepyeni bir kapı açıveriyor. Siz nur-u tevhide bir kapı aralayıp onu görünce, bu defa sizin hususî durumunuza, hususî keyfiyetinize ve maruz kaldığınız hususî sıkıntıya göre sırr-ı ehadiyet tecellî ediyor ki, Hazreti Pîr bu tecellîye, cemalî tecellî diyor.

---

209 Bkz.: Yûsuf sûresi, 12/1-111.
210 Şuarâ sûresi, 26/61-62.
211 Şuarâ sûresi, 26/63.

Muztarlara Bahşedilen Yeryüzü Mirasçılığı

Cenâb-ı Hak, mezkûr âyetin devamında خُلَفَاءَ وَيَجْعَلُكُمْ الْأَرْضِ *"Ve sizi yeryüzünde halifeler kılan kimdir?"* buyuruyor. Bununla ilgili olarak Hazreti Davud'un (aleyhisselâm) durumuna bakacak olursanız o, Filistin'e hâkim olan Amalikalılarla savaşta, Frenklerin Golyat dedikleri Câlût'u öldürmeye muvaffak olmuştur. Eski Ahit Hazreti Davud'un o dönemde keçileri güden küçük bir çocuk olduğunu ve sapanına koyduğu bir taşı fırlatarak o kocaman Golyat'ı alnından vurup devirdiğini ifade ediyor.[212] Kur'ân-ı Kerim ise bu konuda tafsilata girmeksizin şöyle buyuruyor: وَقَتَلَ دَاوُودُ جَالُوتَ وَاٰتَاهُ اللّٰهُ الْمُلْكَ وَالْحِكْمَةَ وَعَلَّمَهُ مِمَّا يَشَاءُ *"Davud Câlût'u öldürdü, Allah ona hükümdarlık ve hikmet verdi ve dilediği birçok şey öğretti."*[213] İşte böyle bir anda Hazreti Davud'un Cenâb-ı Hakk'a karşı teveccühü tam olunca, kendisine nur-u tevhit içinde sırr-ı ehadiyet tecellî etmiş ve sonra da Cenâb-ı Hak kendisine hükümdarlık ve hikmet vermiştir.

Aynı şekilde, Medine'ye hicretten önce Resûl-i Ekrem Efendimiz (sallallâhu aleyhi ve sellem) hane-i saadetlerinde istirahat buyururken müşrikler tarafından evi kuşatılmış ve o esnada sebepler açısından her şey tükenmişti; tükenmişti de وَجَعَلْنَا مِنْ بَيْنِ أَيْدِيهِمْ سَدًّا وَمِنْ خَلْفِهِمْ سَدًّا فَأَغْشَيْنَاهُمْ فَهُمْ لَا يُبْصِرُونَ *"Hem önlerinden hem de arkalarından bir set yaparak, onları öylesine çepeçevre sardık ki, artık onlar hiç göremezler."*[214] âyet-i kerimesinde de ifade edildiği üzere o anda âdeta farklı bir buud açılmış ve Efendimiz (sallallâhu aleyhi ve sellem) o buud içinden süzülüp çıkmıştı. Mekkeli müşrikler, içeriye girdiklerinde karşılarında Efendimiz yerine Hazreti Ali'yi bulmuşlardı. İşte sermuvahhit olan Hazreti Ruh-u Seyyidi'l-Enâm'ın (aleyhi elfü elfi salâtin ve selâm) Mekke'de yaşadığı ıztırar hâli ve O'nun bu ıztırar hâli karşısında en hâlis bir tevhitle Cenâb-ı Hakk'a teveccühü

---

212 Bkz.: Kitab-ı Mukaddes (Türkçe tercüme), Eski Ahit, 1. Samuel, Bâb: 16-18.
213 Bakara Sûresi, 2/251.
214 Yâsîn sûresi, 36/9.

sayesinde, fevkalâde inayet ve lütuflarla Medine'ye giden yollar açılmış, Âlemlerin Sultanı Medine'ye ulaşınca da orada güller açmıştır. Güllerin Sultanı, o güller içinde yeni bir gül devri başlatmış ve İslâm kısa bir zaman içinde yeryüzünde bir muvazene unsuru hâline gelmiştir.

Osmanlı Devleti'nin ortaya çıkışını da bu açıdan mülâhazaya alabilirsiniz. Haçlı seferleri neticesinde Selçuklular yavaş yavaş bitme noktasına gelmişti ki, Allah (celle celâluhu) ıztırar içinde kıvranan inanan gönüllere lütufta bulunmuş ve Söğüt'ün bağrında âdeta bir tırtılın metamorfoz geçirerek kelebeğe dönüşmesi gibi yeni bir oluşuma giden yolları açmıştı. Böyle bir inkişaf ve gelişmenin devam edeceğine o bölgedeki tekfurlar bile ihtimal vermiyordu. Fakat neticede ıztırarın doğurduğu bir hâdise olarak Devlet-i Âliye ortaya çıkmış ve asırlar boyu yeryüzü muvazenesinde bir denge unsuru olmuştu.

Izdırap: En Makbul Dua

İster ferdî isterse içtimaî planda olsun ıztırar hâli ızdıraplı bir dönemdir. Izdırap ise en makbul bir duadır. Bazen öyle ızdıraplı dönemler yaşanır ki, millet fertleri çaresizlik içinde dört bir taraftan kuşatıldığını hisseder, içten içe sürekli kıvranır durur. İşte böyle bir hâlde insanlar şikâyet etmez, durumlarını sadece Allah'a arz eder, O'na el açar, yalvarıp yakarırlarsa, bu, onlar için en makbul bir dua hükmüne geçer. Esasen, içtimaî ahvalin boz bulanık bir hâl aldığı, dünyanın dört bir yanında zalimlerin "hayhuy"unun duyulduğu, mazlumların iniltilerinin ney gibi dinlendiği ve yığınların çaresizlik içinde kıvranıp durduğu şu günlerde Cenâb-ı Hak inanan gönülleri içine düştükleri bu zilletten kurtaracak ve onlara yeryüzü mirasçılığına giden yolları açacaksa, her hâlde bu, ızdırap içinde yaşadıktan ve ıztırar duasıyla[215] Cenâb-ı Hakk'a tam teveccüh ettikten sonra olacaktır. Zaten tam bir tevhit içinde O'na yönelmeyenlerin, verilecek emanete hıyanet etme ihtimali vardır. Zira o emanet ancak

---

215 Bkz.: Neml sûresi, 27/62.

imtihanlardan geçmiş, ıztırar hâliyle ızdırap çekmiş insanlara devredilir. Rahat içinde elde edilen nimetleri korumak oldukça zordur. Toplum arasında yaygın olan, "haydan gelen huya gider" sözü de bu hakikati ifade etmektedir. Mesela miras yoluyla elde edilen mallar genellikle kıymeti bilinemediğinden mirasyediler tarafından saçılıp savrulmaktadır.

Öyleyse emanette emin olmak ve hak yolunda hizmete sahip çıkmak isteyen günümüz Müslümanlarının da, أَنَّ الْأَرْضَ يَرِثُهَا عِبَادِيَ الصَّالِحُونَ *"Yeryüzüne mutlaka sâlih kullarım vâris olacaktır."*[216] âyet-i kerimesinde işaret edildiği üzere, his, duygu, düşünce, tavır ve davranışlarıyla salaha kilitlenip acz u fakr duygusu içinde, kendilerine yetmediklerinin şuurunda olarak, hâlis bir tevhit ve ıztırar ruh hâliyle Cenâb-ı Hakk'a yalvarıp yakarmaları gerekir.

---

[216] Enbiyâ sûresi, 21/105.

Adanmışlık Ruhu
ve Hayat Standardı

S **oru:** *Adanmışlık düşüncesi üzerine kurulu müessese-*
lerin bünyesinde bile kimi zaman mesainin yoğunluğu
ve ortaya konan işin keyfiyetine göre daha farklı bir maaş ve ha-
yat standardı beklentisi içine girilebiliyor. Bu konudaki mülâha-
zalarınızı lütfeder misiniz?

Cevap: Öncelikle şunu ifade edelim ki, diğer ahlâkî vasıf-
larda olduğu gibi adanmışlık mevzuunda da insanların hepsi ay-
nı seviyede olmaz. Hatta mürşid en katı kalblere bile tesir eden
baş döndürücü bir müessiriyete sahip bulunsa, yine de onun,
irşad ettiği insanların hepsini aynı seviyeye çıkarması mümkün
değildir. Çünkü verenin çok mükemmel vermesinin yanında,
alanın da istidat ve kabiliyetleriyle verilenleri almaya müsait ol-
ması gerekir. Diyelim ki siz kocaman bir su tankeriyle muhatabı-
nızın imdadına koştunuz, fakat onun elinde sadece bir kova var.
Siz bütün tankeri boşaltsanız da kova dolduktan sonra geriye
kalan su dışarıya dökülecektir. Bir şair bu durumu ne güzel ifa-
de eder: "Herkesin istidadına vâbestedir âsâr-ı feyzi" Yani ahz ü
atâ, alıp verme kabiliyetlere göre cereyan eder.

Asr-ı Saadet'e bakıldığında da, müessiriyet mevzuunda zir-
veleri tutan ve her şeyiyle nur ve nuranî olan Resûl-i Ekrem

Efendimiz'in (sallallahu aleyhi ve sellem) etrafında yer alan sahabe-i kiram efendilerimiz arasında bile ciddî seviye farklarının olduğu görülür. Gerçi bizim gibi sıradan insanların, her birisi birer yıldız olan ve hangisinin arkasına düşersek düşelim hidayeti bulacağımız o nuranî zatları belli basamaklara yerleştirmesi ve seviyelendirmesi mümkün değildir. Bununla birlikte bir Hazreti Ebû Bekir veya bir Hazreti Ömer'le bir başka sahabînin aynı mertebede olmadığı da muhakkaktır. O hâlde diyebiliriz ki, sahabe-i kiram efendilerimizden her biri, ilâhî tecellîlerin nokta-i mihrakiyesi olan Habib-i Kibriya Efendimiz'den kendi istidat ve kabiliyetlerine göre istifade etmişlerdir.

Böyle bir seviye farklılığı günümüz adanmış ruhları için de geçerlidir. Mesela onlardan bazıları, ölmeyecek kadar bir gıda ile hayatlarını devam ettirebilecek durumda bulunsalar, hatta bazen aç ve susuz kalsalar bile, yine de kimseden bir şey istemez, hiç kimseye el açmaz ve yüzsuyu dökmezler. Ancak kimileri de bu seviyede bir fedakârlığa katlanamaz; yeme, içme ve rahat yaşama gibi zaaflardan dolayı istiğna düsturunu ihlâl edecek tavır ve beklenti içine girebilirler. Keza bazı insanlar hayatlarını ciddî bir râbıta-i mevt şuuruyla geçirirken, daha başkalarında tul-i emel ve tevehhüm-i ebediyet duygusu hâkimdir. Geçen gün, halk ifadesiyle bir ayağı çukurda, yaşını başını almış birinin bir doktora giderek, "Kulağımıza bazı söylentiler geliyor. Acaba hakikaten ölümsüzlük iksiri diye bir şey var mı?" dediğinden bahsettiler. Hâlbuki bu yaşa gelmiş bir insanın tevehhüm-i ebediyete girerek bir süre daha yaşamayı arzulaması, kanaatimce rezalete talip olması demektir. Tûl-i emel duygusunun yani sonsuz arzu ve emellerle beraber hiç bitmeyen uzun bir ömür isteğinin insan tabiatında bulunduğu bir hakikattir. Fakat unutulmamalıdır ki, bu duygu öbür âlem için insana verilmiştir.

İşte diğer vasıflarda olduğu gibi adanmışlık mevzuunda da bazıları sürekli sizinle oturup kalktıkları hâlde yine de ruh dünyaları itibarıyla sizinle aynı ufku paylaşamayabilirler. Bazılarının gözü dünyevî menfaatler açısından hep yukarıdadır. Bu sebeple onlar verilen maaş, paye veya mansıba kanaat etmez; etmez de belli aralıklarla maaşlarında farklılık, daha yüksek bir makam ve daha geniş dünyevî imkân isterler. İstedikleri makama ulaştıklarında da, bu sefer daha üstte bir makam araştırmaya başlarlar. Kanaatsiz olduklarından dolayı da bulundukları durumdan sürekli şikâyet ederler. Bu açıdan daha başta, adanmışlık dairesinde de olsa her zaman bu tür insanların bulunabileceğini bir realite olarak kabul etmek gerekir.

Emanet Ehline Tevdi Edilmeli

Bu realite karşısında yapılması gereken hususlara gelince; öncelikle insanları belli yerlerde belli vazifelerle tavzifle sorumlu kişiler, mesul oldukları insanların karakter ve tabiatlarını çok iyi okumalı, bu mevzuda mümkün olduğunca müşterek akla müracaat etmelidirler. Bu ortak akıl, basiretle hareket edip hayat basamaklarında yukarı doğru tırmanan insanları her safhada test etmeli ve onlar için, "Bu, şu seviyenin insanıdır." diyebilmelidir. Eğer bu yapılabilirse, daha başta bazı insanların belli konumlara ulaşıp da aşırı isteklerde bulunarak istiğna düsturuna muhalif davranmalarına fırsat verilmemiş olur.

Vakıa, bazen önemli bir yerde istihdam edilmesi gereken bir insana ihtiyaç duyarsınız da kendi kriterlerinize uygun birini bulamayabilirsiniz. Çevrenizde o vazifeyi yapabilecek bir-iki insan vardır, ancak onların da hırs ve kıskançlık gibi zaafları bulunmaktadır. Bununla birlikte bu makamı dolduracak onlardan başka kimse de mevcut değildir. İşte o zaman sizin ölçüleriniz çizgisinde iffetli, müstağni ve fedakâr olmayan birine de, "Ehven-i şerreyn ihtiyâr olunur."[217] diyerek muvakkaten o önemli işi emanet edersiniz. Yani söz konusu boşluğu dolduracak ehil insan bulamadığınızdan dolayı, mutlaka yapılması gerekli o işi ihmal etmeme adına bir başkasıyla o vazifeyi yerine getirmeye çalışırsınız. Fakat işin ehlini bulduğunuzda, ehil olmayan şahsa daha muvafık bir yer işaret eder, onu başka bir yerde istihdam eder, o emaneti de hemen gerçek sahibine

---

[217] Mecelle-i Ahkâm-i Adliye, mad.: 29.

devredersiniz. Çünkü emanet, ehli dururken bir başkasına tevdi edilmez. Yoksa söz konusu vazifeye ihanet edilmiş olur.

Habib-i Kibriya Efendimiz (sallallahu aleyhi ve sellem), kıyametin ne zaman kopacağını soran birisine: فَإِذَا ضُيِّعَتِ الْأَمَانَةُ فَانْتَظِرِ السَّاعَةَ *"Emanet zayî edildiği zaman kıyameti bekle!"* şeklinde cevap vermiştir. Soru sahibi bu kez emanetin nasıl zayi edileceğini sorduğunda ise şöyle buyurmuştur: إِذَا وُسِّدَ الْأَمْرُ إِلَى غَيْرِ أَهْلِهِ فَانْتَظِرِ السَّاعَةَ *"Bir iş, nâehline tevdi edildiği zaman kıyameti bekle!"*[218]

Buna göre siz, ehil olmadığı hâlde birisine bir iş tevdi ettiğiniz takdirde o işte kıyamet kopmuş demektir. Eğer bu iş hep nâehillerin elinde kalmaya devam edip durursa o zaman umumî kıyamet kopabilir. İhtimal ki, dünyanın ömrünün vakt-i merhunu geldiğinde, emanette hıyanet meselesi çok ciddî boyutlara ulaşacak ve âlemşümul bir hâl alacaktır.

İmkânların Genişlemesi ve Gerçek İktisat

Elindekine kanaat etmeyip gözlerini hep daha yukarılara diken insanlarla alâkalı yapılabilecek diğer bir şey, fedakârlık yapma ve elindeki imkânlarla yetinmenin sadece zor şartlarda riayet edilmesi gereken esaslar olmadığı üzerinde durmak ve her halükarda iktisat ve istiğna düsturlarıyla yaşamanın tabiatları hâline gelmesini sağlamaktır. Evet, imkânların genişlemesi, servetin çoğalması bizim genel disiplinimizi değiştirmemelidir. Zira Efendimiz (sallallahu aleyhi ve sellem) nehrin kenarında abdest alan bir insanın bile israftan sakınmasını ifade buyurmuştur.[219] Buna göre nehrin kenarında da olsa abdest alan bir insanın kolunu suyun içine sokup iki üç dakika orada tutması israf olduğu gibi, uzuvlarını dört veya beş kere yıkaması da israftır. Onun orada da yapması gereken yine avucuna suyu alıp üçer kere uzuvlarını yıkamasıdır. Temeli bu ölçüde iktisatlı davranmaya dayanan

---

[218] Buhârî, *ilim* 2, *rikak* 35; Ahmed İbn Hanbel, *el-Müsned* 2/361.
[219] Bkz.: İbn Mâce, *tahâret* 45; Ahmed İbn Hanbel, *el-Müsned* 2/221.

bir din, diğer meselelerde de aynı hassasiyeti ister. Yani denizin kenarındaki bir insanın iktisatlı davranması gerekiyorsa, deniz gibi bir servetin kenarında duran bir insan da muktesit olmalı, müstağni yaşamalı ve hayat tarzını hiçbir zaman değiştirmemelidir. Mesela yeme-içme mevzuunda İslâm'ın koyduğu ölçülere her zaman riayet etmeli ve asla israfa girmemelidir. Bildiğiniz üzere Hazreti Pîr tenevvü-ü et'imenin sunî bir iştah oluşturacağına dikkat çekmiştir.[220] Demek ki insanın, bir çeşit yemekle doyacakken, mükellef sofralar hazırlatarak bir lokma ondan, bir kaşık şundan, bir parça da diğerinden alması onda sunî iştihayı tetiklemektedir. İşte bu durum, mahzurlu bir hâl teşkil eder. Dolayısıyla Cenâb-ı Hak ne kadar servet verirse versin, insanın ihtiyacı ölçüsünde yiyip içmesi, hiçbir zaman aşırıya kaçmaması gerekir.

Sahabe-i kiram efendilerimizden bazıları çok büyük servetlere sahip olmalarına rağmen çok basit bir hayat yaşamışlardı. Mesela Hazreti Osman, Tebük Seferi öncesinde üç yüz deveyi vermenin yanında on bin tane de askeri teçhiz edecek kadar imkâna sahipti.[221] Fakat buna rağmen Hazret, yaşama standartlarını hiç değiştirmemişti. Çok defa hayatını Mescid-i Nebevî'de kumlar üzerinde geçiriyordu. Kumdan yastık yapıyor ve kıvrılıp kumların üzerine yatıyordu. Diğer insanlarla aynı yemeği yiyordu.[222] Hayatını aynı basitlik içinde götüren Hazreti Ali'nin de sadece bir kat elbisesi vardı. Hem yaz hem de kış onu giyiyordu.[223] Hâlbuki o, Türkiye'nin yirmi katı büyüklüğünde bir devletin halifesiydi ve o gün için bu devlete dört bir yandan ganimet akıyordu. Buna rağmen o ve diğer büyükler, Efendimiz'in (sallallâhu aleyhi ve sellem) yaşadığı hayatı tercih ederek hayatlarını hiç değiştirmemiş ve sade bir hayat sürmeye devam etmişlerdi. Bunlar bizim için de çok önemli misallerdir. Eğer bizim imkânlarımız genişlediğinde, hayatımız da değişecekse hafizanallah namütenahi bir değişmenin fasit dairesine girmişiz demektir.

---

[220] Bkz.: Bediüzzaman, *Lem'alar* s.175 (On Dokuzuncu Lem'a, İkinci Nükte).
[221] Bkz.: Tirmizî, *menâkıb* 18; Ahmed İbn Hanbel, *el-Müsned* 4/75.
[222] Bkz.: Ebû Nuaym, *Hilyetü'l-evliyâ* 1/60; el-Beyhakî, *es-Sünenü'l-kübrâ* 2/446.
[223] Bkz.: İbn Mâce, *mukaddime* 11; Ahmed İbn Hanbel, *el-Müsned* 1/99.

Bohemce Yaşamanın Sınırı Yoktur

Bu konuda o kadar sâbitkadem olmalısınız ki, Cenâb-ı Hak gökten şakır şakır para yağdırsa ve onlar önünüzde bir tepe oluştursa, siz yine de, "Ne kadar çok gelirsen gel, benden nasibini alamazsın, kalbime giremezsin. Ben seni kullanacağım yeri biliyorum." diyebilmelisiniz. Bazı ehlullah, Allah'ın kendilerine verdiği malların hepsini ertesi güne bir dirhem bile bırakmadan Allah yolunda harcamışlardır. Buhârî'de geçen bir hadis-i şerif de dünyevi imkânlar karşısında nasıl bir tavır takınmamız gerektiği hususunda bize yol göstermektedir. Buna göre bir gün Allah Resûlü (sallallahu aleyhi ve sellem) Mescid-i Nebevî'de tam namaza durmak üzereyken, heyecanla birden mihraptan ayrılarak hücre-i saadetlerine girmiş ve bir süre sonra tekrar çıkıp gelerek cemaate namaz kıldırmıştır. Namazı bitirdikten sonra hayret içinde bekleyen cemaate dönerek şöyle demiştir: *"Tam namaza duracağım esnada, eve gelen bir hediyeyi hatırladım. Evimdeki bu dünya malı kafamı meşgul eder diye Âişe'ye onu başkasına vermesini söyledim. Ta ki kalbim fârığ olarak Allah'ın huzurunda durayım."*[224] Efendimiz'in (sallallahu aleyhi ve sellem) bu mükemmel yaşayışı, nuraniyeti ve insibağı etrafındakilerde öyle bir tesir icra ediyordu ki, sahip oldukları imkânlar sahabe efendilerimizin tavır ve davranışlarını hiçbir zaman değiştirmiyordu.

İktisat Risalesi bu konuda çok önemli bir rehberdir. Kanaate ve iktisatlı yaşamaya alışmak için zaman zaman onu okumak çok faydalı olacaktır.[225] Yoksa refah içinde, çakırkeyif ve bohemce bir hayat yaşamanın bir sınırı yoktur. İnsan kendisini böyle bir hayata salarsa, hafizanallah koca bir ömrü cismaniyetin güdümünde tüketir. Bu açıdan ister fakir isterse zengin olsun herkes için iktisat ve kanaat çok önemli birer değerdir.

Hususiyle Kur'an ve iman hizmetine gönül vermiş inananlar için kanaat daha bir ehemmiyet arz eder. Onlara, çoluk çocuğunu ve kendisini geçindirecek miktarda bir maaş takdir edilmesi,

---

[224] Buhârî, *amel fi's-salât* 18; Nesâî, *sehv* 104; Ahmed İbn Hanbel, *el-Müsned* 4/7, 384.
[225] Bkz.: Bediüzzaman, *Lem'alar* s.174-183 (On Dokuzuncu Lem'a).

onları istihdam edenlerin vazifesidir. Ancak adanmışlık yoluna baş koyanların da bir ömür boyu hep muktesit ve kanaatkâr olmaları ve kendi hayatlarını dışarıdaki insanların hayatlarıyla mukayeseye girişmemeleri gerekir. İster yurt içinde isterse yurt dışında, nerede olursa olsun adanmış ruhlar burs ölçüsünde bir maaşla çalışmaya kendilerini alıştırmalıdırlar. Dışarıdaki insanların çok yüksek maaşlarla çalışmaları fedakârlık ufkunda pervaz edenler için örnek teşkil etmez. Onlar ev-bark sahibi olmayı düşünmez, başını sokacakları kiralık bir ev bulur ve çoluk çocuklarının geçimini temin edecek miktarda Cenâb-ı Hakk'ın lütfettiği şeylerle geçinir giderler.

Adanmışlığın temel disiplini budur. Maaş, kıdem peşinde koşanlara imrenip onların durumunu esas almak bu disiplini bozmak demektir. Bazıları yiyip içip, yan gelip yatarak hayatlarını gaflet içinde geçirebilirler. Fakat bu, adanmış bir ruh için ölçü değildir. Cenâb-ı Hak, hak yolunda koşturanlardan bazılarına meşru yollardan bazı imkânlar bahşedebilir. Bu ayrı bir meseledir. Fakat hakka hizmet yolunun imkânlarından istifade eden insanların bu konuda çok dikkatli olmaları gerekir. Hiç kimse hak ettiğinin üstünde bir şey almamalıdır. Hazreti Ebû Bekir, hilâfeti süresince maişeti için gerekli miktarın üzerinde bir maaş verildiğinde çoluk çocuğunun geçiminin dışında kalanını bir testinin içine atmış ve vefat ederken de bu testinin kendisinden sonraki halifeye verilmesini vasiyet etmiştir. Bu durum karşısında Hazreti Ömer gözyaşlarını tutamamış ve, "Kendinden sonra başkalarına âdeta hak ve mesuliyet hassasiyetiyle yaşama imkânlarının yolunu kestin."[226] ifadeleriyle o büyük zatın büyüklüğünü dile getirmiştir. Esasen günümüzün adanmış ruhları da böyle olma mecburiyetindedir.

Eğer onlar, başkalarının sahip oldukları imkânlara veya aldıkları maaşa bakarak, "Herhâlde bu makamın, bu konumun hakkı buymuş." deme gibi bir zehaba kapılırlarsa, bilmelidirler ki Allah yolunda soluk soluğa koşsalar bile, bu düşüncelerinden dolayı onlar ahirete ait nimetleri dünyada yiyip bitiriyorlar.

---

[226] Bkz.: İbn Sa'd, *et-Tabakâtü'l-kübrâ* 3/186; et-Taberî, *Târîhu'l-ümem ve'l-mülûk* 2/354.

Sürekli Muhasebe

Konuyla ilgili dikkat edilmesi gereken bir diğer mesele de, "Acaba ben aldığım bu maaşı hak ediyor muyum?" muhasebesi içinde olmaktır. Hatta umuma açık bir yerde namaz kılarken, bir kurumun yemeğini yerken bile her zaman onu hak edip etmediğimizin muhasebesini yapmalıyız. Mesela biz, burada namaz kılıyor, buranın sularıyla abdest alıyor ve buranın yemeğini yiyoruz. Kendimizi hizmete vakfetmiş bulunsak da, biz yine de "acaba" deyip iç dünyamızda bu tür meselelerin endişesiyle kıvrım kıvrım kıvranmalıyız.

Allah'ın nâm-ı celilinin yüceliğinin herkes tarafından bilinmesi için verilen mücadelede elde edilen ganimet bile, belli kurallara bağlı olarak meşru ve mübah kılınmıştır. Mesela bir muharebede, Resûl-i Ekrem Efendimiz (sallallahu aleyhi ve sellem): مَنْ قَتَلَ قَتِيلًا لَهُ عَلَيْهِ بَيِّنَةٌ فَلَهُ سَلَبُهُ *"(Savaş esnasında) Kim bir düşmanı öldürür ve bunu ispatlarsa, maktûlün üzerindeki mallar kendisinin olur."*[227] buyurmuştur. Fakat ismini bilemediğimiz bir sahabîye ganimet verilmek istendiğinde: "Ben bunun için Müslüman olmadım. Ben, (boğazını göstererek) şuradan bir ok yiyeyim diye Müslüman oldum." demiş ve ganimeti elinin tersiyle geriye itmiştir.[228] İşte ben, bizim hak yolunda hizmet mesleğimizi bu düşünceye bağlıyorum. Bu meslek içinde bulunanlar hep müstağni yaşamalıdırlar. Böyle insanlar halk nazarında da makbul hâle gelirler. Onlar, tavır ve davranışlarıyla müessir olurlar. Onlar görüldüğünde Allah hatırlanır. Onların çok fazla bir şey anlatmalarına gerek yoktur. Çünkü onların tavırları fasih bir lisan ve talâkatli bir hitabedir. Yoksa bu kıvamı yakalayamayan insanların bağırıp çağırmaları insanlara çok fazla bir şey ifade etmez. Muvakkaten onları meşgul etse de, Allah'a doğru yürüme istikametinde kat'iyen onlara mesafe aldıramaz.

Belki bazılarımız bu ölçüde bir hayat yaşamayı çok zor görebilirler. Fakat biz, zora talip olmuşuz. Unutmamalıyız ki

---

[227] Buharî, *hums* 18, *meğâzî* 54; Müslim, *cihâd* 41.
[228] Nesâî, *cenâiz* 61; Abdurrezzak, *el-Musannef* 7/271; et-Taberânî, *el-Mu'cemü'l-kebîr* 2/271.

Cenâb-ı Hakk'ın Efendimiz'e hitaben ifade buyurduğu: وَلَلْاٰخِرَةُ خَيْرٌ لَكَ مِنَ الْأُولٰى *"Ahiret, öncü olan bu dünyadan senin için daha hayırlıdır."*[229] âyet-i kerimesi bizim için de geçerlidir. Başka bir âyet-i kerimede de Allah Teâlâ, bunun aksini düşünenleri şu ifadeleriyle tevbih etmiştir: كَلَّا بَلْ تُحِبُّونَ الْعَاجِلَةَ وَتَذَرُونَ الْاٰخِرَةَ *"Gerçek şu ki: Siz bu peşin dünya hayatına çok düşkünsünüz. Onun için âhireti terk edip durursunuz."*[230]

Hazreti Pîr de: "Evet يَسْتَحِبُّونَ الْحَيٰوةَ الدُّنْيَا عَلَى الْاٰخِرَةِ[231] âyet-i kerimesinin işaretiyle, bu asır, hayat-ı dünyeviyeyi hayat-ı uhreviyeye, ehl-i İslâm'a da bilerek, severek tercih ettirdi." demiştir.[232] Yani o, ahir zamandaki en büyük bir felâket olarak dünya sevgisinin ahiretin önüne geçmesini göstermiş ve yukarıdaki âyetin asrımıza baktığını söylemiştir. يَسْتَحِبُّونَ fiilinin muzari sigasıyla geldiğini göz önüne alacak olursak, bu durumun uzun bir süre devam edeceğini anlayabiliriz. Dolayısıyla önümüzdeki yıllarda da dünya hayatını, bilerek ahiret hayatına tercih etme anlayışının devam edeceği söylenebilir. Seyyid Kutup herhâlde bu gibi hususları göz önünde bulundurarak, bir kitabına, هَلْ نَحْنُ مُسْلِمُونَ "Biz Müslüman mıyız?" ismini vermiştir. Gerçi Ebû Hanife'nin Fıkh-ı Ekber'deki ifadelerine göre böyle bir tereddüt insanı küfre düşürür.[233] Fakat, "Biz nasıl Müslümanız!" mânâsında bunu kullanmada bir mahzur yoktur. Veya bu anlayışa, "Nerede İslâmiyet, nerede biz" bakış açısı da diyebilirsiniz. İstiklâl Şairimiz de:

> *"Müslümanlık nerede, bizden geçmiş insanlık bile;*
> *Âlem aldatmaksa maksat, aldanan yok nafile!*
> *Kaç hakikî Müslüman gördümse, hep makberdedir,*
> *Müslümanlık, bilmem amma, galiba göklerdedir!"*

mısralarıyla aynı derde işaret etmiştir.

---

229 Duhâ sûresi, 93/4.
230 Kıyâmet sûresi, 75/20-21.
231 *"Bile bile dünyayı (âhirete) tercih ederler."* (İbrahim sûresi, 14/3)
232 Bkz.: Bediüzzaman, *Kastamonu Lâhikası* s.82.
233 Bkz.: Aliyyülkârî, *Şerhu'l-Fıkhi'l-ekber* s.241-242.

Evet, bu asrın ifritten bir çağ olduğu muhakkak. Bol bol tüketen, yiyip içip yan gelip yatan insanların neş'et ettiği bir çağda yaşıyoruz. Ahiret duygusu katledilmiş ve üzerine kocaman kocaman taşlar konularak kalkmamak üzere yerin altına gömülmüş. O hâlde asla unutulmamalı ki, böyle bir zamanda başkaları üzerindeki müessiriyetimiz yere düşen gölgemizle çok alâkalıdır. Biz ne kadar doğru isek, gölgemiz de yere o kadar doğru düşecek ve hâlimiz gönüllerde o ölçüde müessir olacaktır.

Mükemmellik Düşüncesi ve Tevazu

Soru: *Bir yandan çeşit çeşit beklentilerimize cevap verebilecek kahramanlarımızın halktan birer insan olmaları ifade edilirken, diğer yandan da sürekli seviyeli ve donanımlı insan olma nazara veriliyor. Zâhiren birbirine zıt gibi görünen bu iki husus nasıl cem edilebilir?*

Cevap: Peygamberlik mesleği olan irşad ve tebliğ vazifesi açısından meselenin değerlendirmesini yapacak olursak; insanda, hem mükemmeliyet ufkunu yakalama, hem de kendini sıfırlama anlayışının bir arada bulunması, öncelikle, her iki vasfın da irşad ve tebliğ adına olmazsa olmaz birer esas olduklarına inanmaya bağlıdır. Evet, anlatılması gerekli olan hususları başkalarına anlatabilmek ve Allah'ın izniyle, vicdanlarda tesir uyarabilmek için hem mükemmel bir donanıma sahip olma gayreti, hem de mahviyet ve tevazuyla kendini insanlardan bir insan olarak görme hasleti şarttır. Zira ilme ve irfana dayanmayan irşad ve tebliğ muhatapta güven bunalımına sebebiyet vereceği gibi, kibir ve gururla kirlenmiş ağızlardan çıkan sözler de kesinlikle kalblere nüfuz etmeyecek, etse bile orada kalıcı olmayacaktır. Hazreti Pîr de eserlerinde bir taraftan cehaletin bizim için çok

ciddî bir belâ olduğu üzerinde durmuş, diğer taraftan da çağı-
mızda benliğin çok ileriye gittiğine vurguda bulunarak onun da
ayrı bir afet olduğuna dikkatleri çekmiştir.

Mârifet ve Mahviyetle Çift Kanatlı İrşad Ruhu

Şimdi isterseniz irşad ve tebliğ insanı için bir çift kanat konu-
munda bulunan bu iki hususiyeti bir nebze açmaya çalışalım:

Çağımızda mü'minin, temsil etmesi gereken hakikatleri
hakkıyla temsil edebilmesi için, bir taraftan yaşadığı çağı, sosyal
yapıyı, dünyadaki hâdiseleri ve tekvînî emirleri çok iyi okuma-
sı, okuyup anlaması ve doğru değerlendirmesi; diğer yandan da
özellikle günümüze bakan yönüyle teşriî emirleri bilmesi ve böy-
lece ibnü'z-zaman veya ibnü'l-vakt olması gerekir. Yoksa çok
hakikatler onun seviyesizliğine takılır kalır; kalır da sahip olu-
nan değerler muhataplar nazarında değersizliğe mahkûm olur.
Evet, her şey netice itibarıyla ilme bağlı olduğu gibi bizim de
kendi değerlerimizi ifade edebilmemiz için ilim, çok önemli bir
faktördür. Buradaki ilimden kastımız günümüzde anlaşılan şek-
liyle bilim değil, eşya ve hâdiseleri ön ve arka planlarıyla bera-
ber değerlendirmek suretiyle bizi bir sonuca götürecek ve gidip
mârifetle neticelenecek bilgidir.

Aslında bir insanın böyle bir ilme sahip olmadan bırakın
başkalarına anlatmayı, kendisine bile bir şey anlatması müm-
kün değildir. O, ilim ve mârifetle donanacağı ana kadar nefsinin
bir kısım itirazlarının önüne geçemeyecek, fikrî kargaşa ve gel-
gitlerden kurtulamayacaktır. Kendi içinde, kendi kafasında ve
kendi kalbinde problemlerini çözememiş böyle biri, başkasına
bir şey anlatmaya çalıştığında ciddî zorlanacak ve belki de far-
kına varmaksızın demagojiye girecek, diyalektiğe başvuracaktır.
O, kendi içindeki tereddüt ve şüpheleri aşacağı ana kadar da bu
türlü ifade falsolarından kurtulamayacaktır.

Bu açıdan bizim öncelikle arka planları ve dayanaklarıyla,
ruh ve özüne de vâkıf olarak kendi meselelerimizi bilmemiz, son-
ra da ilimle varılacak mârifeti, mârifetle ulaşılacak muhabbeti,

bunlarla Allah'a karşı duyulacak aşk u iştiyakı vicdanımızda duyup hissetmemiz gerekir. Eğer bunları kendimize mâl edebilir ve ağzımıza dökülen kelimelerin fotoğraflarını kalb ve kafamızda görebilirsek, kendi içimizde çelişki yaşamaz ve tenakuzlara düşmekten kurtulmuş oluruz.

Bundan dolayı mürşid ve mübelliğ, ne yapıp edip mutlaka Allah'ı hoşnut edecek, derince ve çok buudlu ilme sahip olmaya çalışmalıdır. Fakat irşad ve tebliğ için sadece ilim ve mârifet yeterli değildir. Aynı zamanda insanoğlunun, bu çok önemli varidat ve mevhibelerin tamamen Cenâb-ı Hakk'ın lütuf ve ihsanı olduğunun şuurunda bulunması gerekir. Üstad'ın Mektubat'ta dikkat çektiği üzere aslında bütün bu nimetler Sultan tarafından insana giydirilen bir kürk gibidir.[234] Dolayısıyla bu nimetler görmezden gelinemez. Fakat onların bize ait olmadıkları mülâhazasını da hiçbir zaman unutmamalıyız. Yani bizim yapmamız gereken, güzelliği inkâr etmeyerek onu asıl sahibine vermektir. İşte bu bakış açısını yakalayabildiğimiz takdirde, tevazu, mahviyet ve hacâletin kapılarını aralamış ve Hazreti Ali'nin كُنْ عِنْدَ النَّاسِ فَرْدًا مِنَ النَّاسِ "İnsanlar nezdinde onlardan bir fert ol." sözünün mâsadakı hâline gelmiş oluruz. Bu da mutlak küçüklükle mükemmeliyet ufkunu cem etme demektir.

Bu duygu ve düşüncenin kalıcı hâle gelmesi ise, insanın, sahip olduğu her şeyi gerçek sahibine vermesi ve kendisinin bir hiç olduğunu vicdanına kabul ettirmesiyle mümkündür. Daha önce bir espriye bağlı olarak ifade ettiğim mülâhazamı müsaadenizle bir kere daha tekrarlamak istiyorum: Eğer bize; "Allah'a ait olan şeyleri bir kenara koyarak, O'na karşı bir tekmil verin." deseler, herhâlde ortada bize ait bir şey kalmayacaktır. Bu açıdan bize düşen, her zaman mahviyet, tevazu ve hacâletle iki büklüm hâlde Rabbimize teveccüh etmektir.

Esasen günde beş vakit namazın teşriînde bu hakikate ait hikmetlerin olduğu söylenebilir. Çünkü insanın günde beş defa Allah'ın huzuruna koşarak el pençe divan durması bir inkıyat

---

[234] Bkz.: Bediüzzaman, *Mektubat* s.416-417 (Yirmi Sekizinci Mektup, Yedinci Mesele).

ifadesidir. Onun rükûa gitmesi bir tevazu, yüzünü yerlere koyarak secde etmesi ise mahviyet ifadesidir. İşte siz mahvolduğunuz zaman hadisin ifadesiyle Allah'a en yakın hâle geliyorsunuz.[235] Esasında secde anı, insanın kendisinden sıyrıldığı ve O'na ait tecellîlerin rengine boyandığı anın unvanıdır. Yani siz secde hâlindeyken, sizden içeri öyle bir "ben"e ulaşıyorsunuz ki, o "ben" O'ndan gelen tecellîlerden ibarettir. Demek ki, insanın Allah'a en yakın olma hâli, insanın kendisini nefyetmesine bağlıdır.

En Mütevazı İnsan, İnsanların En Kâmili

لَقَدْ كَانَ لَكُمْ فِي رَسُولِ اللهِ أُسْوَةٌ حَسَنَةٌ *"Şânım hakkı için Resûlullah'ta size örneğin en güzeli vardır."*[236] âyet-i kerimesinde ifade edildiği gibi, oturuşuyla, kalkışıyla, konuşmasıyla kısacası her türlü tavır ve davranışıyla bizlere hüsnümisal olan Allah Resûlü (sallallâhu aleyhi ve sellem) bu mevzuda da bizim için en güzel bir örnek olmuştur. İki Cihan Serveri, *"Eğer sen olmasaydın varlığı yaratmayacaktım."*[237] sözünün muhatabıdır. Üstad Necip Fazıl'ın dediği gibi: "O ki, O yüzden varız." Varlık âleminde ilk taayyün eden O'nun nuru olduğu gibi,[238] O aynı zamanda varlık ağacının en mükemmel meyvesidir. Başka bir ifade ile nur-i Muhammedî bu kâinat ağacının bir çekirdeği ve kâinat kitabını yazan kalemin de mürekkebidir. Ve yine O, bu kâinat meşherinde bir teşrifatçıdır. Muhakkikînin ifadesiyle Efendimiz (sallallâhu aleyhi ve sellem), ulûm-i evvelîn ve ahirîni câmi bir Zât'tır. Her türlü müşkil, Allah'ın izni ve inayetiyle o Mülkilküşâ'nın elinde hemen çözülüvermiştir. Herkes dünya ve mâfîhâyı hikmet nazarıyla değerlendirmeyi O'ndan öğrenmiştir.

İşte böyle bir Zât-ı Mümtaz olan Efendimiz (aleyhissalâtü vesselâm) aynı zamanda bir tevazu ve mahviyet âbidesidir. Huzur-u risalet penahide birisi O'na, "Seyyidimiz." dediğinde

235 Bkz.: Müslim, *salât* 215; Ebû Dâvûd, *salât* 148; Nesâî, *tatbîk* 78.
236 Ahzâb sûresi, 33/21.
237 Aliyyülkârî, *el-Masnû'* s.150; *el-Esrâru'l-merfûa* s.295; el-Aclûnî, *Keşfü'l-hafâ* 2/214.
238 Bkz.: es-Suyûtî, *el-Hâvî* 1/325; el-Halebî, *es-Sîratü'l-Halebiyye* 1/240.

–hakikatte O, öyle olsa bile– o sahabîye bu ifadesinden dolayı itapta bulunmuştur.[239]

فَاصْبِرْ لِحُكْمِ رَبِّكَ وَلَا تَكُنْ كَصَاحِبِ الْحُوتِ "*Rabbinin hükmüne sabret ve balığın yoldaşı zât (Hazreti Yunus) gibi olma!*"[240] âyet-i kerimesi nazil olduğunda da, Ashab-ı kiramdan bazılarının aklına farklı bir düşünce gelebilir diye: "*Beni, Yunus İbn Metta'ya tercih etmeyin!*"[241] buyurmuştur. Başka bir zaman kendisinin mehabet ve heybetinden titreyen birine: "*Korkma! Ben kurutulmuş et yiyen bir kadının çocuğuyum.*"[242] ifadesini kullanmıştır. Mescid-i Nebevî'nin inşası esnasında herkes sırtında kerpiç taşırken, O (aleyhissalâtü vesselâm) da taşımıştır.[243] Ashabıyla birlikte çıktığı bir yolculukta yemek pişirmek gerektiğinde ise, herkes işin bir ucundan tutarken, O da odun toplama vazifesini üstlenmiştir.[244] Zira O arkadaşlarının ortaya koyduğu işlerde, hiçbir zaman onlardan ayrı düşmeme gayreti içinde olmuştur.

İşte yıldızların kaldırım taşı gibi ayaklarının altına serildiği Hazreti Ekmel-i Kümmelîn (Kâmillerin En Kâmili) hem bütün yönleriyle kâmil-i mükemmel, hem de tevazu ve mahviyet âbidesi olarak zıtları kendisinde toplamış ve böylece en mükemmel ve en inandırıcı bir temsille ruhlara nüfûz etmiştir. O hâlde bize düşen de hakikî mânâsıyla o Rehber-i Ekmel'i adım adım takip etmek olmalıdır.

---

[239] Bkz.: Ebû Dâvûd, *edeb* 9; en-Nesâî, *es-Sünenü'l-kübrâ* 6/70.
[240] Kalem sûresi, 68/48.
[241] Buhârî, *enbiyâ* 35; Müslim, *fezâil* 166-167.
[242] İbn Mâce, *et'ime* 30; Taberânî, *el-Mu'cemü'l-evsat* 2/64.
[243] Bkz.: Ahmed İbn Hanbel, *el-Müsned* 2/381; İbn Sa'd, *et-Tabakâtü'l-kübrâ* 2/66
[244] Bkz.: et-Taberî, *Hülâsatü siyeri Seyyidi'l-beşer* s.87; es-Safedî, *el-Vâfî bi'l-vefeyât* 1/72.

Heyecan ve Mantık Buudlu Adanmış Ruhlar

S *oru: Bir mü'minin adanmışlığının tezahürleri nelerdir? Yeni nesillerde aşk u heyecan uyarmak ve bu heyecanı kalıcı kılmak için neler yapılmalıdır?*

Cevap: Adanmışlık ruhunun geliştirilmesi öncelikle insanların, temsil ettikleri dine sağlam inanmalarına bağlıdır. İman olmadan, insanlarda adanmışlık ruhu hâsıl etmek mümkün değildir. Böyle bir imanın oluşma süresi ise istidat ve kabiliyetlere göre farklılaşabilir. Bazı kimseler için çok kısa rehabiliteler yeterli olur; kimi insan kırk saatte duyacağını duyar, göreceğini görür ve anlayacağını anlar. Ancak aynı ufka ulaşabilmek için bir başkası kırk güne, kırk aya, hatta kırk seneye ihtiyaç duyabilir. Mesela Cüneyd-i Bağdadî Hazretleri gibi inkişafa açık müstait bir fıtrat bile bazı şeyleri altmış yaşından sonra duyup hissettiğini ifade etmiştir. Hazreti Cüneyd'in bu sözünü, onun altmış yaşına kadar ciddî bir şey duymadığı, görmediği, tatmadığı şeklinde anlamak elbette ki doğru değildir ve böyle bir anlayış o mümtaz ruha karşı saygısızlık olur. O hâlde nasıl anlamalıyız onun bu sözünü? O büyük insan, gözünü insan-ı kâmil ufkuna dikmiş hep oraya bakıyordu. Demek ki o ufka dair bir kısım esintileri duymak belli bir zamana vâbesteydi. Belki de o, bu sözüyle insanlardaki istidat farklılıklarına dikkat çekmek istemişti. Hâsılı, niyet ve maksat ne olursa olsun, bizler, o büyük zatlar hakkında konuşurken dikkatli olmalı, olumsuz mülâhazalardan sakınmalı ve yanlış bir söz söylemekten Allah'a sığınmalıyız. Yoksa gayretullaha dokunacak bir hata irtikâp etmiş oluruz.

Günümüz Nesillerine Yapılabilecek En Büyük İyilik

Asıl konumuza dönecek olursak, gönüllerde adanmışlık duygu ve düşüncesini tutuşturmak günümüzde biraz daha zor hâle gelmiştir. Yuvanın insanın metafizik enginliklerine dair ciddî bir şey ifade etmediği, sokağın aleyhte işlediği, maarif yuvalarında bu duygu ve düşüncenin sunulmadığı, camilerde bu aşk u heyecanın gönüllere üflenmediği, kalb ve ruh ufkuna yöneltecek müesseselerin de bulunmadığı böyle bir dönemde sinelere adanmışlık ruhunu duyurmak hususî bir kısım gayretlere bağlıdır. Evet, insanları bedenin tesirinden sıyırma, cismaniyetin esiri olmaktan kurtarma, kalb ve ruhun derece-i hayatına yönlendirme, rıza-i ilâhîyi tahsili hayatlarının gayesi hâline getirme, onların oturup kalkıp اَللّٰهُمَّ عَفْوَكَ وَعَافِيَتَكَ وَرِضَاكَ "Allah'ım Senden afv u afiyet ve rızanı istiyorum." demelerini temin etme çok ciddî gayret ister.

İnsan, tabiatı icabı dünyaya, dünyanın cazibedar güzelliklerine düşkündür. Hele günümüzde dünyevî hedef ve gayeler daha bir öne çıkarıldığından dolayı, insanların dünyaya ait işlerde neredeyse mükemmel denecek bir seviyede yetiştirildikleri söylenebilir. Bu açıdan kanaatimce günümüz nesillerine yapılabilecek en güzel iyilik, onların gönüllerine başkaları için yaşama arzu ve heyecanını duyurmaktır.

Esasen böyle bir aşk u heyecan, İslâm'ın özüne ait çok önemli bir rükündür. O, namaza aksettiğinde, hudû ve huşû şeklinde kendisini hissettireceği gibi i'lâ-yı kelimetullah mevzuunda da size adanmışlık ruhuyla dur durak bilmeden sürekli koşmayı telkin eder. İslâm'ın ruhuyla irtibatlı böyle bir aşk u heyecandan mahrum gönüllere ise siz ne anlatırsanız anlatın onlardan fedakârlık ve hasbîlik adına ciddî bir gayret göremezsiniz.

Heyecansızlık Kalbin Ölümü Demektir

Dolayısıyla insanda, evvela, ızdıraptan iki büklüm olup kendini yerden yere vuracak şekilde delice bir heyecan olmalıdır. Öyle ki, imandan mahrum gönüller karşısında, "Şu insanlar niye inanmıyorlar!" diye onun şakakları zonklamalı, kalbi duracak ve kafası çatlayacak hâle gelmelidir. Eğer insanda böyle delice bir heyecan varsa siz, "Heyecanına kurban olayım senin. Onun başımın, gözümün üstünde yeri vardır." der; der ve onun bu heyecanını, İslâm'ın akıl ve mantığıyla tadil edebilirsiniz. Başka bir ifadeyle onun taşkınlığa ulaşabilecek bu coşkunluğunu hayra yönlendirebilirsiniz. Mesela o aşk u heyecanı hakta sebat ve süreklilik istikametinde kullanmasını sağlayabilirsiniz. Demek ki evvela insanlarda aşk u heyecanla doludizgin bir ruh hâlini temin etmelisiniz. Zira heyecanın olmadığı yerde, sırf kuru bir akıl ve mantıkla kalıcı ve uzun soluklu herhangi bir iş yapılması mümkün değildir. Evet, öncelikle insanlar gönülden bir aşk u heyecanla yüce bir mefkûreye inanıp sahip çıkmalıdırlar ki, bütün engelleme ve zorluklara rağmen bir ömür boyu durmaları gerektiği yerde dimdik ve kararlı durabilsin, koşmaları gerektiği yerde de küheylanlar gibi çatlayıncaya kadar koşabilsinler.

Her güzel sıfatta olduğu gibi Resûl-i Ekrem Efendimiz (sallallâhu aleyhi ve sellem) bu mevzuda da bizim için en güzel misaldir. Bakın, Cenâb-ı Hak, Yüce Kitabı'nda O'nun bu vasfıyla alâkalı ne buyuruyor: فَلَعَلَّكَ بَاخِعٌ نَفْسَكَ عَلَى آثَارِهِمْ إِنْ لَمْ يُؤْمِنُوا بِهَذَا الْحَدِيثِ أَسَفًا *"Bu Kur'ân'a inanmazlar diye neredeyse arkalarından kendini harap edeceksin."*[245] Başka bir yerde ise: لَعَلَّكَ بَاخِعٌ نَفْسَكَ أَلَّا يَكُونُوا مُؤْمِنِينَ *"Resûlüm! Onlar iman etmiyorlar diye âdeta kendine kıyacaksın."*[246] buyruluyor. İşte bu âyetler,

---

[245] Kehf sûresi, 18/6.
[246] Şuarâ sûresi, 26/3.

İnsanlığın İftihar Tablosu'nun (aleyhissalâtü vesselâm) nasıl bir İslâmî heyecana sahip olduğunu gösteriyor. Cenâb-ı Hak, O'nun bu heyecanını: اِنَّكَ لَا تَهْدِي مَنْ أَحْبَبْتَ وَلٰكِنَّ اللّٰهَ يَهْدِي مَنْ يَشَاءُ *"Sen istediğini hidayete erdiremezsin. Ancak Allah istediğini hidayet eder."*[247] buyurmak suretiyle tadil ediyor. Dolayısıyla insanda böyle bir İslâmî heyecan olursa, biz onu Kur'ân'ın muhkematıyla tadil edebiliriz. Ona, doludizgin hareket etmenin ne getirip ne götüreceğini nazar-ı itibara almasını ve zamanı, konjonktürü, muhatapların hissiyatını, nasıl bir mukabelede bulunacaklarını hesap etmesini söyleyebiliriz. Fakat başta böyle bir heyecan yoksa siz neyi tadil edeceksiniz ki?

Devamlılık ve kararlılık için bu denli heyecanla dopdolu ruh hali gereklidir; ancak akıl ve mantık hiçbir zaman his ve heyecana feda edilmemelidir. Çünkü bu durumda dengesizlik ve aşırılıklar ortaya çıkar. Bu sebeple bir yandan yürekler heyecanla çırpınır dururken diğer yandan da akıl ve mantık her zaman heyecanın önünde bulunmalı ve o heyecan hep müspet yola kanalize edilmelidir.

Mantık ve Heyecan Birbirinin Destekleyicisi Olmalı

Ayrıca bizim talip olduğumuz ve gerçekleştirmeye çalıştığımız yüce bir mefkûremiz varsa, bir yerde yolların tıkanıp kalması bizi yolumuzdan alıkoymamalıdır. İnanan gönüller olarak biz, yürüdüğümüz bir yol tıkandığında, alternatif başka bir yol bulur ve oradan yolumuza devam ederiz; o da tıkanacak olursa yeni bir yol araştırmaya koyuluruz. Yollar büsbütün yürünmez hâle gelse bile, "Biz yapamazsak bizden sonraki nesil, onlar da yapamazsa onlardan sonraki nesil Allah'ın izni ve inayetiyle mutlaka bu gaye-i hayali gerçekleştirecektir." der ve hayatımız boyunca ümidimizden hiçbir şey kaybetmeden çalışıp çabalamaya devam ederiz. Gerekirse yıldızları gökten aşağı çekip, onlarla bir kısım oyunlar oynayacak kadar âlî himmetle yüksek gayeler

---

[247] Kasas sûresi, 28/56.

peşinde koşar, dûn himmetliğin insanı öldüreceği mülâhazasıyla çıtayı hep yüksek tutmaya çalışırız. Fakat bunun yanında aklî ve mantıkî ölçülere riayet edip planlarımızın realize edilebilirliğine de ihtimam gösteririz. Yani mü'minin mantık ve heyecanı arasında hiçbir zaman tenakuz yaşanmaz/yaşanmamalıdır. Bilâkis bunlar birbirini destekleyici ve besleyici olmalıdır. Bugüne kadar niceleri doğruluk adına bile olsa sırf heyecanlarıyla hareket ettiklerinden dolayı Müslümanlara zarar vermişlerdir. Bazıları da kuru bir mantıkla, lafazanlık, demagoji ve diyalektikle başkalarına bir şey anlatacaklarını zannetmiş; ancak kimseye kalıcı ve uzun soluklu bir şey ifade edememiş ve yorulup yollarda kalmışlardır.

Dolayısıyla dolu dizgin bir heyecanın yanında, Kur'ân'ın muhkematıyla test edilmiş çok sağlam kurallara ihtiyacımız vardır. Öyle ki, bütün tavır ve davranışlarımızın Kur'ân ve Sünnet zaviyesinden doğru olup olmadığı her zaman teste tâbi tutulmalıdır. Ayrıca Habib-i Kibriya Efendimiz (sallallâhu aleyhi ve sellem): فَعَلَيْكُمْ بِسُنَّتِي وَسُنَّةِ الْخُلَفَاءِ الْمَهْدِيِّينَ الرَّاشِدِينَ تَمَسَّكُوا بِهَا وَعَضُّوا عَلَيْهَا بِالنَّوَاجِذِ *"Size gereken, sünnetime ve hidayet üzere olan Râşit Halifelerin sünnetine uymaktır. Bunlara sımsıkı sarılın ve azı dişlerinizle tutunun."*[248] buyurduğuna göre, Kur'ân ve Sünnet'in yanında Râşit Halifelerin anlayışları da davranışlarımızı test etme açısından çok önemlidir. Zira biz nasıl ki kilitlendiğimiz hedef ve gayenin doğruluğuna inanıyorsak, aynı zamanda o hedefe ulaşmak için yürüdüğümüz yolun da gönüllere emniyet ve güven vaat etmesi gerekir. Bu da ancak Kur'ân ve Sünnet yolunun yanında, sahabe efendilerimizin, hususiyle de Hulefa-i Râşidîn'in yoluna uymakla gerçekleşebilir.

Böyle bir aşk u şevkin uyarılmasının en önemli vesilelerinden biri ise insanlarda tefekkür mekanizmasının harekete geçirilmesi, düşünce sisteminin derinleştirilmesidir. Tefekkür kelimesi, tekellüf ifade eder. Dolayısıyla tefekkür, insanın şakaklarını zonklatırcasına temrinle kendisini düşünmeye alıştırması neticesinde kazanılacak bir ameliyedir. Tefekkür, insanın oturup

---

kara kara düşünmesi veya görüp duydukları karşısında sathî ve küçük münasebetler kurması demek değildir. Bilâkis o, mebde ve müntehayı beraber değerlendirme; aklı, sebep-sonuç arasında âdeta bir mekik gibi getirip götürerek düşündüklerinden bir şeyler sağma, belki ruhuyla onları massetme, aynı zamanda düşündüklerini ihsaslarına mâl etme, hatta ihtisas imbikleriyle onlardan yeni bir şeyler çıkarmanın ad ve unvanıdır. Bu açıdan aşk u iştiyak kazandırma adına öncelikle insanları düşünmeye, mantıklarını işletmeye alıştırmak ve onları iyi ve kötüyü doğru görecek hâle getirmek gerekir.

Hep Hakk'ı Hecelemeli, O'nunla Gecelemeli

Böyle bir düşünce ameliyesinde devamlılık da çok önemlidir. Öyle ki, beraber olduğumuz insanların اَلَا بِذِكْرِ اللهِ تَطْمَئِنُّ الْقُلُوبُ "*Biliniz ki kalbler ancak Allah'ı anmakla huzur ve itminana kavuşur.*"[249] ufkunda seyahat ettiğini düşünsek dahi, bu durumları itibarıyla onları yeterli görmek, daha doğrusu bizim birbirimizi yeterli görmemiz kesinlikle doğru değildir. Bu konuda birbirimize sürekli destek olmalıyız. Çağımızın büyük Mütefekkirinin ifadesiyle, kubbedeki taşlar gibi düşmemek için baş başa vermeliyiz. Onun bu sözünü sadece içtimaî yapı adına iftirak ve ihtilâflara girmeme, vifak ve ittifak içinde bulunma mânâsına anlamak eksik bir anlayış olur. Belki bu sözü, dine hizmeti hayatımızın gayesi bilme ve bu gaye-i hayalimizi gerçekleştirme yolunda hep canlı kalma mevzuunda birbirimizin destekçisi olma şeklinde anlamamız gerekir. Öyleyse yüce bir mefkûre için bir araya geldiğimiz meclislerde asla laubaliliğe girmemeli ve oraları hep sohbet-i cânanla süslemeliyiz. Evet, bir araya gelişlerimiz neticesinde: اَللّٰهُمَّ رَبَّنَا زِدْنَا عِلْمًا وَإِيمَانًا وَيَقِينًا وَتَوَكُّلًا وَتَسْلِيمًا وَتَفْوِيضًا وَمَعْرِفَةً وَمَحَبَّةً وَعِشْقًا وَاشْتِيَاقًا إِلَى لِقَائِكَ وَعِفَّةً وَعِصْمَةً وَفَطَانَةً وَحِكْمَةً duasında arzu edilen hususlardan acaba ne elde ettik, diye kendimizi sorgulamalıyız. Hatta dünyevî bir mesele için bir araya geldiğimiz beraberliklerde bile elimize bir fırsat geçtiğinde

---

[249] Ra'd sûresi, 13/28.

bir yolunu bulup sohbet-i cânan çerçevesinde değerlendirilebilecek mevzulardan bir fasıl açmalı; açıp gönüllere imanın güzelliklerinden bazı şeyler fısıldamaya çalışmalıyız. Günümüzde olup biten hâdiseleri bilmek, bir kısım aktüel meselelere vukuf peyda etmek elbette ki her vatandaşın hakkıdır. Fakat bugün zaten bu meselelerle ilgilenen bir hayli insan varsa, zannediyorum kendisini Kur'ân'a adamış insanlar, istidatlarını, Kur'ân'a hizmeti en iyi şekilde yerine getirme istikametinde inkişaf ettirmeli ve asıl bu noktada derinleşmelidirler. Onlar için başka düşünceler tâli olmalı ve onlar başka mülâhazalarla yorulmamalıdırlar. Bunun için oturup kalktıkları her yerde Hakk'ı hecelemeli ve hep O'nunla gecelemelidirler. Hulâsa, insanları delice Allah'a âşık hâle getirme ve Efendimiz (sallallâhu aleyhi ve sellem) anıldığı zaman burnunun kemikleri sızlayacak ölçüde bir muhibb-i Habibullah ufkuna yükseltme yolunda ne yapılması lâzım geliyorsa onu yapmalıyız.

Evet, hizmet heyecanımızın ve adanmışlık ruhunun canlı kalabilmesi için bizim sürekli rehabiliteye ihtiyacımız var. Aslında insanın fizikî hayatında da durum bundan farklı değildir. Mesela bir uzuv, uzun süre çalışmadığında, zamanla adaleler erir ve bir süre sonra uzuv hiçbir şey yapamaz hâle gelir. Ruhî ve kalbî hayatımız için de aynı husus geçerlidir. Günde beş vakit namazın veya her sene bir ay Ramazan-ı Şerif orucunun teşri kılınmasında böyle bir hikmeti görmezlikten gelemeyiz. İnanan gönüller, günde beş defa İslâm dediğimiz o menhelü'l-azbi'l-mevruda kovalarını salıyor, oradan bir şey çıkarıyor ve onunla yıkanıp arınıyorlar. Yani günde beş defa O'nu duymaya, O'nu hissetmeye ve O'nu bilmeye çalışıyorlar. İşte bizim de ibadetlerdeki bu temel espriyi kavrayarak, oturup kalkmamızı, gece ve gündüzümüzü hep O'na bağlamamız gerekiyor ki, İslâmî aşk u heyecanımız da sürekli olsun.

Kırık-Dökük Gemiyle Bu Denizler Aşılmaz

Sürekli rehabilite adına, Resûl-i Ekrem Efendimiz'in (sallallâhu aleyhi ve sellem) Hazreti Ebû Zerr'e tavsiye ettiği şu hususlar bana çok önemli geliyor:

جَدِّدِ السَّفِينَةَ فَإِنَّ الْبَحْرَ عَمِيقٌ

وَخُذِ الزَّادَ كَامِلاً فَإِنَّ السَّفَرَ بَعِيدٌ

وَخَفِّفِ الْحِمْلَ فَإِنَّ الْعَقَبَةَ كَئُودٌ

وَأَخْلِصِ الْعَمَلَ فَإِنَّ النَّاقِدَ بَصِيرٌ

"Gemini bir kere daha elden geçirerek yenile, çünkü deniz çok derin. Azığını tastamam al, şüphesiz yolculuk pek uzun. Sırtındaki yükünü hafif tut, çünkü tırmanacağın yokuş sarp mı sarp. Amelinde de ihlâslı ol, zira her şeyi görüp gözeten ve hakkıyla değerlendiren Rabb'in senin yapıp ettiklerinden haberdardır."[250]

Evet, alınacak mesafe çok uzun, üzerinden yüzülerek geçilecek deniz çok derin olduğundan meselenin küçük bir arızaya dahi tahammülü yoktur. Zira bu yolculukta insan için her zaman batma tehlikesi vardır. Allah korusun, insan bir mâsiyet veya bir gaflet karşısında Titanik gibi paramparça bir hâlde, avam ifadesiyle denizin dibini boylayabilir. Eğer sefine bizim ruhî hayatımız ve kalbimizin Allah'la münasebeti ise, o hâlde onu, doğan her güneşle birlikte bir kere daha gözden geçirip yenilemeli ve sapasağlam hâle getirmeliyiz. Zira kırık dökük sefineyle, yarım yamalak bir kalble, zedelenmiş bir akıl ve mantıkla upuzun bir yolculuk yapılabilmesi mümkün değildir.

Bu lâl u güher sözün devamında, *"Azığını tastamam al, çünkü sefer çok uzun."* buyruluyor. Burada alınması tavsiye edilen azık, ne yiyecek, ne içecek ne de silâhtır. Bilâkis o, insanın ibadet ü taatidir. Dünyada başlayıp ahirete uzanan yolculuk çok uzun olduğuna göre, burada azığın tastamam alınması gerekir. Mesela namazımız, bize berzah hayatında refakat edeceği gibi orucumuz da Reyyan kapısından aşıp Cennet'e girmemize vesile olacaktır. Eğer bunlar burada bir azık olarak edinilmemişse, orada fakr u zaruret içinde kalınacaktır.

Daha sonra yokuşun çok sarp olduğu hatırlatılarak yükün hafif tutulması tavsiye ediliyor. Demek ki, altından kalkamayacağımız şekilde dünyevîliğe dalmaktan kaçınmalı, o sarp yokuşu

[250] ed-Deylemî, *el-Müsned* 5/339.

aşacak şekilde sırtımızdaki yükü hafif tutmalıyız. Son olarak da, Hazreti Nâkid'in her an bizi gördüğü hatırlatılarak amelimizde ihlâslı olma tavsiye ediliyor.

Bu ölçüde bir hazırlık, bizim dünyada hakkı tutup kaldırma, adaleti ikame etme, milletimiz için mukadder veya muhtemel gibi gördüğümüz zirveye ulaşma istikametinde ortaya koyacağımız hizmetlerin devam ve temadisi adına önemli olduğu gibi, ahiret hayatımız adına da çok önem arz eder.

Cenâb-ı Hak da, Kur'ân'da iki yerde: إِنْ يَشَأْ يُذْهِبْكُمْ وَيَأْتِ بِخَلْقٍ جَدِيدٍ *"Eğer isterse sizi götürür ve cedid bir kavim getirir."*[251] buyuruyor. Burada *"cedid bir kavim"*den kastedilen hususu, dini i'lâ adına tarih sahnesine ilk defa çıkartılan yeni bir kavim olarak anlamanın yanında; eskimemiş, partallaşmamış, ülfet ve ünsiyete yenik düşmemiş, dini bütün derinliğiyle ter ü taze ruhunda duyan Hakk'a adanmış ruhlar ve heyecan insanları şeklinde de anlayabiliriz. Fâtır sûresi'ndeki âyeti müteakip: وَمَا ذٰلِكَ عَلَى اللهِ بِعَزِيزٍ *"Bunu yapmak, Allah'a ağır gelmez."*[252] buyruluyor. Çünkü O, murat buyurduğu zaman "Ol" der, hemen oluverir.[253] Şimdiye kadar da hep böyle olmuştur. Evet, eski eşya hâline gelen, partallaşan, dinî heyecanını kaybedenler, ister enbiya-i izâmın hayat-ı seniyyeleriyle, ister müçtehidîn-i kiram efendilerimizin ortaya koydukları faaliyetleriyle, isterse müceddidîn-i izâm efendilerimizin tecditleriyle götürülüp onların yerine ter ü taze yeni bir kavim getirilmiştir.

İlâhî lütuf sağanakları altında dirilişe mazhar olanların aidiyet müâhazasına bağlı olarak "Biz, o kavm-i cediziz." demeleri gurur olur. Bu ise rahmet-i ilâhiyeden mahrumiyete sebebiyet verir ve Cenâb-ı Hakk'ın teyidini keser. İlâhî inayetin devamı, iddialı olmaktan kaçınarak mahviyet ve tevazu içinde gayrete bağlıdır. Öyleyse, bize bir sorumluluk verildiğinde bir yandan

---

[251] İbrahim sûresi, 14/19; Fâtır sûresi, 35/16.
[252] Fâtır sûresi, 35/17.
[253] Bkz.: Bakara sûresi, 2/117; Âl-i İmrân sûresi, 3/47; Meryem sûresi, 19/35; Yâsîn sûresi, 36/83; Mü'min sûresi, 40/68.

"vazife cümleden âlâ" diyerek ona sahip çıkıp hakkını vermeye çalışmalı, diğer yandan da "nefis cümleden edna" diyerek her zaman kulluğumuzun farkında bulunmalıyız.[254] İşte ancak böyle bir anlayışla bir yerde aktif bekleyiş içinde bulunurken, üç yüz sene, dört yüz sene, beş yüz sene bile geçse yine de mesafelere meydan okuyup yepyeni bir heyecan ve ter ü taze bir adanmışlık ruhuyla geleceğe yürüyebiliriz.

---

[254] Bkz.: Bediüzzaman, *Şuâlar* s.424 (On Dördüncü Şuâ).

Emanette Emin miyiz?

S *oru: Büyüklerimizin, "Yâ Rab, kusurumuzu affet. Bizi kendine kul kabul et. Emanetini kabzetmek zamanına kadar bizi emanette emin kıl."*[255] *şeklinde dua ettiklerini görüyoruz. Emanetten maksat sadece can mıdır; vazife ve sorumluluklarımız açısından "emanet" tabirini değerlendirir misiniz?*

Cevap: Allah Teâlâ'nın insana bahşettiği ilk ihsanlar birer emanet olduğu gibi, insanın, iradesinin hakkını verip bu ilk mevhibeleri değerlendirmek suretiyle kazandıkları da birer emanettir. Aslında insanın kazandıklarının fâil-i hakikîsi de Allah'tır. Ne var ki, hukuk disiplinleri içerisinde ifade edilen, "Bir şeyin hakikî fâili görünmüyorsa, o fiil, en yakın sebebe nispet edilir." kaide-i külliyesinden hareketle, insanın iradesini kullanarak kazandığı bazı şeyleri –her ne kadar iradeye terettüp eden işlerle onun arasında tenasüb-i illiyet prensibine göre bir münasebet bulunmasa da– biz insana nispet ediyoruz. Dolayısıyla Allah tarafından insana meccânen verilenler birer nimet olduğu gibi, insanın iradesinin hakkını vererek kazandıkları da nimet kategorisi içinde değerlendirilmelidir. İnsan, bu bakış açısını yakalayabildiği takdirde, hem kendisine bahşedilen hem de iradesinin hakkını vererek mazhar olduğu bütün bu nimetlerin evvel ve ahirinde, zâhir ve bâtınında kudret-i nâmütenahinin elini görecek, bu nimetleri

---

255 Bediüzzaman, *Sözler* s.29 (Altıncı Söz).

kendisine ihsan eden Zât'a karşı sinesi hamd u sena duygularıyla dolup taşacaktır. Evet, insan bütün bu nimetleri düşündüğü zaman, çok ciddî bir metafizik gerilim içinde minnet ve şükran hisleriyle oturup kalkacak, "elhamdülillâh"la soluklanacak ve bu mübarek kelimeyi, tepeden tırnağa kadar vücudunun her yanında ihtizaz meydana getirecek şekilde duyacaktır.

İman En Büyük Emanet

Görüldüğü üzere bu perspektiften bakıldığında emanetin çerçevesi çok geniştir. Mesela hayatımız bize bir emanet olduğu gibi, onun üstünde ebedî hayatın nüvesini taşıyan iman, ihsan, mârifetullah, muhabbetullah da önemli birer emanettirler. İman olmayınca, insan, bu dünyada diğer mahlûklar gibi çok dar bir zaman dilimi içinde yaşayıp sonra da kendini yokluğa mahkûm etmiş olur. Onun ebediyete mazhar olması ise imana bağlıdır. Bu sebepledir ki insan, kendisine tevdi edilen iman gibi çok önemli bir emaneti korumak için etrafında ne kadar surlar oluştursa, bu hedef doğrultusunda, bütün cehdini ortaya koyup ne kadar araştırmalar yapsa, deliller getirse, tahşidatta bulunsa, yine de işin hakkını vermiş olamaz. Böyle değerli bir emanet karşısında ona düşen vazife, هَلْ مِنْ مَزِيدٍ ferdi olarak, hep "Daha yok mu, daha yok mu?" deyip yola devam etmektir. Diyelim ki size çok değerli mücevherlerin bulunduğu bir kutuyu emanet olarak verip sonra da "Bunu korumazsan kellen gider." dediler. Şimdi bu emaneti korumak adına sizin ne denli büyük bir hassasiyet göstereceğiniz âşikardır. Hâlbuki imanın yanında, onun kıymeti bir hiç hükmündedir. Bu açıdan insanın, "Aman, şuradan şeytan girebilir.", "Aman nefs-i emmârem şu boşluğu değerlendirebilir." diyerek sürekli imanının etrafında surlar oluşturmaya çalışması, bu denli büyük bir emanete karşı emin olma mülâhazasının bir ifadesidir.

İmanda sabitkadem olmanın yanında, ibadet ü taatte mütemâdi olma da bu iman emanetini koruma adına çok önemlidir. İnsanın bu mevzuda sürekli Cenâb-ı Hakk'a tazarru ve niyazda bulunması ve O'nun himaye ve inayetine sığınması gerekir.

Nitekim Peygamber Efendimiz (aleyhi ekmelü't-tehâyâ), اَللّٰهُمَّ
يَا مُقَلِّبَ الْقُلُوبِ ثَبِّتْ قَلْبِي عَلَى دِينِكَ "Ey kalbleri evirip çeviren
Allah'ım! Benim kalbimi dininde sabitleyip perçinle!"[256], يَا اَللّٰهُمَّ
مُصَرِّفَ الْقُلُوبِ صَرِّفْ قُلُوبَنَا إِلَى طَاعَتِكَ "Ey kalbleri hâlden hâle ko-
yan Allah'ım, kalblerimizi ibadet ü tâatine yönlendir!"[257] duala-
rını dilinden hiç düşürmemiştir.

İslâm Kime Emanet?

Başlarımızın tacı olan Kur'ân-ı Kerim de bize bir emanettir.
Onun hem hafızların zihinlerinde hem de mânâ ve muhteva-
sına sahip çıkılarak korunup muhafaza edilmesi gerekir. Şayet
Kur'ân-ı Kerim, mânâ ve muhtevasıyla bilinmiyorsa, onun kadr
ü kıymeti de bilinmiyor demektir. Unutulmamalı ki, gırtlak ağa-
larına emanet ederek sadece dinleyip teselli bulmakla Kur'ân'a
sahip çıkmış olmayız. Asıl, renk atmasına ve solmasına meydan
vermeksizin Kur'ân'ın toplum içinde hep canlı kalmasını sağ-
lamalı, onu dünyanın biricik kitabı haline getirme adına çalı-
şıp çabalamalı ve onun ruhunu, ruhlara üfleyerek bu emanete
sahip çıkmalıyız. Eğer arz ettiğim çerçevede ona sahip çıkamı-
yorsak, kadife kılıflar içine koyup yatak odalarında başlarımızın
üzerine assak da, o emanete ihanet ediyoruz demektir.

Hayata taşınması gereken bütün esas ve prensipleriyle Müs-
lümanlık da, başta Allah (celle celâluhu) sonra da Efendimiz (sal-
lallâhu aleyhi ve sellem) tarafından ümmet-i Muhammed'e bir
emanettir.[258] İnsanlığın İftihar Tablosu (aleyhissalâtü vesselâm)
Müslümanlığın çerçevesini belirlemiş, neyin ne olduğunu açık
seçik ortaya koymuş ve bizlere dünyevî-uhrevî mutlu olma yol-
larını göstermiştir. Dolayısıyla Rasûl-i Ekrem Efendimiz, İslâm'ı,
başta sahabe-i kiram efendilerimiz, sonra da arkadan gelen ne-
sillere emanet etmiştir. Daha sonraki asırlarda gelen müceddit,
müçtehit, evliya, asfiya ve ebrardan her birisi kendi dönemle-
rinde dini yaşanır kılma adına bir kısım kapalı noktaları vuzuha

---

256 Tirmizî, *kader* 7, *daavât* 89, 124; İbn mâce, *duâ* 2.
257 Müslim, *kader* 17; Abd İbn Humeyd, *el-Müsned* s.137.
258 Bkz.: Tirmizî, *menâkıb* 77; Muvatta, *kader* 3.

kavuşturmuş, içtihat ve istinbatlarıyla İslâm'ın her devirde terü-
taze yaşanabilirliğini ortaya koymuş, böylece üzerlerine düşen
vazifeyi yerine getirmiş, sonra da onu arkadan gelen nesillere
emanet etmişlerdir. Dün seleflerimizin omuzlarına konulan bu
emanet bugün bizim omuzlarımızın üzerinde bulunuyor, yarın
da sonraki nesillere aktarılacak. O hâlde bu emaneti deformas-
yon görmüş bir hâlde devretmek büyük bir vebaldir. Evet, biz
bu emanete sahip çıkmaz, onu gereğince korumaz ve sağlam
bir şekilde haleflerimize teslim etmezsek, bir taraftan bu emane-
te ihanet etmiş, diğer yandan da yarının insanlarına karşı büyük
bir haksızlık yapmış oluruz.

İhmale uğradığından dolayı bilhassa günümüzde, imana ve
Kur'ân'a hizmet mevzuu daha bir önem kazanmıştır. Geçmiş
dönemlerde, çok sıkıntılı şartlarda bile bu yüce mefkûre uğrun-
da insanlar hırz-ı can etmiş, yapmaları gerekli olan işleri arızasız
kusursuz yerine getirmiş ve bu emaneti günümüze kadar taşıyıp
bize ulaştırmışlardır. O halde bize düşen vazife de, bu hizmet-i
imaniyeyi arıza ve kusura maruz bırakmaksızın geldiği şekliyle
muhafaza etme, hız kesmeden devam etmesini sağlama ve onu
ulaştırılması gerekli olan yerlere ulaştırmaktır. Yani biz ömrü-
müz olduğu sürece bu emanetin emanetçileri olarak, zerresini
zayi etmeksizin, onu götürülmesi gerekli olan yere götürmekle
mükellefiz. Eğer hakkıyla yerine getirilemediğinden dolayı bu
hizmette kırılma, çatlama, duraklama ve hatta geriye gitme olur-
sa, emanete hıyanet etmiş sayılırız ki, Cenâb-ı Hak bunun he-
sabını ahirette bize sorar. Bir misal olması açısından ifade ede-
yim: Bu yola baş koymuş bir insan, vazife yaptığı bir yerde on
altı saat mesai yapmaksızın, gelip de işlerin aksadığını söyleye-
rek yardımcı talebinde bulunuyorsa, bu şahsa kendini tembel-
liğe salmış biri nazarıyla bakılabilir. Zira adanmış bir ruh on al-
tı saat mesai yaptıktan sonra hâlâ yapılması gerekenler adına
belli boşluklar hissediyorsa ancak o zaman işlerin üstesinden
gelemediğini ifade ederek yeni bir yardımcı talebinde buluna-
bilir. Evet, nezd-i ulûhiyette hainlik damgası yemekten ve ema-
nete hıyanet etmekten endişe ediyorsak, meseleyi bu çerçeve-
de ele almalı, sonra da "Allah'ım! Bir an önce emin insanları

gönder de, üzerimizdeki bu emanetleri zayi etmeden onlara teslim edebilelim." dua ve mülâhazalarıyla Cenâb-ı Hakk'ın kudret ve rahmetine sığınmalıyız.

Emanetin Zayi Edilmesi Bir Nifak Sıfatı

Rasûl-i Ekrem Efendimiz (aleyhissalâtü vesselâm) bir hadis-i şeriflerinde: أَرْبَعٌ مَنْ كُنَّ فِيهِ كَانَ مُنَافِقًا خَالِصًا وَمَنْ كَانَتْ فِيهِ خَصْلَةٌ مِنْهُنَّ كَانَتْ فِيهِ خَصْلَةٌ مِنَ النِّفَاقِ حَتَّى يَدَعَهَا إِذَا اؤْتُمِنَ خَانَ وَإِذَا حَدَّثَ كَذَبَ وَإِذَا عَاهَدَ غَدَرَ وَإِذَا خَاصَمَ فَجَرَ "*Dört huy kimde bulunursa, o adam katıksız bir münafık olur. Hatta bunlardan biri dahi bulunsa, ondan vazgeçinceye kadar o kişi münafık özelliği taşıyor demektir. Kendisine bir şey emanet edilince hıyanet eder.. konuşunca yalan söyler.. verdiği sözde durmaz.. düşmanlık yapınca da sınır tanımaz.*"[259] buyurmak suretiyle emanete sahip çıkmamayı bir nifak alameti olarak zikretmiştir. Siz bu hadis-i şerifte ifade edilen emaneti, yukarıda sayılan silsile içindeki bütün hususları kafanızda canlandırarak ele alabilirsiniz. Bu itibarla denilebilir ki, bütün bu emanetleri muhafaza mevzuunda tam bir hassasiyet göstermez ve bunun için gerekli tedbirleri almazsak sırtımızda bir nifak sıfatıyla hayatımızı sürdürmüş oluruz. Bu, aynı zamanda bir peygamber sıfatı olan emniyet vasfını da kaybetme demektir. Hâlbuki insanlar enbiya-i izâmın sıfatlarıyla ittisaf etmeleri ölçüsünde bir değer ifade eder; bunları kaybetmeleri ölçüsünde de değerlerini yitirirler. Ayrıca son bir husus olarak şunu ifade edeyim ki, hukuk-u âmmeye taalluk eden böyle bir meselede, aklına estiği gibi hareket eden insanlar, bu tavırlarıyla, hiç farkına varmaksızın gidip emanete ihanet gibi büyük bir vebalin altına girmiş olurlar. Bundan dolayı ihsan-ı ilâhî olarak omuzlarımıza konulmuş bu emaneti zayi ederiz endişesiyle hepimiz tir tir titremeli ve ellerimizi açıp "Yâ Rab! Emanete ihanet gibi bir sukuttan bizi muhafaza buyur ve bizi emanetini alacağın güne kadar emanette emin kıl!" diye sürekli birbirimizi de mülâhazaya alarak dua etmeliyiz.

---

[259] Buharî, *îmân* 24, *mezâlim* 17; Müslim, *îmân* 106.

Kendini İfade Etme Arzusu

Soru: *İnsanın içinde, yapıp ettiklerinden memnuniyet duyma ve bunları nazara verme temayülü var. Bu tür arzu ve heveslere karşı mü'mince duruş nasıl olmalıdır?*

Cevap: İnsan, Cenâb-ı Hakk'ın inayet ve tevfikiyle, kimi zaman, bazı güzel işler ortaya koyabilir. Fakat ortaya konan bu amellerin, o ameller için gerekli olan evsafa uygun yerine getirilip getirilmediğine dair elde bir garanti bulunmamaktadır. Kim bilir belki de mevcut imkânlarla daha sağlam ve daha güzel bir amel gerçekleştirilebilirdi. Bu açıdan insanın, büyük bir başarı gibi görülen muvaffakiyetler karşısında bile, kendi kendine "acaba ben, bana verilen bu imkânları tam olarak kullanabildim mi? Daha iyi bir sonuca ulaşma adına gerekli performansı ortaya koyabildim mi?" sorularıyla kendini ve yapıp ettiklerini kritiğe tâbi tutması gerekir. Bu yapılabildiği takdirde zannediyorum insan, en büyük muvaffakiyetler karşısında bile, "Öyle görülüyor ki, ben bu işi tam beceremedim. Onu, murad-ı ilâhîye uygun ve beni tatmin eder şekilde yerine getiremedim." diyecek; diyecek ve kendini beğenmek bir yana, muhasebe duyguları içinde kendini levmetmeye duracaktır.

Namazı Kılmak mı, İkame Etmek mi?

Bir misal olması açısından ifade edeyim: Milletimiz namazın eda edilmesini, "namaz kıldım" tabiriyle dile getirir. Hâlbuki

Kur'ân-ı Kerim ve Sünnet-i Sahiha'da namazın bize bir vazife olarak verilmesinde kullanılan kelime "ikame"dir. Bunun manası ise bütün mâsivâdan sıyrılarak namazı, iç ve dış şartlarıyla tastamam yerine getirme, Allah'ın bize tahmil ettiği bu emanetin hukukuna kemal-i hassasiyetle riayet etme ve o âbideyi kendine has renk, desen ve çizgileriyle arızasız ve kusursuz bir şekilde ortaya koyma demektir. Bu açıdan, "Namazı ikame ettim." diyen bir insana, "Sen hakikaten namazı, erkân-ı zâhiriye ve bâtıniyesiyle tastamam ortaya koydun mu?" diye sorabilirler. Kılma kelimesine gelince, onda, bir mânâda aradan çıkarma ve geçiştirme gibi bir sun'îlik vardır.

İşte ben, milletimizin namaz vazifesinin edası için "kılma" tabirini kullanmasını, onun edep ve terbiyesinin bir gereği olarak görüyorum. İhtimal ki insanımız şöyle düşünmektedir: "Eğer kıldığım namazın iç veya dış yapısında bir arıza varsa, ben bu namazı ikâme ettim diyemem. Bilâkis onu, gücümün yettiğince şeklen eda ettim. Ancak Cenâb-ı Hakk'ın engin rahmetinden ümit ederim ki, O, benim gibi namazını yarım-yamalak eda eden bir insanı da affeder." Mahviyet, hacalet ve tevazu mülâhazasının bir sonucu olarak ortaya çıktığına inandığım böyle bir ifadeye bayıldığımı söyleyebilirim.

Şimdi mesele böyle olunca, insanın yaptığı iş ve amellerine güvenmesinin tehlikeli bir yanı var demektir. Bunun yerine insan, bir yandan "tam yerine getiremedim" diyerek daha mükemmelin peşinde olmalı, diğer yandan da, Allah'ın (celle celâluhu) şeklî amellerle bile kullarını affedeceğine ve onları dergâh-ı ulûhiyetinde kabul buyuracağına inanmalıdır. İhtimal ki, Cenâb-ı Hak, bu mülâhazalara sahip olan bir insanın amellerindeki boşluklarını onun niyetiyle doldurur ve ona göre muamelede bulunur.

İnsanın ortaya koyduğu güzel işleri düşünmesi, kendisini onlarla ifadeye kalkması, onlardan bahsedilmesini istemesi mahzurlu olduğu gibi, başkalarının kendisine yönelttiği takdirleri sahiplenmesi de aynı şekilde mahzurludur. Bazıları onun hakkında, "Falan şunu yaptı, bunu yaptı." diyebilirler. O bütün bunları onların hüsnüzannına vermeli ve hatta bunları bir içtihat hatası olarak görmelidir. Vakıa insanların, hüsnüzanlarında yanılmış olmalarını bir günah olarak değerlendirmek doğru değildir. Zira bir insanın suizan edip isabet etmesindense hüsnüzan edip yanılması daha ehvendir. Bu itibarla hüsnüzannı tercih etmek daha doğrudur. Elverir ki, hüsnüzanda bulunan kişi, dengeyi kaçırmasın, çerçevenin dışına çıkmasın ve takdir serhaddini aşmasın. Aksi takdirde hakkında medh ü senada bulunduğu kardeşinin boynunu kırmış olur.

Amellerin Mükâfatını Kendi Darlığımıza Hapsetmeyelim!

İnanmış bir gönlün, Allah'ı ve Resûlullah'ı başkalarına sevdirme mevzuunda doyma bilmeyen bir hırsla gayret etmesi çok önemlidir. Fakat insan, baştan sona bütün yeryüzünde ruh-i revan-i Muhammedî'nin (aleyhissalâtü vesselâm) gönüllerde bir bayrak hâlinde dalgalanmasına vesile olsa bile, yine de yaptığı bu işi yetersiz görmeli; yetersiz görüp ortaya koyduğu güzel işleri kendisini ifade etmeye bağlamak suretiyle, kendi darlığına hapsetmemelidir. Hatta yaptığı işlerle ilgili başkalarının takdiri de onun bu konudaki duygu ve düşüncesini değiştirmemelidir. Zira yaptıklarını anlatmak için fırsat kollayan ve sürekli bu duygularla oturup kalkan bir insan, gerçekten hecelemesi gerekli olan şeyleri hecelemeye imkân ve vakit bulamaz. Oysaki bizim derdimiz ve davamız hep Allah ve Habibullah olmalıdır. O'nunla oturmalı, O'nunla kalkmalı ve O'nu başkalarına sevdirmeyi en büyük gaye olarak görmeliyiz. İnsanlar tarafından O'nun sevilmesi O'nun hakkı olduğu gibi, bu işi yapmak da bizim vazife ve sorumluluğumuzdur. İşte böyle yüce bir vazifede, o insanı hizmetten alıkoyacak en tehlikeli hususlardan biri, ferdin yaptığı bazı işlerle kendini ifade ve ispat etmeye çalışmasıdır. Hele bir de bazen kaleminden, bazen fikir, teklif ve projelerinden, bazen organize kabiliyetinden, bazen de insanlara güçlü nüfuzundan dolayı çevresinde bulunanlar, boynunun kırılacağını hesaba katmaksızın onun alkışçılığını yapıyorlarsa durum daha da tehlikeli bir hâl almış demektir. Biz parmakla gösterilme gibi bir hevese talip olduğumuzda, belki bu talebimize bu dünyada erişebiliriz. Fakat meseleyi çok küçük hesaplara bağladığımızdan dolayı öte dünya hesabına ne kayıplar ne kayıplar yaşarız. Bu sebeple, inanan bir gönül bence, Allah'ın rahmetinin enginliği içinde meseleye bakmalı, hep rıza ve rıdvana talip olmalı ve asla yaptığı amelleri küçük mülâhazalara bağlamak suretiyle onları değersizleştirmemelidir.

İnsanın yaptığı iyiliklerin hafızı olması mârifet değildir. Bu mânâ ve mazmun bir atasözümüzde ne hoş ifade edilir: "İyilik yap denize at, balık bilmezse Halık bilir." İnsan, bir iyilik yaptığı zaman, ona o iyiliği yapma fırsatı veren Allah'a minnet ve şükranını sunma adına, tahdis-i nimet nevinden اَلْحَمْدُ لِلّٰهِ[260], اَلشُّكْرُ لِلّٰهِ[261] diyebilir. Bu ayrı bir meseledir. Fakat bir insanın, "Ben falan zamanda şu işi göğüslemiş, şunun elinden tutmuş, şu işleri başarmış bir insanım." diyerek yaptığı iyilikleri sayıp dökmesi o iyiliklerin daha dünyadayken heba olup gitmesine yol açma demektir. Bu hususta insan o kadar hassas davranmalıdır ki, birisi kendisine gelip, daha önce yaptıklarından bahsettiğinde, "hatırlamıyorum" demesini bilmeli ve hakikaten yaptığı o iyiliklere hafızasında yer vermemelidir. Bu istikamette gerekirse tekellüflü gayretlerle onları hafızasından silmeye çalışmalıdır.

En Büyük Kusur: Kusurunu Görmemek

İnanmış bir gönül, yetmiş sene önce bir kötülük yapmış ve sırf bu kötülüğünden dolayı yetmiş bin defa istiğfar etmiş olsa dahi, bu kötülüğünü daha dün işlemiş gibi vicdanında ter ü taze duymalı, onun hacaletiyle iki büklüm olmalı ve Allah'tan af dilemeye devam etmelidir. Belki taakkulî, tasavvurî ve tahayyülî hatalar kulun amel defterine hiç yazılmayacaktır. Fakat insan bu seviyede dahi bir hata irtikâp ettiğinde, "Rabbim! Ben nasıl

---

[260] "Bütün hamdler, övgüler Allah'adır."
[261] "Her türlü şükran ve minnet Allah'adır."

oldu da Sana karşı bu türlü şeyler düşündüm. Nasıl oldu da hayal dünyamda böyle bir münasebetsizlikte bulundum. Meğer ben ne kadar saygısız bir insanmışım!" diyerek yaptığı hatalardan dolayı sürekli iki büklüm olmalıdır. İnanın, böyle davranan bir insanın hiçbir kaybı olmaz. Bilâkis ömrünü bu çizgide geçiren kişi, çokça tevbe ve istiğfar etmenin sevabıyla serfiraz olur. Efendimiz (sallallâhu aleyhi ve sellem), amel defterinde çok istiğfarı olan kimse için *"müjdeler olsun"*[262] ifadesini kullanmıştır. Ayrıca o Rehber-i Ekmel, bir hadis-i şerifte her gün yetmiş defa,[263] başka bir hadiste ise yüz defa istiğfar ettiğini[264] ifade buyurmuştur. Hâlbuki biz biliyoruz ki, hayatı boyunca Cenâb-ı Hak O'na hiçbir günah işletmemiştir. O (aleyhi ekmelüttehâyâ), masum doğmuş ve hep masum yaşamıştır. Evet, O, hayatını vahyin teminatı altında sürdürmüştür. Ama bütün bunlara rağmen Nebiler Serveri (aleyhissalâtü vesselâm) her gün yetmiş veya yüz defa istiğfar ediyordu.

Sözün özü, insanın bir günah karşısında geceleyin kalkıp seccadesine kapanması, gözyaşlarını ceyhun ederek اَلْفُ أَلْفِ أَسْتَغْفِرُ اللهَ[265] demesi, onun için büyük bir kazançtır. Kendisini hiçbir hata yapmamış gibi gören, kendi faziletlerinin büyülü ikliminde yaşayan, başarılarıyla başı dönmüş, bakışı bulanmış mahmur kimselere gelince, onların mahviyet ve hacalet içinde Allah'a yönelmeleri çok zordur. En küçük hata karşısında bile kendini büyük bir cinayet işlemiş gibi görenlerdir ki, bütün samimiyetleriyle Cenâb-ı Hakk'a teveccüh eder, içlerini O'na döker ve yakarışa geçerler. Dolayısıyla bir insanın kendisinin methedilmesini istemesi ne kadar mezmum bir duygu ve düşünceyse, kendini sorgulaması da o ölçüde faziletli bir ameldir. Rabbim bizi, hakikî mânâda kendini sorgulayabilen tali'li kullarından eylesin!

262 İbnü's-Sirrî, *ez-Zühd* 2/462; ed-Deylemî, *el-Müsned* 2/448.
263 Buhârî, *daavât* 3; Tirmizî, *tefsîru sûre (47)* 1; Ebû Dâvûd, *vitr* 26; İbn Mâce, *edeb* 57; Ahmed İbn Hanbel, *el-Müsned* 2/282.
264 Müslim, *zikr 41*; Tirmizî, *tefsîru sûre (47)* 1; İbn Mâce, *edeb* 57; Ahmed İbn Hanbel, *el-Müsned* 4/211, 260.
265 "Milyon kere estağfirullah."

Kendi Kaynaklarımızdan Âzamî Derecede İstifade

S *oru: Hakiki Kur'an talebesinin iç kaynaklardan doğrudan doğruya, dış kaynaklardan ise süzerek istifade etmesi gerektiği belirtiliyor. İç kaynaklardan âzamî derecede istifade adına dikkat edilmesi gereken hususlar nelerdir?*

Cevap: İnsanları temel kaynaklara yönlendirmeden önce, onlarda merak duygusu ve öğrenme aşkı uyarılması gerekir. Bir başka ifadeyle, toplum vicdanında evvelâ hakikat aşkı ve o hakikate ulaşmak için de ilim ve araştırma iştiyakı tetiklenmelidir. Öyle ki insanlar, dur-durak demeden, yorgunluk nedir bilmeden eşya ve hâdiseleri didik didik etmeye ve hakikat-i eşyayı öğrenmeye teşne bulunmalıdır. Böyle bir aşk u heyecan uyarıldığı takdirde, bizi biz yapan temel kaynakları öğrenme arzusu da gönüllerde oluşmaya başlayacaktır. Evet, sineler delice bir öğrenme heyecanına tutulduğunda, işte o zaman insanımız da ciddî bir arzu ve iştiyakla kendi kaynaklarımıza yönelecek; yönelip onlardan kana kana içmek isteyecektir.

Durgun Suyu Hiçbir Yere Yönlendiremezsiniz

Başka bir mevzuyla alâkalı ortaya konan bir yaklaşımı, misal olması açısından burada da ifade etmek istiyorum: Kendi düşüncesini ihya veya kendi düşünce çizgisinde bir dirilişi temin etme adına insanlarda öncelikle cinnet derecesinde bir heyecan olmalıdır. İnsanı yerinde durdurmayan, onu deli-divane gibi sağa-sola salacak bir heyecan! Eğer böyle bir heyecan yok ise insanları ülfetten, ünsiyetten, yol yorgunluğundan kurtarıp bir yere tevcih etmek oldukça zordur. Heyecanla dopdolu bir insanın durumuna gelince, bazı aşırılıkları olsa bile bu insanı, saygı duyduğu dininin disiplinleriyle tadil etmek daha kolaydır. Mesela ona, "Sen pür heyecansın. Ancak böyle bir heyecan inşadan daha çok yıkmayı netice verir. Bu ise, gönülden bağlı bulunduğun değerlere, dininin esaslarına göre doğru değildir. İyisi mi gel, böyle bir heyecanı biz müspet yolda kullanalım. Gerekirse onu, birkaç yüz sene beklemenin tohumu ve bu yolda sabitkadem olmanın temel sâiki yapalım. Asırlar sürse de öz beynimizi burnumuzdan kusarcasına düşünüp taşınalım, güzel projeler ortaya koyalım." denilerek onun bu heyecanını doğru yerde kullanması sağlanabilir.

İşte aynı husus ilim öğrenme ve kitap okuma için de geçerlidir. Yani ilim, hakikat ve araştırma aşkı uyarılmadan insanları belli kaynaklara yönlendirmek oldukça zor bir meseledir. Siz, böyle bir heyecandan mahrum insanlara belli kaynakların ne kadar tahşidâtını yaparsanız yapın, onlar belki yine de bir ilmihalle iktifa etmeyi yeterli görecektir. Bu açıdan insanımıza öncelikli olarak böyle bir heyecan kazandırılmalı, sonra da bu heyecana bir yol ve yön belirlenmelidir. Zira durgun ve durağan bir suyu herhangi bir yöne sevketmek mümkün değildir.

Önce Muhkemât Bilinmeli

İkinci olarak dikkat edilecek husus, kendi düşünce dünyamız itibarıyla önceliklerimizi belirlemektir. Yani biz öncelikli olarak neleri bellemeli, hangi ölçüleri esas almalı, hangi kıstaslara sâdık kalmalıyız? Başka bir ifadeyle, öğrendiğimiz malumatı kendisiyle test edeceğimiz muhkemâtımız nelerdir ve bunlar hangi kaynaklarda yer alır? Bu soruların cevabı, yani bizim duygu ve düşüncemizi içinde okuyabileceğimiz kültürümüzün temel kaynakları başta Kur'ân, Sünnet, icma ve kıyastan oluşan edille-i şer'iye-i asliye;[266] sonra da örf, âdet, maslahat, istihsan gibi delillerden oluşan edille-i şer'iye-i fer'iyedir.[267] İşte bu kaynakları öğrenmeden, onlardaki muhkemâtı tespit etmeden başka kaynaklara açılmak, çok defa kafa karışıklıklarını da beraberinde getirir. İsterseniz siz, Tanzimat'tan evvel başlayan, Meşrutiyet yıllarında devam eden ve daha sonra da sürüp giden kafa karışıklıklarını, metodolojiye sadık kalamayışımızı, elimize geçen yalan-yanlış her şeyi hemencecik doğru kabul edip peşlerinden sürüklenip gidişimizi ve böylece değişik fantezi ve lükslere takılmamızı bu hususa bağlayabilirsiniz.

Mesela günümüzde insan kaynakları ve kişisel gelişimle ilgili bir hayli malumatın konuşulup durduğu bir gerçektir. Ne var ki, biz insan yetiştirme gibi önemli bir mevzuda, Resûl-i Ekrem Efendimiz'in (sallallâhu aleyhi ve sellem) lâl u güher beyanlarına müracaat etmiyor ve sadece metafizikten mahrum kişisel gelişim teorilerini okumakla iktifa ediyorsak çok şeyi eksik bırakıyoruz demektir. Zira biz talim ve terbiye gibi temel bir meselede, Rehber-i Ekmel'imizin vaz ettiği esaslar çerçevesinde insanları insan-ı kâmil olmaya sevk edemiyorsak, o zaman sanki –hâşâ ve kellâ– "O'nun getirdiği sistemde bir eksiklik ve noksanlık var, Kur'ân çok şeyi eksik bırakmış ve bin dört yüz yıl boyunca selef-i salihîn de bazı mevzuları hiç anlayamamış." gibi bir anlayışı kabulleniyoruz demektir ki, bu da apaçık bir dalâlettir. O hâlde, biz, körü körüne niye başkalarının arkasından sürüklenip gidelim ki! Onların yazıp söylediklerinin, kendi terminolojileri ve kendi sistemleri içinde belli bir mantığı olabilir. Fakat biz aynı meseleleri öncelikle kendi değerlerimiz ve kendi temel kaynaklarımız açısından ele almalıyız; almalıyız ki, kendi kendimizle çelişmeyelim, pedagojiye, psikolojiye dair bir şey söylerken iman esaslarımızla tenakuz arz edecek bir çarpıklık ve inhirafın içine düşmeyelim. Evet, eğer başta kıbleyi tayin etmeden yola

---

[266] Bkz.: el-Pezdevî, *el-Usûl* 1/221; es-Serahsî, *el-Usûl* 1/279.
[267] Bkz.: Mehmed Seyyid, *Medhal* s.323.

çıkmışsak, şurada burada şaşkın şaşkın dolaşır durur da bir türlü yolumuzu/yönümüzü bulamayız.

Bu yapılabildiği takdirde, yani bir insan, kendi kaynaklarını okuyup öğrendikten ve onlardaki muhkemâtı özümseyip bir kriter olarak eline aldıktan sonra, istediği kitabı okuyabilir. Ben size, düşüncelerine değersiz nazarıyla baktığım ve hatta hususiyle gençler için çok tehlikeli bulduğum Sartre ve Marcus'u bile okumayın demem. Çünkü bunlardan bile alacağınız bazı güzel şeyler olabilir. Fakat bunları okurken sizin almanız gerekenleri doğru bir şekilde alabilmeniz için mutlaka elde bir kıstasınızın olması gerekir. Evet, öncelikle bir kanaviçeniz olmalı ki, örgüleyeceğiniz şeyleri ona göre örgüleyebilesiniz. Eğer sizin oturmuş bir değer yapınız yoksa bugün şu akım, yarın başka bir akım derken değişik akımlar arkasından sürüklenir gidersiniz de neticede hiçbir şey elde edemezsiniz. Maalesef bizim aydınlarımızın birkaç asırdan beri hal-i pür melali işte budur.

Üçlü Sacayağı

Temel kaynaklarını çok iyi bilen bir insanın diğer kaynaklardan elde ettiği bilgilere gelince, onlar insanı ayrı bir zenginliğe ulaştırır. Mesela hicrî 5. asra, bir yönüyle de 11. ve 12. asra kadar atalarımız dıştan alacakları şeyleri almış, onlardan istifade etmiş ve bu mevzuda ciddî bir problemle de karşılaşmamışlardır. Çünkü onlar aldıkları şeyleri filtreden geçirmiş, revize etmiş ve neyi alıp neyi dışarıda bırakacaklarını çok iyi tespit etmişlerdir. Eğer biz de bugün bunu gerçekleştirebilirsek işte o zaman çok ciddî bir zenginliğe ulaşabiliriz.

Diğer yandan bir hazine değerinde bulunan temel kaynaklarımızdan hakkıyla istifade edebilmek için, hem kalb ve ruh ufkunda seyahat edebilecek, o ufka dair bilmesi gerekli olan şeyleri bilecek vicdan enginliğine; hem de kâinat kitabının mânâlarına açık duran, onlardan istifade eden ve onları yorumlayabilen bir bakış açısına ihtiyacımız vardır. Fakat günümüzde böyle bir ufka sahip kaç insan gösterebiliriz bilemiyorum. Çünkü insan yetiştirirken onun maddî-mânevî, kalbî-ruhî, aklî-fikrî... her yönünü ele alıp bütününe hitap eden müesseselerden bir hayli zamandır mahrum bulunuyoruz.

Evet, belli bir dönemde, nice büyük zatları yetiştiren ilim ve irfan yuvası medreselerimiz –istifade edilecek bazı yönleri bulunsa da– ne yazık ki, veludiyetini kaybetmişti. Eskinin tekrarını yapıp duruyordu. Çağını yaşamadığı için toplumun ihtiyaçlarını karşılamaktan da uzaklaşmıştı. İslâmî bünyede gelişen tekke ve zaviye de aynı şekilde veludiyetini yitirmişti. Usûlüddinin ilke ve prensipleriyle fıkıh metodolojisi esas alınmadığı için din, hislere, duyuşlara, sezişlere ve şahsî bir kısım mevâhib-i ilâhiyeye göre yorumlanıyor, bir kısım sübjektif mülâhazalara bina ediliyor ve böylece o, mistisizm çerçevesinde bir kalıp içine sokuluyordu. Durum böyle olunca beri tarafta ona karşı oluşan tepki hareketleri de meseleyi tamamen natüralizm ve materyalizme götürüyordu. Dolayısıyla iç içe bulunması ve birbirinin destekçisi olması gereken bu iki kurum arasında çok ciddî bir ayrışma baş göstermişti. Hatta bazıları Batı'yı taklit ederek hiç farkına varmaksızın meseleyi din ve ilim alanını birbirinden tamamen ayırmaya kadar götürmüşlerdi. Neticede olan yine bize oldu. Dünyaya kapandığımız, İslâm'ın ruh ve kalb hayatıyla ilim hayatını birbirinden ayırdığımız ve zaman gibi önemli bir müfessirin tevil ve tefsirini arkamıza almadığımız için kendimizi belli bir darlığa hapsettik ve neticede din parçalanıp tanınmaz bir hâle geldi. Bu itibarla denilebilir ki, mektep medreseyle, medrese tekke ve zaviye ile bunların bütünü de kışla terbiye ve disipliniyle birleşip bir sacayağı oluşturmadan bizim yeniden kendimiz olmamız, kendimiz gibi düşünmemiz ve meseleleri kendimiz gibi tahlil etmemiz mümkün değildir.

Burada son bir hususa daha değinmek istiyorum. Eğer bizde ciddî bir hakikat ve ilim aşkı olur ve bu da temsile aksederse zannediyorum biz gönüllere sunacağımız mesajı hakikî çerçevede sunmuş oluruz. Zira en müessir, en kalıcı ve en tutarlı ders insanın tavır ve davranışlarıdır. Evet, gönüllere bir gerçeği duyurmanın en önemli dinamiği, inanılan ve arkasından koşulan hakikatlerin yaşanan bir örnek hâlinde canlı olarak ortaya konulmasıdır. Kitapların ve beyanın esas vazifesi, temsilde muğlâk ve kapalı kalan noktaları gidermek olmalıdır. Ne var ki biz, sanki onlar her şeyi ifade edecekmiş gibi sadece kitap ve beyanla yetiniyoruz. Hâlbuki kitapların en mukaddesi olan Kur'ân-ı Kerim, üç asırdan beri kadife kılıflar içinde evlerimizin en mutena köşelerinde bulunmasına rağmen, kendini ifade edememe ve bize bir yol gösterememe ızdırabı içindedir. Eğer Kur'ân-ı Hakîm, ihtiva ettiği mânâ ve muhtevasıyla yaşanmaya başlanır ve hayata hayat yapılırsa işte o zaman o, kitaplar kitabı olur. Evet, işte o zaman, siz onda mâverâ-i tabiatın ses ve soluğunu dinlemeye başlayabilir, meleklerin ses ve soluğunu duyabilirsiniz. Hatta biraz daha azmetseniz onu Efendiler Efendisi'nin (sallallâhu aleyhi ve sellem) fem-i güher-i nebevîsinden dökülüyor gibi dinleyebilirsiniz. Ama yaşanmayan ve dili bilinmeyen bir kitap, yüceler yücesi bir kitap da olsa, size çok fazla bir şey anlatmayacaktır. Bu itibarla dil-dudak, söz-beyan, kalem-kelâm her zaman kalble irtibatlı ve kalbin emrinde olmalıdır.

Dengeli Bir Aşk u Heyecan İnsanı: Hazreti Mevlâna

Soru: *Hazreti Mevlâna'nın günümüzde bazı kimseler tarafından yanlış anlaşıldığı ve mesleği açısından tenkitlere uğradığı görülüyor. Hazreti Mevlâna ve mesleğini İslâmî esaslara mutabakat açısından değerlendirir misiniz?*

Cevap: İslâm tarihi boyunca, ilim, irfan, aşk ve heyecanıyla sesi soluğu asırlar ötesine ulaşan nice büyük insan yetişmiştir. Özellikle İmam Gazzâlî, İmam Rabbânî, Mevlâna Halid Bağdadî gibi engin şahsiyete sahip bir kısım nadide fıtratlar vardır ki, bunların durumu daha bir farklılık arz eder. İşte Hazreti Mevlâna böyle bir ufkun âbide şahsiyetlerinden biridir. Karanlık dönemlere ışık salmış, çağları aydınlatan bu büyük zatlar, kendi devirlerini çok iyi okumuş, analiz etmiş ve insanların ihtiyaç duydukları mevzular neler ise daha ziyade onlar üzerine hasr-ı himmet etmişlerdir. Evet, onlar, malumât-ı sâbıkayı fişleyip işlemek suretiyle kitap telif etme yerine; insan, kâinat ve Allah münasebetini doğru okuyup doğru değerlendirerek yaşadıkları dönemin şartlarına göre hutbeler irad etmiş, mesajlar sunmuş ve sesi soluğu asırlar sonrasına ulaşacak kıymetli eserler ortaya koymuşlardır. Bu itibarla Mevlâna Hazretleri'ni öncelikle bu özellikleriyle ele almak gerekir. Zira onun öne çıkardığı meseleler, yaşadığı dönemdeki zehirlenme ve negatif tesirlere karşı üretilmiş bir panzehir ve en kötü hastalıkları bile tedavi edecek bir iksir gibidir.

Hazreti Mevlâna ve Söğüt'ün Bağrındaki Diriliş

Yaşadığı devre kuşbakışı bir göz attığımızda, bu dönemde; Haçlı ordularının İslâm dünyasına yaptıkları saldırı ve hücumlar neticesinde geride pek çok levsiyat bıraktıklarını.. Moğolların İslâm dünyasını işgal edip değişik parçalanma, bölünme ve tefrikalara zemin hazırladığını.. fitne ve isyan ateşlerinin her tarafı sardığını.. bütün bunlar neticesinde Selçuklu devlet adamlarının ciddî bir zafiyet yaşadığını.. sarayın halk üzerindeki nüfuzunu büyük ölçüde kaybettiğini ve bütün bu olumsuz cereyanların tâ Anadolu'nun içlerine kadar ulaştığını görürüz. İşte böyle bir dönemde Hazreti Mevlâna, engin hoşgörü ve müsamaha anlayışıyla herkese kucak açmış; açmış ve böylece kargaşa, fitne ve tefrika ortamı için âdeta bir iksir vazifesi görmüştür. Hazret'in de temsilcileri arasında olduğu bu engin anlayış ve ufuk, İslâmî değerlerle serfiraz milletimiz için yeni bir neşv ü nema zemini hazırlamış; bunun neticesinde Osmanlılar, Anadolu'nun küçük bir köşesinde yeniden derlenip toparlanma imkânı bulmuştur.

Esasında bu dönemde her şeyden daha fazla böyle bir vifak ve ittifak anlayışına ihtiyaç vardı. İşte Hazreti Mevlâna bu ihtiyacı görmüş, Anadolu'nun paramparça olduğu, farklı beyliklerin oluştuğu, efkârın dağıldığı, kafaların karıştığı, herkesin ayrı bir telden çaldığı böyle bir dönemde, insanları belli bir anlayış etrafında toplamak suretiyle Osmanlı'nın ilk açılımına zemin hazırlamıştır. Devlet-i Âliye'nin kısa bir zaman içerisinde elde ettiği başarılarda, kanaatimce Mevlâna ruhu diyebileceğimiz böyle bir anlayışın önemli tesiri vardır. Zira Osmanlılar gittikleri yerlerde re'fet ve şefkatle değil de sertlikle muamelede bulunsalardı, çok geçmeden bir yerde takılır kalır ve cihana açılımlarını iki adım daha ileriye götüremezlerdi. Bu itibarla, Devlet-i Âliye'nin, insanlık tarihinde hiçbir aileye nasip olmayacak şekilde altı asır ayakta kalmasında, devleti idare eden insanların mümeyyiz vasıf ve hususiyetleri yanında, Hazreti Mevlâna gibi dervişlerin katkı ve gayretleri de göz ardı edilmemelidir.

Netice itibarıyla, mârifet ufkuna açılmış, aşk u şevkle kanatlanmış engin bir gönül insanı olarak Hazreti Mevlâna, kendi döneminde öyle bir atmosfer oluşturmuştur ki, çokları bu atmosferin tesirinde kalmış ve gelip onun halkasına dahil olmuştur. Hatta bir dönemde Yunus Emre bile uzaklardan gelip onun halka-i tedrisine girmiştir. Bütün bunlar karşısında o yüce kamet de, ruhunun ilhamlarını etrafına toplanan bu insanların içine boşaltmak suretiyle çağları aydınlatacak örnek tipler yetiştirmiştir.

İman ve Mârifet Endeksli Cezb u İncizab

Fakat Hazreti Mevlâna'nın sadece bu yönü, yani herkese el uzatan engin müsamaha ve şefkat anlayışı nazar-ı itibara alınıp onun o derin ibadet ü taati, Kur'ân ve Sünnet'e bağlılığı görülmezse hakkında bazı yanlış kanaatlere girilmiş olur. Öncelikle şunu ifade edelim ki, bazılarının iddia ettiği gibi, şayet o, dinin muhkemâtına bağlı kalmasaydı, ne Konya halkı onu bünyesinde barındırır ne de dinine bağlı hükümdarlar onun orada nurunu neşretmesine imkân ve zemin hazırlarlardı. Ayrıca onunla muasır olan ulema-i kiramdan hiçbiri, Hazreti Mevlâna aleyhinde konuşmamıştır. Mesela onunla aynı dönemi paylaşan Sadreddin Konevî Hazretleri, Şecere-i Numaniye'yi şerh edip Beyzâvî'nin tefsirine de geniş bir hâşiye yazmış büyük bir âlimdir. Hayatına ve eserlerine baktığımızda bu büyük âlimin, Hazreti Mevlâna aleyhinde tek bir söz söylediğini bilmiyoruz. Zira Hazreti Mevlâna, bir taraftan başkalarını kucaklama mevzuunda engin bir şefkat ve re'fet ortaya koyarken, diğer taraftan da İslâm'ın esaslarına sımsıkı bağlı kalmış, zâhir-i şeriata muhalif herhangi bir tavır ve davranış içine girmemiştir.

Fakat ne acıdır ki, bugün bazıları Hazreti Mevlâna'yı sadece bir anlık hissiyatla cûş u huruşa gelip kıyam eden, tennuresini giyerek dönmeye başlayan, dönerken de bu dönmenin keyfini çıkaran, sonra da başkalarının kalkıp onunla birlikte dönmeye başladığı biri olarak görüyor. Hâlbuki mesele, mücerred bir dönme meselesi değildir. Hazreti Mevlâna, insan, kâinat ve Allah arasında mekiğini sürekli gezdirmek suretiyle çok ciddî bir mârifet örgüsü ortaya koymuş, mârifet-i ilâhî adına doymuş ve onunla insanlarda bir aşk u şevk uyarmıştır. Hazreti Pîr de bu mevzuda düşünce açısından bir güzergâh takip ederken, önce iman-ı billâh, sonra mârifetullah, sonra muhabbetullah ve son olarak da zevk-i ruhanî diyor.[268] Demek ki, insan önce kâmil bir imana sahip olmalı, ardından arızasız kusursuz İslâmiyet'i yaşamalı, daha sonra bütün derinliğiyle ihlâsı vicdanında duymaya, ihsan şuuruna ulaşmaya çalışmalı, vicdan bilgisiyle Allah'ı tam bilme yolunda olmalı, yaptığı amelleri tabiatının bir derinliği haline getirmeli ki zevk-i ruhanîye, şevk-i ilâhîye ulaşsın. Yani sağlam bir iman, sağlam bir İslâmiyet, sağlam bir ihsan şuuru, derin bir mârifetullah ve muhabbetullah olmadan aşk u şevke ulaşmak mümkün değildir. İşte Hazreti Mevlâna'nın cezbeye gelip, aşk u şevkle gerilip kendinden geçmesini bu zaviyeden ele almak gerekir.

Temel Disiplinlere Bağlı Engin Hoşgörü

Diğer yandan Hazreti Mevlâna'nın gerek şathiyat nev'inden söylediği bazı sözler gerekse cezbeye gelerek dönmesi tamamen hâlî ve zevkîdir. Bunlar, onun duyup hissettiği hayret, dehşet, heyman ve kalak hâllerinden kaynaklanmaktadır. Uyanık bulunan bir insanın temkin ve teyakkuzla hareket etmesi esas olsa da, kendinden geçmiş sekr hâlindeki bir insanın söylediği söz ve ortaya koyduğu davranışlardan ötürü onun hakkında mülâhaza dairesi her zaman açık tutulmalıdır. Bu açıdan bize düşen Hazreti Mevlâna gibi büyük zatların hususiyetlerini nazar-ı itibara alarak, onların iltibasa açık bu gibi söz ve davranışlarına makul bir mahmil bulup onları izah etmektir.

---

[268] Bkz.: Bediüzzaman, *Mektubat* s.253 (Yirminci Mektup, Mukaddime).

Mesela Hazreti Mevlâna'nın en çok sorgulanan ve tenkit edilen ifadelerinden birisi; "Gel, gel, ne olursan ol yine gel, ister kâfir, ister Mecusi, ister puta tapan ol yine gel. Bizim dergâhımız, ümitsizlik dergâhı değildir, yüz kere tevbeni bozmuş olsan da yine gel." sözüdür. Bu söz aynıyla kendisine ait mi değil mi bilemiyoruz. Fakat bu söz onun olmasa bile, Hazreti Mevlâna'nın bu mefhum ve mazmunu aksettirici birçok sözü vardır. Onun bu sözünü tenkit edenler, zannediyorum maksat ve niyetini tam olarak bilemediklerinden dolayı tenkit ediyorlar. Kanaatimce böyle bir söz söylemede mahzur yoktur. Çünkü hayatı ve eserlerine bir bütün olarak bakıldığında, Hazreti Mevlâna'nın bu sözünün, "Ne olursan ol, gel, bizim dünyamızdaki güzellikleri keşfet ve kendi özünü bul." mânâsında olduğu anlaşılır.

Diğer yandan Hazreti Mevlâna, kendisinin de ifade ettiği gibi, bir ayağıyla yetmiş iki millet içinde dolaşan, diğer ayağıyla da İslâm'ın tam merkezinde durup dinin hükümlerine hiçbir zaman muhalefet etmeyi düşünmeyen bir insandır. O, usûl ve ümmehâta milimi milimine uyduğu ve sımsıkı sarıldığı için, onun ne bir farzı, ne bir vacibi, ne de bir sünneti terk ettiğine ihtimal verilemez. İşte Allah'la irtibatı açısından hayatındaki bu fevkalâde derinliği görmeden onu sadece başkalarıyla münasebetleri açısından ele almak doğru değildir. Zira Hazreti Mevlâna'nın iki yanı vardır. Bir yanıyla o, din-i mübin-i İslâm'ın ümmehâtına sımsıkı bağlılık içinde hayatını yaşar; diğer yanıyla da halk içinde bulunur, onlara dini, severek ve içten kabullenerek benimseyecekleri bir keyfiyette sunar. İşte zannediyorum onu tenkit edenler sadece ikinci şıkka bakıyor ve onun iç dünyasındaki derinliğini ya görmüyor ya da görmezlikten geliyorlar.

Nitekim günümüzde de, gönülleri Allah ve insan sevgisiyle mamur bir kısım insanların, ibadet ü taat ve dinin temel disiplinlerine uymada fevkalâde hassas yaşama gayretlerinin yanında, bütün âleme açılmak istemeleri, bazıları tarafından tenkit edilmektedir. Evet, bazıları, evrad u ezkârları, duaları, gecelerini ihya gayretleri yönüyle değil de sadece başkalarıyla kurdukları diyalog faaliyetleri zaviyesinden onlara bakıyor, bu bakışa göre yorumlarda bulunuyor ve neticede onlar hakkında olumsuz şeyler söylüyorlar. Oysaki dünyanın birbirini yemek için diş bilediği ve çok korkunç öldürücü silâhlara sahip olunduğu günümüzde sevgi, saygı, şefkat ve müsamaha buudlu diyalog faaliyetleri çok önemlidir. Zira ciddî bir feveranda ve olumsuz bir gerilim içinde bulunan insanlığın bu feveranını bastırmak ve gerilimini kırmak istiyorsanız, sevginin sırlı anahtarını kullanmalısınız. Esasen onun sihirli anahtarının açamayacağı kapı, giremeyeceği gönül, tebessüm ettiremeyeceği çehre yoktur. Ayrıca unutulmamalıdır ki, siz duygu ve düşüncelerinizi insanların ruhlarına, abus bir çehre ve hiddete bağlı olarak değil, ancak sıcak bir tebessümle duyurabilirsiniz. Bu açıdan insanlar sizin gönlünüze girdiği zaman, hiç kimse ayakta kalma endişesine kapılmayacak ölçüde engin bir vicdanla karşılaşmalıdır. Bunun için de, Hazreti Mevlâna, İmam Rabbânî, Mevlâna Halid Bağdadî ve Hazreti Pîr gibi, rehberleri Kur'ân ve Sünnet olan irşad kahramanlarının ortaya koydukları yol ve metot takip edilmelidir. Bunların arasında konjonktürün müessiriyetinden kaynaklanan tâlî derecede bir kısım farklılıklar bulunsa da, engin bir vicdan sahibi bu büyük zatların hepsinin sevgiyle oturup sevgiyle kalktıkları, merhametle dolup şefkatle çevrelerine boşaldıkları, herkese bağrını açıp dövene elsiz, sövene dilsiz ve gönül kırana da gönülsüz muamelede bulundukları görür. O hâlde günümüzde bize düşen vazife de, bu tarihî şahsiyetleri örnek alarak, el ele verip sevginin bu sırlı ve sihirli gücünü insanlık yararına kullanmak olmalıdır.

Huneyn Gazvesi'nin Hatırlattıkları

Soru: *Tarihî bir hâdiseyi nazara veren,* لَقَدْ نَصَرَكُمُ اللهُ فِي مَوَاطِنَ كَثِيرَةٍ وَيَوْمَ حُنَيْنٍ إِذْ أَعْجَبَتْكُمْ كَثْرَتُكُمْ فَلَمْ تُغْنِ عَنْكُمْ شَيْئًا وَضَاقَتْ عَلَيْكُمُ الْأَرْضُ بِمَا رَحُبَتْ ثُمَّ وَلَّيْتُمْ مُدْبِرِينَ *"Andolsun Allah si- ze birçok yerde ve Huneyn gününde yardım etmişti. Hani (o gün) çokluğunuz, içinizde bir beğenme hissi hâsıl etmişti; ama bu, size hiçbir yarar sağlamamıştı. Derken bütün genişliğine rağmen yeryüzü size dar gelivermişti.. nihayet geriye çekilme- ye başlamıştınız."*[269] *âyet-i kerimesinden alınması gereken me- sajlar nelerdir?*

Cevap: Mekke'nin fethini müteakip Sakîf ve Hevâzin ka- bileleri, bir kısım çapulcu kabileleri de yanlarına alarak, Müs- lümanlara saldırmak üzere hazırlığa başlamışlardı. Mükemmel bir devlet başkanı olmanın yanında eşi menendi olmayan bir erkân-ı harp olan Resûl-i Ekrem Efendimiz (sallâllâhu aley- hi ve sellem) henüz derlenip toparlanmadan onları kıskıvrak yakalayıp etkisiz hale getirmek için hemen harekete geçmişti. Böylece hem daha az zayiatla netice elde edilmiş, hem de on- ların gönülleri çok fazla kırılmamış olacaktı. Nitekim daha son- ra o kabilelerden pek çok insan Müslüman olmuştu. Esasında

---

[269] Tevbe sûresi, 9/25.

Efendimiz'in (sallallâhu aleyhi ve sellem) bu uygulama ve stratejisini, Hudeybiye Antlaşması'yla başlayıp Mekke'nin fethiyle sonuçlanan süreçte de görebilirsiniz. Düşünün ki, göklerin üstünde yüksek bir onur ve izzeti olan Allah Resûlü (aleyhissalâtü vesselâm), Hudeybiye'de izzet ve onur meselesi yapılabilecek ağır anlaşma şartları ileri sürülmüş olmasına rağmen, sulh ve sükun ortamında o insanların gönüllerini kazanma adına teklif edilen bu anlaşma maddelerini kabul etmişti.[270] Daha sonra Mekkeliler kendi elleriyle bu antlaşmayı bozmuş, bunun üzerine İnsanlığın İftihar Tablosu da teşkil ettiği ordusuyla Mekke'nin önlerine kadar gelmişti. İşte bu esnada, eğer O isteseydi "kuvvetin hakkı budur" deyip çok rahatlıkla onların tepesine binebilirdi. Fakat Hazreti Ruh-u Seyyidi'l-Enâm hiçbir zaman böyle yapmadı ve yapmayacaktı. Zira kan dökerek, insan öldürerek Mekke'ye girilseydi, bu, oradaki insanların kalblerinde bir yara olacak ve ihtimal içlerinde hep bir ukde olarak kalacaktı.

Huneyn: Çetin Bir İmtihan

Asıl konumuza dönecek olursak, Mekke'yi fetheden on bin sahabîye yeni Müslüman olan Mekkelilerden de iki bin insan eklenmiş ve 12 bin kişiyle Huneyn'e hareket edilmişti. Dolayısıyla orduyu oluşturanlar, bir tarafta Mekke'yi fethetmekle zaferyab olmuş ve çoğu da gençlerden oluşan askerlerle, henüz yeni Müslümanlığa adım atmış kimselerdi. İşte böyle bir halet-i ruhiye içinde, bazılarının aklına, "Bu orduyla kimse başa çıkamaz. Allah'ın izniyle Mekke'yi fethettiğimiz gibi, Sakîf ve Hevâzin'in de tepesine bineriz." gibi bir düşünce gelmiş olabilir.

Bu noktada hemen şunu ifade edeyim ki, bende hep, sahabe-i kiramı tezkiye etme, onlara laf etmeme ve ettirmeme, onları muallâ, müberra ve müzekka görme gibi bir ruh haleti vardır. Öyle ki onlar hakkında sorgulayıcı en küçük bir ifade bile kullanmamaya dikkat ederim. Fakat bu hâdisede, sahabe-i kiram efendilerimizden bazıları, kendi konum ve seviyelerine

---

270 Bkz.: Buhârî, *şurût* 15; Müslim, *cihâd* 90-92.

uygun, Allah'ın kendilerinden beklediği kıvamı tam olarak ortaya koyamamış olabilirler. Cenâb-ı Hak da, mukarrabînden olan bu zatları, mukarrabîn seviyesinin gerektirdiği ahkâma göre ikaz buyurmuş olabilir. Fakat bu, onlarla Cenâb-ı Hak arasındaki bir meseledir. Bizim, bu mevzuda ileri geri konuşmamız, saygısızlık ve haddi aşmışlık olur.

Şimdi, bu bakış açısını ve ölçüyü göz önünde bulundurarak, sahabe efendilerimizin Huneyn'e giderken sahip oldukları ruh haletini daha yakından anlamaya çalışalım. Evvela, onlar, Huneyn'e giderken o güne kadar sahip oldukları en büyük orduyu oluşturmuşlardı. Ayrıca, şimdiye kadar, kuvvet dengesinin olmadığı pek çok savaşta -Allah'ın izni ve inayetiyle- onlar galip gelmiş, şartlar aleyhlerinde olmasına rağmen hep zaferden zafere koşmuşlardı. Şimdi de önlerinde İnsanlığın İftihar Tablosu; atlarına, develerine binmiş, düşmanın üzerine yürüyorlardı ve giderken de çok ümitliydiler. Ruhlarımız onlara feda olsun ve Rabbim bizi de onların yolunda daim ve kaim eylesin. İşte Kur'ân-ı Kerim onların bu hâlini anlatırken öncelikle, لَقَدْ نَصَرَكُمُ اللّٰهُ فِي مَوَاطِنَ كَثِيرَةٍ *"Andolsun ki Allah birçok yerde size yardım etmişti."* buyurarak, onlara Bedir, Uhud ve Mekke'nin fethi gibi muharebelerde Allah'ın nusretine mazhar olduklarını ifade ediyor. Sonra وَيَوْمَ حُنَيْنٍ buyurarak, Huneyn gününde de Allah'ın onlara yardım ettiğini hatırlatıyor. Burada, Cenâb-ı Hakk'ın beraat-i istihlal nevinden öncelikle onların Huneyn Günü'nde de iltifata mazhar olduklarını ifade buyurduğunu, daha sonra mukarrabîn ufkuna göre değerlendirilmesi gereken o günkü durumlarını ifade ettiğini görüyoruz. Fakat bir kere daha hatırlatmak gerekir ki, onların bu hatalarına حَسَنَاتُ الْأَبْرَارِ سَيِّئَاتُ الْمُقَرَّبِينَ *"Ebrârın öyle iyilikleri vardır ki, onlar mukarrebîn için günah sayılır."*[271] fehvasınca yaklaşmak gerekir. Mesela sizin, taakkul seviyesinde yaptığınız hatalardan dolayı tecziye görmenize mukabil, onlar hayallerine gelip çarpan şeylerden bile tecziye görebilirler.

---

[271] Bkz.: Hatîb el-Bağdâdî, *Târîhu Bağdâd* 4/276; İbn Asâkir, *Târîhu Dimaşk* 5/137.

Daha sonra Allah Teâlâ, شَيْئًا عَنْكُم تُغْنِ فَلَمْ كَثْرَتُكُم أَعْجَبَتْكُمْ إِذْ *Hani (o gün) çokluğunuz, içinizde bir beğenme hissi hâsıl etmiş-ti; ama bu, size hiçbir yarar sağlamamıştı."* buyuruyor. Öyle ki, o gün, رَحُبَتْ بِمَا الْأَرْضُ عَلَيْكُمُ وَضَاقَتْ *"Bütün genişliğine rağmen yeryüzü size dar gelmişti."* Aynı ifade başka bir âyet-i kerimede Ka'b İbn Mâlik ve arkadaşları için kullanılmıştır.[272] Esasen bu bir idyumdur ve bizim edebiyatımıza da girmiştir. Mesela bir beldede duygu ve düşünceleriniz açısından görmek istediğinizi göreme-yip beklediklerinizi bulamayınca, "Burası bana dar geldi." der-siniz. İşte sahabe-i kiram efendilerimizin Huneyn'deki muvakkat bir sarsıntı anındaki halet-i ruhiyeleri "bütün genişliğine rağmen yeryüzünün onlara dar gelmesi" şeklinde bir ifadeyle anlatılıyor. Ayrıca مُدْبِرِينَ وَلَّيْتُمْ ثُمَّ *"Sonra da arkanızı dönüp kaçmaya başla-mıştınız."* buyrularak işin geldiği noktaya dikkat çekiliyor.

Fakat bütün bunlara rağmen bir sonraki âyette ifade edildi-ği üzere Cenâb-ı Hak, Efendimiz (sallallâhu aleyhi ve sellem) ve sahabe-i kiramın üzerine sekine indiriyor. Bunun üzerine onlar, gönülden bir nedamet yaşıyor, yeniden derlenip toparlanıyor ve Allah'ın izni ve inayetiyle muzaffer oluyorlardı.

Zafer Sarhoşluğuyla Gelen Baş Dönmeleri

Soruda ifade edilen, Asr-ı Saadet'teki bu tarihî hâdiseden alınması gereken mesaja gelince: Cenâb-ı Hak, sahabe-i kiram efendilerimizi, ilâhî inayet ve riayetle teyit buyurup muzaffer kıl-dığı gibi, günümüz Müslümanlarını da değişik ikram ve mazha-riyetlerle zaferyâb kılabilir. İşte önemli olan bu esnada kıvamı korumak ve olup biten hadiseleri hep O'ndan bilmektir. Hatta irademize terettüp eden en büyük başarılar karşısında bile, se-bepleri yırtmalı, ayaklarımızın altına almalı ve sebepler arkasın-daki Müsebbibü'l-Esbab'ı görerek, "Her şey Senden" demesini bilmeliyiz. Başarı ve muvaffakiyetler, ehl-i dünya, ehl-i gaflet ve ehl-i dalâlet tarafından alkışlanacak, takdir ve tebcil edilecek

---

[272] Bkz.: Tevbe sûresi, 9/118.

güzel hadiseler olabilir. Fakat bunlar hiçbir zaman inanan bir insanın başını döndürmemeli, bakışını bulandırmamalı ve asla ona kulluğunu unutturmamalıdır. Evet, biz ne tür başarılara imza atarsak atalım kendimizi hep O'nun boynu tasmalı kapı kulları görmeliyiz. Zaten kendimizi O'nun halâiki görürsek, diğer bütün kulluklardan kurtulmuş oluruz. Bu aynı zamanda, başkalarının kendilerine göre oluşturdukları kast sistemlerinde bizi halaik gibi kullanmalarından kurtulma, kula kul olma gibi bir esaretten sıyrılma demektir. Zira Allah'a kul olmayanlar, çok değişik şeylerin kulu-kölesi haline gelirler. Bazıları şehvete, bazıları bohemliğe, bazıları menfaate, bazıları şöhrete; bazıları da güç ve kuvvete kul olur ve her şeyi kuvvetle halledeceklerini zannederek çeşit çeşit zulümlere girerler. Bu insanların hepsine siz esir gözüyle bakabilirsiniz. Hatta Allah'a kul olmayan bu kişilerin esir olduğuna dair yemin etseniz, yemininizde hânis (yalancı) olmazsınız. Çünkü bu şahıslardan kimilerinin boynunda on, kimilerinin beş, kimilerinin ise iki tane esaret zinciri vardır.

Evet, gafil insanlar, meydana gelen güzelliklerin arkasında fert veya heyetleri görerek onları alkışlayıp göklere çıkarabilirler. Böyle bir alkış karşısında, kendisinde şöhret hissi ve alkışlanma arzusu bulunan zayıf karakterli insanlar da çok defa şımarıklaşıp küstahlaşabilir. Hakkı olmayan şeyleri kendi hakkıymış gibi görme derekesine sukut edebilir. İnsanın, nail olduğu mazhariyetlerin Cenâb-ı Hak'tan gelen birer lütuf olduğunu unutarak, onlara sahip çıkıp kendinden bilmesi bir düşüştür. Mesela, yaptığı sohbet veya vaazla insanların coşmasını, heyecana gelip hıçkırıklara boğulmasını kendi konuşmalarına bağlayan insan, yaptığı işi kirletmiş demektir. Hâlbuki gönüller Allah'ın elindedir. İnsana söz ve beyan nimetinin verilmesi ise hem bir lütuf hem de bir imtihandır. İnsanın bunlara sahip çıkmaya kalkması, hakkı olmayan şeylere sahip çıkması demektir. Unutmayın ki, şöhret hissi öyle bir beladır ki, ona sahip olan insan takdir edilip alkışlandıkça, Allah'a, Peygamber'e ve Kur'an'a ait şeylere bile sahip çıkmaya kalkar. Rabbim hepimizi böyle bir beladan muhafaza buyursun!

Hâsılı, eğer siz bir kere daha ruhunuzun âbidesini ikâme etmeyi düşünüyorsanız, bunun ne dünyevî imkânlarla ne de değişik güç ve kuvvetlerle halledilemeyeceğini bilmelisiniz. Akif'in ifadesiyle insan hep Allah'a dayanmalı, saye sarılmalı ve hikmete ram olmalıdır. Bu anlayışla siz, Kur'an aklîliğini esas alarak diyalektiğe girmeden hep hakkı konuşmaya, hakkı seslendirmeye çalışırsanız, Allah da size hep doğruyu gördürür, doğruyu konuşturur; neticede sizin için olmazları oldurur ve yürüdüğünüz yolda sizleri muvaffak kılar.

İntihar

Soru: *Günümüzde sosyal bir afet halini alan intihara karşı İslâm'ın bakış açısı nasıldır? İnsanı, dünyevî-uhrevî felâkete sürükleyen intiharın ardındaki sebep ve sâikler nelerdir?*

Cevap: Kur'ân-ı Kerim'de intihar hakkında sarih bir beyan bulunmasa da, bir başkasının canına kıymayla ilgili âyetlerin hükmünün, insanın kendisini öldürmesi için de geçerli olduğunu söyleyebiliriz. Çünkü başkasının canına kıymak nasıl bir cinayetse, bir insanın kendi canına kıyması da öyle bir cinayettir. Yüce Allah (celle celâluhu), مَنْ قَتَلَ نَفْسًا بِغَيْرِ نَفْسٍ أَوْ فَسَادٍ فِي الْأَرْضِ فَكَأَنَّمَا قَتَلَ النَّاسَ جَمِيعًا *"Kim bir kimseyi, kısas veya yeryüzünde bir fesada mukabil olmanın dışında öldürürse, bütün insanları öldürmüş gibidir."*[273] buyurarak bir cana kıymayı, bütün insanlığı öldürmeye denk bir cinayet saymıştır.

Öte yandan bir insanın korumakla mükellef olduğu beş esastan biri de nefsin korunmasıdır. Hatta denebilir ki, – Şâtıbî'nin de Muvafakat'ında belli bir sistem içinde ele aldığı gibi– bütün hukuk sistemi, usûl-i hamse dediğimiz nefis, din, mal, akıl ve neslin korunması esası üzerine müessestir.[274] Dahası nefsin korunması, bu esasların en başında yer alan bir meseledir. Bu

---

273 Mâide sûresi, 5/32.
274 Bkz.: eş-Şâtıbî, *el-Muvâfakât* 1/38, 2/10.

zaviyeden insan, dinini, ülkesinin sınırlarını, ırz ve namusunu, istiklalini, malını koruduğu gibi canını da korumakla mükelleftir. Nefis korunmaya o kadar liyakatli ve onun korunması o kadar önemlidir ki, ona karşı bir tecavüz vuku bulduğu zaman, belli şartlarda nefis müdafaası adına karşı tarafın nefsine müdahaleye bile cevaz verilmiştir.

Emanete İhanet

Ayrıca nefis, Allah'ın insana önemli bir emanetidir. Yani nasıl ki iman, diyanet, dine hizmet etme insana verilmiş birer emanettir; bütün bunların matiyyesi (bineği) sayılan nefis de insan için öyle bir emanettir. Çünkü hayat olmayınca bunların hiçbirisini hayata tatbik mümkün olmayacaktır. Bu açıdan bir insanın kendi iradesiyle hayatına son vermesi, Cenâb-ı Hakk'ın nefse ait bir kısım emanetleri taşımakla vazifeli kıldığı matiyyeye kıyma demektir.

Hem insan, tıpkı bir asker gibi dünyaya gelir, silâh altına alınır ve bir vazifeyle tavzif edilir. Bu açıdan insana düşen, kendisine "gel" çağrısında bulunulacağı ana kadar sabretmesini bilmektir. Nasıl ki bir asker, terhis belgesi henüz komutanı tarafından imzalanmadan bölüğünden ayrılıp giderse askerlikten firar etmiş sayılır, aynı şekilde sahibi tarafından terhisi imzalanmadan hayat vazifesini terk eden bir insan da firarî sayılır ve böyle birinin ömür boyu yaptığı bütün ameller yanar. Hatta intiharın daha berisinde, bir insanın yaşadığı bazı sıkıntılardan dolayı Cenâb-ı Hakk'ın canını almasını arzu etmesi bile günahtır. Çünkü böyle bir istekte bulunmak, Allah Teâlâ'nın kaza ve kaderine bir başkaldırma ve isyandır. Bu sebepledir ki, ağzından ezkaza böyle bir isyan sözü çıkan kimsenin, odasına çekilerek başını yere koyup büyük bir günah işlemiş gibi, "Allah'ım beni affet. Çünkü Sana karşı bir cinayet işledim." demesi gerekir. Hayata kıymanın çok daha berisindeki böyle bir mülâhaza bile mahzurluysa, Allah'ın bu dünya askerliğinden terhis etmesini beklemeden, terhise müdahale etmeye kalkma Allah'a karşı çok daha büyük bir saygısızlık demektir. Çünkü bu mevzuda söz, O'na aittir. Dünyaya gönderen O olduğuna göre, buradan ahirete gönderecek olan da yine O'dur. Bu mevzuda hiçbir beşere müdahale hakkı verilmemiştir.

Vakıa insan, nefsini, dinini ve malını koruma gibi, müdafaa etmesi gereken değerleri müdafaa ederken vefat edebilir. Böyle bir neticede insan müdahalesi var gibi görünse de esasında bu, Cenâb-ı Hakk'ın emirleri çerçevesinde ötelere yürümenin ad ve unvanıdır. Zira bir hadis-i şeriflerinde Allah Resûlü (sallallâhu aleyhi ve sellem) şöyle buyurmuştur: مَنْ قُتِلَ دُونَ مَالِهِ فَهُوَ شَهِيدٌ وَمَنْ قُتِلَ دُونَ دِينِهِ فَهُوَ شَهِيدٌ وَمَنْ قُتِلَ دُونَ دَمِهِ فَهُوَ شَهِيدٌ وَمَنْ قُتِلَ دُونَ أَهْلِهِ فَهُوَ شَهِيدٌ "*Kim malı uğrunda öldürülürse o şehittir, kim dini uğrunda öldürülürse o şehittir, kim nefsi uğrunda öldürülürse o şehittir ve kim ailesi uğrunda öldürülürse o da şehittir.*"[275] Dolayısıyla bu gibi durumlarda ölme, bir yönüyle yine terhis ve tezkerenin O'nun tarafından doldurulması demektir.

Fukahadan bazıları, intihar eden bir insanı, mürted gibi farz ederek, onun namazının kılınmayacağına hükmetmiştir. Fakat muvakkat cinnet geçiren bir insanın bu cinnet esnasında intihara kalkışmış olabileceği mülâhazası da vardır. Bu durumda bulunan insan ise, aklî dengesini yitirdiğinden dolayı ne yaptığının şuurunda olmaz. Bu sebeple, intihar eden bir kimsenin hangi saikle canına kıydığını ve yaşadığı hadisenin arka planının ne olduğunu tam olarak bilemediğimizden, bizim bu gibi insanlar hakkında hüsnüzan ederek dinimizin emrettiği şekilde onların techiz ü tekfinini yapmamızda, cenaze namazlarını kılıp haklarında hüsn-ü şehadette bulunmamızda mahzur görülmemiştir.

Bazen de tahammülfersa hale gelen bir kısım acı ve ızdıraplar insanı intihara sürükleyebilir. Nitekim devr-i risalet-penahide böyle bir hadise yaşanmıştır. Kuzman isminde bir şahıs Uhud Savaşı'nda aldığı ağır yaraların ızdırabına dayanamayarak ölümünü hızlandırmak için kılıcının keskin tarafını göğsüne dayamış ve üzerine yüklenerek intihar etmiştir. Bunun üzerine Resûl-i Ekrem

---

[275] Tirmizî, *diyât* 22; Nesâî, *tahrîmu'd-dem* 23.

Efendimiz (aleyhissalâtü vesselâm) onun hakkında, *"O, ateş ehlindendir!"* buyurmuştur.[276] Düşünün ki, Peygamber önünde savaşmış, savaşırken şehit olacak derecede yaralanmıştır. Ama ağrı ve sızısına dayanamayarak kendisini öldürdüğünden dolayı bu tali'siz insan kazanma kuşağında kaybetmiştir. Evet, o, Allah'ın kararından evvel kendisi hakkında kendi karar vermiş, terhis tezkeresini vaktinden evvel alarak kendisi doldurmuş ve neticede, *"O, cehennemliktir."* beyanına müstahak olmuştur.

Hâlbuki inanmış bir insana düşen, karşı karşıya kaldığı bu gibi durumlarda dişini sıkıp sabretmektir. İnsan, her ne olursa olsun Allah'ın *"gel"* diyeceği ana kadar katlanmasını bilmeli ve Cenâb-ı Hakk'ın muradına göre ölmelidir. Diğer bir ifadeyle insan ölürken bile murad-ı ilahîyi takip etmelidir. Kur'ân-ı Kerim'de geçen: يَا أَيُّهَا الَّذِينَ اٰمَنُوا اتَّقُوا اللهَ حَقَّ تُقَاتِهِ وَلَا تَمُوتُنَّ إِلَّا وَأَنْتُمْ مُسْلِمُونَ *"Ey iman edenler, Allah'tan korkulması gerektiği şekilde korkun, Allah'ın istediği ölçüler içinde takva dairesi içinde yaşayın ve zinhar Müslüman olmanın dışında ölmemeye çalışın."*[277] mealindeki âyet-i kerime, işarî mânâda insanın kendi hayatına kıymaması gerektiğini de ifade etmektedir. Zira intihar, Allah'a teslim olamamanın bir neticesidir. Oysaki âyet, *"Allah'a teslim olma hâli dışında bir hâl üzere ölmeyin!"* buyuruyor. Ayrıca bir insanın kendi hayatına kıyması, bütün geçmişini heder etme demek olduğundan, o, çok tehlikeli bir iş üzerinde hayatını sonlandırma demektir.

Katmerli Cinayet: İntihar Saldırıları

Günümüzde, önce Batı'da başlayıp daha sonra maalesef İslâm coğrafyasındaki bazı ülkelerde de görülen ve adına intihar saldırısı dedikleri bir intihar şekli daha vardır. Hâdisenin failleri, bu tür saldırıları "anlamlı intihar" olarak nitelendirip kendilerince ona bir misyon yüklüyorlar. Başka bir ifadeyle ideolojileri uğruna gerçekleştirdikleri bu intiharlarla, sözde ona bir anlam

---

[276] et-Taberî, *Târîhu'l-ümem ve'l-mülûk* 2/73.
[277] Âl-i İmrân sûresi, 3/102.

ve bir değer kazandırmaya çalışıyor ve bununla kendi din ve diyanetlerini korumayı düşünüyorlar. Oysaki hakikati itibarıyla meseleye bakıldığında, bu tür canlı bombaların biraz evvel ele aldığımız intihardan bir farkı olmadığı görülür. Hatta bu tür intiharların muzaaf bir cinayet olduğu dahi söylenebilir. Çünkü insanlıkla alâkaları bulunmayan ve dinin ruhundan habersiz olan bu gafil caniler, kendilerini öldürmek suretiyle tepetaklak Cehennem'e yuvarlanmanın yanı başında, bir de bir sürü masum insanın canına kıyıyorlar. Dolayısıyla onlar, kendi hesaplarını Allah'a vermenin yanında çoluk çocuk, kadın erkek, Müslim gayrimüslim demeden kanına girdikleri insanların da teker teker hepsinin hesabını Allah'a verme durumunda kalacaklardır. Çünkü İslâm'da gerek sulh gerekse savaş hâlinde yapılması gerekenler belli kanun ve disiplinlere bağlanmıştır. Sulh hâlinde kimse kendi kendine harp ilân edip bir insanı öldürme kararı alamayacağı gibi, sıcak savaş esnasında da karşı cephede bulunan çocuk, kadın ve yaşlıları öldürme hakkına sahip değildir.

Bu itibarla, hangi açıdan ele alınırsa alınsın, intihar saldırıları ve benzeri terör hâdiselerini Müslümanlıkla telif etmek asla mümkün değildir. Bu hususa ışık tutacak bir hadis-i şeriflerinde Resûl-i Ekrem Efendimiz şöyle buyurmuştur: لَا يَزْنِي الْعَبْدُ حِينَ يَزْنِي وَهُوَ مُؤْمِنٌ وَلَا يَشْرَبُ الْخَمْرَ حِينَ يَشْرَبُهَا وَهُوَ مُؤْمِنٌ وَلَا يَسْرِقُ وَهُوَ مُؤْمِنٌ وَلَا يَقْتُلُ وَهُوَ مُؤْمِنٌ *"Kul, mü'min olduğu hâlde zina etmez, mü'min olduğu hâlde içki içmez, mü'min olduğu hâlde hırsızlık yapmaz, mü'min olduğu hâlde insan öldürmez."*[278] Buradan anlıyoruz ki, bir katil, kıtal esnasında mü'min değildir. Diğer bir ifadeyle bu günahları irtikâp eden bir insana, o anki hâli, kurguları, plan ve projeleri itibarıyla "Müslüman" denemez. Evet, o esnada onun üzerine bir mercek koyup baktığınızda, karşınıza bir Müslüman portresinin çıkmadığını ve böyle bir karakterin İslâmî çerçeveye uymadığını görürsünüz. Bu açıdan bir kez daha ifade edelim ki, canlı bomba olmak suretiyle masum

---

[278] Nesâî, *kasâme* 48, 49, *kat'u's-sârik* 1; Abdurrezzak, *el-Musannef* 7/415; İbn Ebî Şeybe, *el-Musannef* 6/169.

insanların canına kıyan kişi hangi ülke ve hangi hizipten olursa olsun, onun işlediği bu cinayet kesinlikle Müslümanlıkla telif edilemez. Onca insanın canına kıyan bir insan, öbür tarafta iflâh olmaz. Elbette ki, büyük günahlardan sayılan bu cürümleri[279] işleyen bir insanın tevbe ve istiğfarla Allah'a yönelmesi ve Cenâb-ı Hakk'ın da onun günahlarını affetmesi her zaman için mümkündür.[280] Bu takdirde ona ahirette nasıl bir muamelede bulunacağını ise ancak Cenâb-ı Hak bilir.

Diğer yandan bu tür cinayetlerin İslâm'ın dırahşan çehresini kararttığı, İslâm'ın pırıl pırıl çehresine bir zift atma mânâsına geldiği de bir gerçektir. Çünkü Müslüman görüntüsüyle ve din adına hareket ediliyor izlenimiyle işlenen cinayetler, İslâm'ın aslından ve usulünden habersizler nazarında İslâm'a mal edilmektedir. Dolayısıyla inanan insanlar böyle bir yanlış algıyı temizlemek istediğinde bir hayli zorlanacaktır. Evet, İslâm adına zihinlerdeki bu kötü algıyı temizlemek için yıllarca çalışmak icap edecektir. Bu açıdan da söz konusu intiharları kim gerçekleştirirse gerçekleştirsin bunların muzaaf hatta mük'ab bir cinayet olduğu söylenebilir. İslâm'ın gerçek veçhesini bilmeyen bir iki insan burada bana, "Müslümanları intihar komandosu olmaya sevk eden Cennet'e gitme sevdası mıdır?" diye bir soru sormuşlardı. Onlara şöyle cevap vermiştim: "Şayet bu insanlar böyle bir mülâhazayla hareket ediyorlarsa yanlış bir mülâhaza içindeler demektir. Çünkü böyle bir cinayete teşebbüs eden kimse Cennet'e değil, 'cup' diye Cehennem'e düşer."

Hâsılı, intihar saldırıları adı altında işlenen bu korkunç cinayetlerin din temelli gibi gösterilmesi meseleyi daha tehlikeli boyutlara taşımaktadır. Bu açıdan bir kez daha ifade edelim ki, böyle bir vahşet hangi maksatla ve hangi şekliyle işlenirse işlensin, o, Allah'ın sevmediği ve razı olmadığı münker bir fiildir ve İslâm'la telif edilmesi de asla mümkün değildir.

---

[279] Bkz.: Nisâ sûresi, 4/93; Mâide sûresi, 5/32.; Buhârî, *tefsîru sûre (24)* 5; Müslim, *tefsîr* 16.

[280] Bkz.: Furkan sûresi, 25/68-70.

Nazarî ve Amelî Milliyetperverlik

Soru: *Nazarî ve amelî milliyetperverlikten bahsediyorsunuz. Bu ifadelere yüklediğiniz mânâları lütfeder misiniz?*

Cevap: Dünden bugüne milliyetçilik kelimesine çok farklı anlamlar yükleyenler olmuştur. Bununla birlikte ben milliyetperverlikten, kaderde, tasada, sevinçte, kıvançta ortak olmuş, tarih boyu aynı değerler manzumesini paylaşmış, aynı ruh ve mana köklerinden beslenmiş, düşünce dünyaları bu değerlerden süzülüp gelen usarelerden oluşmuş ve temeli iki, üç, belki de dört bin yıla dayanan aynı kaderin çocukları olma şuurunu anlıyorum. Şu kadar var ki, üç-dört bin yıla uzanan bu vetirede milletimiz esasen aradığını İslâmiyet'te bulmuş, onda ruhunun, kalbinin sesini duyar hâle gelmiş, ebediyet mülâhazasını keşfetmiş, dünya ve ukba muvazenesini kurmuş ve değişik buudlara açılma imkânına kavuşmuştur. Diğer bir ifadeyle tarih boyu birçok devlet kuran milletimiz, aradığını İslâmiyet'te bularak arayışına son noktayı koymuş ve gerçek kıvamına ermiştir. Zaten Allah Teâlâ da, *"Ben bugün sizin dininizi kemale erdirdim. Size olan nimetimi tamamladım. Sizin için din olarak da İslâm'dan hoşnut oldum."*[281] beyan-ı sübhanisiyle hakikî kemalin İslâm'la

---

[281] Mâide sûresi, 5/3.

ortaya konduğunu ifade buyurmuyor mu? Yani din; Kur'an ve Allah Resûlü'nün (sallallâhu aleyhi ve sellem) temsil ve mesajlarıyla gerçek kemaline kavuştuğu gibi, milletimiz de, İslâm'la şerefyâb olduğunda gerçek kıvamını bulmuştur.

Din Eleğinden Geçen Değerler Manzumesi

Ayrıca çok eski tarihlerden günümüze kadar ulaşan gelenek, âdet ve töreler de ilâhî muhkemat ve ilâhî kıstaslarla filtre edile edile, süzüle süzüle bize kadar gelmiş ve milletimize mal olmuştur. Bütün bunlar din eleğinden geçtiği için, onlara dinin müsaade ettiği değerler olarak bakılması gerekir. Bilindiği üzere İslâm'da bir edille-i şer'iye-i asliye diye isimlendirilen, Kitap, Sünnet, icma-i ümmet ve kıyas-ı fukaha vardır;[282] bir de yine bunlara bağlı olan istishab, istihsan, maslahat, sedd-i zerâi gibi edille-i şer'iye-i fer'iye denilen deliller vardır.[283] İşte bazıları örfü de ikinci derecede yer alan fer'î delillerden birisi olarak mütalâa etmişlerdir. Çünkü Kur'ân-ı Kerim'e göre örf, Cenâb-ı Hakk'ın ma'ruf saydığı şeyler olup, Allah Teâlâ onlara da riayet edilmesini emretmiştir.[284] Bu açıdan bakıldığında örf, temel kaynaklarla çelişmeyen değerler manzumesi demektir. İşte milletimizin mayesini teşkil eden ve onu yönlendiren temel unsurlar, ruh ve mânâ köklerimizden süzülüp gelen bütün bu usarelerdir.

Irkçılık ve Nifak

Aynı kültür, aynı inanç, aynı sevinç, aynı tasa, aynı mağduriyet ve aynı mazlumiyetin çocukları olan bu millet, asırlardan beri bir arada yaşamıştır. Fakat ne acıdır ki, son birkaç asırdan beri, İslâm dünyasında, daha doğrusu Müslümanların yaşadığı ülkeler diyebileceğimiz bahtsız bir coğrafyada bir kısım münafıkça düşünce ve davranışlar toplumların kaderine hükmetmeye başlamıştır. Ağızlarından çıkan sözle, yaptıkları iş tamamen

---

[282] Bkz.: el-Pezdevî, el-Usûl 1/221; es-Serahsî, el-Usûl 1/279
[283] Bkz.: Mehmed Seyyid, Medhal s.323.
[284] Bkz.: A'râf sûresi, 7/199; Tevbe sûresi, 9/71.

tenakuz arz eden bir kısım insanlar, menşei dışarıda bazı farklı mülâhazalarla millet fertlerini bölüp parçalamaya çalışarak, bu millete en büyük kötülüğü yapmış ve bir yönüyle Müslümanlar için küfr-ü mutlaktan daha tehlikeli olmuşlardır. Çünkü küfr-ü mutlakı temsil eden ve hâşâ, "Allah yoktur." dedikten sonra her şeyi götürüp tabiat ve natüralizme ya da materyalizme irca edenler, yalancı ışıklarıyla parladıktan bir müddet sonra milletin nazarında sönüp gitmişlerdir. Fakat değişik kılıflar altında varlığını sürdüren nifak düşüncesinin sönüp gitmesi çok daha zordur. Bu açıdan denilebilir ki, birkaç asırdan beri İslâm dünyasına musallat olan asıl felç edici güve, nifak güvesidir. Kurt, gövdenin içine girdiği için toplumun kanını emmekte ve damarlarını kesmektedir. İşte milliyetçilik mefhumu da bu tür şebekelerin istismar ettiği kavramlardan biri olmuştur. İnsanların sadece hissiyat ve heyecanlarına hitap edilerek, şatafatlı ve debdebeli sözler altında bu kavram, toplumu parçalama ve millet fertlerini karşı karşıya getirme adına kullanılmıştır. Öyle ki, hemen herkes tavır ve davranışlarıyla içinde bulunduğu toplumun geleceği adına mücadele veriyor gibi görünse de, bir anda ortalık kanlı bıçaklı insanlarla doluvermiştir. Bir misal olması açısından ifade edeyim: Yetmişli ve seksenli yıllarda farklı cephelerde birbiriyle mücadele eden insanlarla bir nezaret veya hapishane hücresinde kader birliğimiz olduğunda, her iki cephenin içinde de samimi ve tepeden tırnağa Anadolu insanı olduğuna şahit olduğum gençlerle tanışmıştım. Kendilerince farklı cephelerin mücadelesini veren bu gençler, bir şekilde iğfal edilmiş, ellerine silâh verilmiş ve sokağa dökülmüş insanlardı. Maalesef bu gençlerin her birine kan gösterilmiş, kan düşündürülmüş ve neticede hepsi kanlı katiller haline getirilmişti. Hâlbuki psikanaliz yaparcasına bu gençlerin biraz iç dünyalarına girip ruhlarını şerh ettiğinizde sinelerinin tepeden tırnağa bu millet için çarptığına şahit olurdunuz. Ne var ki, menşei farklı ideoloji ve akımlara dayanan nifak şebekeleri bu samimi insanları birbirine düşman hâline getirmişti.

Esasında İslâm tarihinde nifak şebekesinin menşei Pers kültürüne dayanır. Hazreti Ebû Bekir ve Hazreti Ömer düşmanlığı,

İslâm'ın içinde ilk nifak şebekesinin oluşmasına ve ilk nifak tohumlarının İslâm toprağına atılmasına sebep olmuştur. Ondan sonra nifak düşüncesi değişik zamanlarda, farklı boyut, farklı renk, farklı desen ve farklı şivelerle muhtelif eşrar ve füccar tarafından hep temsil edilegelmiştir. Irkçılık düşüncesi de böyle bir nifak anlayışının ürünüdür. Yıkılış dönemimizde –bir şairin dikkat çektiği gibi– işin içine ırkçılık mülâhazaları sokularak milliyet dâvâsı fıska bürünmüş, ridâ-yı diyanet yerde sürünmüş ve Türk'ün ruhu hem peygamberine hem de Allah'ına zorla âsi gösterilmeye çalışılmıştır. Sizin de çok iyi bildiğiniz bu filozof şair, işlediği günahları itiraf sadedinde, "Sultan Abdülhamid Han'ın Ruhâniyetinden İstimdat" başlıklı şiirini kaleme almış ve bu şiirinde hem bize nelerin nasıl yanlış gösterildiğini ifade etmiş hem de günahlarına tevbe sadedinde kendi mazeretini serdetmiştir. Bu açıdan bizim, milliyetperverlik düşüncemizden Allah, Peygamber ve Kur'an mülâhazasını çıkarıp atmamız mümkün değildir. Hatta bırakın onları bir kenara atmayı, onları hafife alacak tavır ve davranışları bile milliyetperverlik mülâhazamızla telif edemeyiz. Bu müteal mazmunları, konuşma ve tartışmalarımızda sıradan objeler gibi kullanamayız. Onlara karşı sadece saygı duyar, tazimde bulunuruz. İşte biz böyle bir çerçevenin millileriyiz.

Millet Sevgisinin Ete-Kemiğe Büründürülmesi

Biz inanıyoruz ki, milletimizin beka ve devamı bu değerlere sahip çıkmaya bağlı olduğu gibi, milletimizin bir gün yeniden sıçrayıp devletler muvazenesinde yerini alması, insanî faziletlerin bayraktarlığını yaparak insanlık gemisinin dümenine oturması da sahip olduğumuz bu değerler manzumesine bağlıdır. Evet, biz inanıyoruz ki, bu değerler manzumesi sayesinde, hak ve hukuk gerçek mânâsını bulacak, kan ve gözyaşı dinecek, ama hakikî ama izafî adalet gerçekleşecek ve insanlık ehil insanların elinde yeniden gerçek huzura kavuşacaktır. Şimdi bu düşünceye inanan bir insan, niye bu değerler manzumesini bütün dünyaya duyurmayı düşünmesin ki!

İşte bu noktada nazarî ve amelî milliyetperverlik meselesi ortaya çıkıyor. İnancın, amelle insan tabiatına mal edilmesi yaklaşımımızı biliyorsunuz. Alman filozofu Kant da, saf aklın kritiğini yaparken, Allah'ın nazarî akılla değil amelî akılla bilinebileceğini söyler. Bu düşünceyi Bergson'un entüvisyonuyla da telif edebilirsiniz. Hazreti Pîr de vicdanın sezisi üzerinde durmuş ve insanın acz ve fakrını hissederek Allah'a yönelmesi ve işlerini Allah sayesinde çözmesi gerektiğine vurguda bulunmuştur.[285]

İşte aynen bunun gibi, amelden uzak nazarî milliyetçilik, onun sadece lafını etme ve hamasî destanlarla müteselli olma demektir. Hâlbuki önemli olan o istikamette dur-durak bilmeden, herhangi bir beklentiye girmeden koşturup durmak, yapılması gerekeni yapmaktır. Mesela neden ben, dilimi bir dünya dili hâline getirmeyeyim? İngilizce dünya dili olsun da, Türkçe niye insanların birbiriyle konuşup anlaştığı, kaynaştığı bir dünya dili olmasın? Ali Şeriati, bugünkü Arapça, Türkçe ve Farsça için, "Bu kadar daraltılmış, fakirleştirilmiş ve sığlaştırılmış bir dille ilim yapılmaz." demiştir. O hâlde niye Asya'daki Türk menşeli dillere müracaat edilerek, mahalli kelimeler değerlendirilerek, hikâye ve romanlardan faydalanılarak, lugatlerin sayfaları arasında kalmış kelimeler yeniden hayata mal edilerek dilimiz bir dünya dili haline getirilecek seviyede geliştirilip zenginleştirilmesin? Şayet bizim amelî milliliğimiz varsa, hem dünden bugüne konuşulan bu güzel dilimizi geliştirmeye ve bir dünya dili hâline getirmeye gayret eder hem de milli hislerimizi ve tarihten tevarüs ettiğimiz değerlerimizi bütün dünyaya tanıtma peşinde oluruz.

Türkiye'yi dünyaya tanıtma, pek çok insanın ideal ve hedefidir. Peki, neyle tanıtacağız ülkemizi? Acaba şimdiye kadar büyük paralar verilerek kurulan lobilerle bu ülke, dünya insanına ne kadar tanıtılmıştır? Bir programda seyretmiştim. Sunucu, elinde mikrofonuyla, New York'un göbeğinde sokakta yürüyen insanlara, "Türkiye diye bir ülke duydunuz mu?" diye sorduğunda, pek çoğu cevap verememiş hatta bazıları, "Galiba Afrika'da

---

[285] Bkz.: Bediüzzaman, *Mesnevî-i Nuriye* s.100 (Zeylü'l-Hubab); *Mektubat* s.475 (Yirmi Dokuzuncu Mektup, Altıncı Risale).

bir ülke." demişlerdi. Bu da gösteriyor ki, maalesef Türkiye'yi tanıtma yolunda gösterilen gayretler yetersiz kalmıştır.

Şimdi ise küreselleşen dünyada, küreselleşmenin hakkını vermeye azmetmiş bazı arkadaşlar, Allah'ın izni ve inayetiyle, dünyanın değişik yerlerine giderek böyle bir gaye-i hayali gerçekleştirmeye çalışıyorlar. Keşke Türkiye'nin ekonomik durumu daha iyi, imkânları daha elverişli olsaydı da, vefalı Anadolu insanının açtığı okulların sayısı bugün bin değil iki bine ulaşmış bulunsaydı. O zaman bu okullarda milyonlara varan insan Türkçe öğrenecek, milletimizin sevgisiyle oturup kalkacak ve ülkemize saygı duyacaktı. Herhangi bir yerden Türkiye'ye bir fiske gelecek olsa, dünyanın değişik yerlerinde iniltiler duyulacak, sesler yükselecekti. Bu arada hemen şunu ifade edelim ki, her şeye rağmen insanımız, vefa hissini sonuna kadar işleterek eldeki imkânlarla gerek yurtiçinde gerekse yurtdışında çok güzel işler yaptı. Ortaya konan faaliyetleri görmezden gelirsek, vefasızlık yapmış oluruz. Evet, mâşerî vicdanın bu olumlu faaliyetler üzerine tir tir titrediği, ciddî bir heyecan duyup sevinç yaşadığı görülüyor. Cenâb-ı Hak bir mâni ve keder vermez, bir muhalif rüzgâr esmezse, öyle ümit ediyoruz ki, bugün olmasa da yarın, bu milletin harcını atıp blokajını ortaya koyduğu müesseseler katlanarak artacak ve inşallah bulunduğumuz coğrafya herkes tarafından imrenilen bir rüya ve hülya âlemi hâline gelecektir. İşte böyle yüce bir mefkûre istikametinde yüksek bir performans ortaya koyma ve aşkın bir gayret sergilemeye biz amelî milliyetperverlik diyoruz.

Hâsılı, eğer siz kendi değerlerinizin ilâhî kaynaklı olduğuna inanıyor ve ezelden gelip ebede gitmesi itibarıyla onları çok önemli ve çok hayatî buluyorsanız, bu değerleri bütün insanlığa duyurma arzusuyla oturup kalkarsınız. Muhataplarınız sunduğunuz bu değerlerin hepsini kabul etmeyebilir ama en azından gerçek veçheniz ve iç güzelliklerinizle sizi tanımış olurlar. Böylece çevrenizde dost, taraftar, sempatizan halkaları meydana gelmiş; siz de küçülüp büzüşen dünyada kendi darlığınız içinde kalmamış ve kendinizi dünyada yalnızlığa salmamış olursunuz.

Kâmil Niyetin Özellikleri - 1

S **oru:** *Niyet-i tâmme ne demektir; mü'minin amelinden daha hayırlı olduğu ifade edilen niyetin hususiyetleri nelerdir?*

Cevap: Gerek fakihler gerekse hadis şârihleri niyeti "kalbin kastı" olarak tarif etmişlerdir.[286] Kalbin kastından beklenen kâmil niyet ise, insanın bütün amellerinde, Maksudu bi'z-Zât ve Mâbudu bi'l-İstihkak olan Cenâb-ı Hakk'a yönelmesi, O'na teveccüh etmesi ve O'nun muradını araştırması demektir. Bildiğiniz üzere niyetle ilgili üzerinde durulan en meşhur hadis, İmam Buhârî Hazretleri'nin de Sahih'inde ilk hadis olarak rivayet ettiği şu mübarek beyandır: إِنَّمَا الْأَعْمَالُ بِالنِّيَّاتِ وَإِنَّمَا لِكُلِّ امْرِئٍ مَا نَوَى فَمَنْ كَانَتْ هِجْرَتُهُ إِلَى اللهِ وَرَسُولِهِ فَهِجْرَتُهُ إِلَى اللهِ وَرَسُولِهِ وَ مَنْ كَانَتْ هِجْرَتُهُ لِدُنْيَا يُصِيبُهَا أَوِ امْرَأَةٍ يَنْكِحُهَا فَهِجْرَتُهُ إِلَى مَا هَاجَرَ إِلَيْهِ *"Ameller (başka değil) ancak niyetlere göredir ve kişinin niyeti ne idiyse, karşılık olarak onu bulur. Dolayısıyla kimin hicreti, Allah ve Resûlü'nün rızasını kazanma istikametindeyse, onun hicreti Allah ve Resûlü'ne olmuş demektir. Yine kim nâil olacağı bir dünyalık veya nikahlanacağı bir kadına ulaşma uğruna hicret etmişse, onun hicreti de hedeflediği şeye olmuştur."[287]* Bu hadis-i şerife göre; şayet bir

---

[286] Bkz.: el-Gazzâlî, *el-Vasît* 2/519.
[287] Buhârî, *bed'ü'l-vahy* 1, *îmân* 41, *ıtk* 6, *menâkıbü'l-ensâr* 45, *eymân* 23, *hiyel* 1; Müslim, *imâret* 155.

insan, âlemi aldatmak ve Müslüman görünmek için abdest alıp namaz kılıyorsa, ahirette bu amellerin hiçbir karşılığını göremez. Çünkü onun kalbi Allah'a değil, insanların teveccühüne yönelmiştir. Aslında böyle bir tavır münafıkların işidir. Zira onlar inanarak abdest almaz, inanarak namaz kılmaz, inanarak irşad yoluna çıkmaz ve inanarak hayır mülâhazasıyla insanlığa ve milletlerine hizmet etmezler. İşte bu hadis-i şerif, her bir amelin niyete göre değerlendirileceğini beyan etmek suretiyle, farklı mülâhaza ve beklentilerle eda edilen amellerin, Allah katında bir değerinin olmadığını ifade etmektedir.

Mârifet Ufkuna Göre Niyetin Dereceleri

Öte yandan herkesin niyetinin aynı seviyede olmayacağını da kabul etmek gerekir. Çünkü kişinin niyeti, mârifet ufkuyla doğru orantılıdır. Yani bir insan Allah'a ne kadar inanmış, mârifetullahta ne kadar derinleşmiş ve ihsan mülâhazası gönlünde ne ölçüde inkişaf etmişse niyeti de ona göre farklılaşacaktır. Bu açıdan mârifet ufukları engin olan insanların, ibadetin ilk başlangıcı diyebileceğimiz niyet mevzuunda çıtayı yüksek tutmaları gerekir. Zira eda edilen ibadetlerin besmelesi diyebileceğimiz niyeti sağlam yapan bir kimse, namaz, oruç ve zekât gibi ibadetlerini duyarak ve daha şuurluca eda edecektir.

Hanefî fıkhında, namaza başlarken niyetin ağızla söylenmesi müstehap görülmüştür.[288] Fakat fakîh olarak meşhur olmasa da, mânâ erlerinin abidevî şahsiyetlerinden biri olan İmam Rabbânî Hazretleri, ağızla niyeti mahzurlu görmüştür.[289] Zira ona göre niyet kalbin kastı olduğundan, insanın bütün mâsivâyı gönlünden silip, maksut olarak sadece ve sadece O'na yönelmesi ve O'nu düşünmesi gerekir. Niyetin ağızla telaffuz edilmesi ise insanın zihnini meşgul edebilir. Dolayısıyla onun böyle bir ikilemden sıyrılarak tam olarak Allah'a teveccüh etmesi zor olur. İşte hazretin namaza niyet mevzuunda böyle derin ve engin bir mülâhazası vardır.

---

[288] el-Merğînânî, *el-Hidâye* 1/45; İbn Âbidîn, *Hâşiye* 1/108.
[289] Bkz.: İmam Rabbânî, *el-Mektûbât* 1/160 (186. Mektup).

Şahsen, namaza dururken dille niyette bulunsam bile, onun bu görüşünü tercih ederim. Çünkü niyeti ağızla söyleme, bazen insanı aldatabilir. İnsan bu durumda dille niyeti yeterli bulup hem zâhir hem de bâtın letâifiyle birlikte Cenâb-ı Hakk'a yönelemediğinden dolayı, tam bir kalbî konsantrasyonu yakalayamayabilir. Kalbinin ses ve solukları, ağzından çıkan kelimelere eşlik etmemiş olabilir. Hâlbuki sadece ağızdan çıkan sözler, niyet için muteber değildir. Onlar, ancak kalbin ses ve soluğu olurlarsa, bir değer ifade ederler.

Ne var ki, herkesi böyle bir seviyeye mecbur tutmak, insanların hepsinin aynı kalb ve ruh ufkunda olmasını isteme mânâsına gelir ki, bu da objektif bir talep olmasa gerek. Bu açıdan hâlis bir niyetle Allah'a teveccüh eden bir insanın namazının da, zekâtının da, orucunun da, haccının da kabul olacağına inanmak en doğrusudur. Aynı zamanda böyle bir yaklaşım hem Cenâb-ı Hakk'ın rahmetinin kuluna teveccüh edeceğini hesaba katmanın, hem dinin ruhundaki kolaylık prensibinin, hem de insanlar hakkında hüsnüzanda bulunmanın bir ifadesidir. Unutulmamalıdır ki, hüsnüzan da ibadet şubelerinden bir şubedir.

Halis Niyetin Amelle İrtibatı

Niyetin tarifinde ifade edilen "kalbin kastı" meselesinin doğru anlaşılması için konuyu biraz daha açmamız gerekir. Şöyle ki, niyetteki kasdü'l-kalb meselesi, bir şeyi sadece akıl ve kalbden geçirme demek değildir. Bilâkis o, insanın niyet ettiği hususta azimli ve kararlı olması ve niyetini hemen amele dönüştürme cehdi içinde bulunması demektir. Diğer bir ifadeyle Allah'a teveccüh, niyetin nazarî yanını oluştururken, onun pratiğe dökülmesi amelî buudunu teşkil eder. Bu açıdan niyet edilen meselenin realize edilmesi ve onun pratiğe taşınmasında kararlı olmak gerekir. Şöyle de diyebiliriz: Niyet, din içinde mütalâa edilmesi gereken bir mesele olmasına karşılık, onun realize edilmesi diyanete müteallik bir meseledir. İşte niyetteki ciddîlik de, niyet edilen meselenin nazarî ve amelî yanının birlikte ele alınmasıyla anlaşılır. Binaenaleyh insanın bir şeye sadece niyet etmekle kalmayarak, niyet ettiği ameli gerçekleştirme azim ve gayreti içinde bulunması gerekir. İfade etmeye çalıştığımız bu husus, sadece namaz, oruç ve zekât gibi ibadetlerde değil, hasenat kategorisine giren bütün amellerde geçerlidir.

Niyetin pratikle bir değer kazandığı Hazreti Pîr'in şu ifadesinden de anlaşılabilir: "Tevazua niyet onu ifsad eder; tekebbüre niyet onu izâle eder."[290] Tevazu kanatlarını yere kadar indirme, ahlâk-ı âliye-i İslâmiye'den kabul edilen önemli bir özelliktir. Fakat, "Ben, biraz mütevazi görüneyim." düşüncesi, onu değersizleştirir. Çünkü bu durumda, o kişinin takdir edilme, alkışlanma, parmakla gösterilen bir insan olma gibi arzu ve heveslerin peşinde koştuğu ve niyetinin de tevazudan başka bir maksada yöneldiği anlaşılmış olur. Tekebbüre niyet de onu izale eder. Mesela mütekebbir bir adamın karşısında izhar edilen tekebbür, tekebbür değildir. Çünkü o kişinin buradaki maksadı farklıdır. Demek ki, niyet pratikle değer kazandığından, ondaki asıl maksat, amelî buudu itibarıyla ortaya çıkmaktadır.

Niyete Terettüp Eden Sevap

Bir hadis-i şerifte Allah Resûlü (aleyhissalâtü vesselâm), niyetin önemini anlatma sadedinde niyetin amelden daha hayırlı olduğunu beyan ederken,[291] başka bir hadislerinde de, menfi bir işe niyet edip onu yapmaktan vazgeçen kişiyle, bir iyiliğe niyet edip de onu yapma fırsatı bulamayan kimsenin de sevap kazanacağını ifade buyurmuştur.[292] Buna göre kötü bir fiil irtikâp etmeye niyet eden ve onu yapma azim ve kararlılığı içinde bulunan bir kimse, Allah için onu gerçekleştirmekten vazgeçerse kendisi için bir hasene yazılır. Ve yine bir iyilik yapmaya niyet ettiği hâlde, onu yapma imkânı bulamayan kimse için de bu niyetine binaen sevap yazılır.

---

290 Bediüzzaman, *Mesnevî-i Nuriye* s.185 (Şemme).
291 et-Taberânî, *el-Mu'cemü'l-kebîr* 6/185-186; el-Beyhakî, *es-Sünenü's-suğrâ* s.20.
292 Bkz.: Buhârî, *rikak* 31, *tevhîd* 35; Müslim *îmân* 203, 206, 207, 259.

Örnek vermek gerekirse, siz, Allah'ın izni ve inayetiyle dünyanın dört bir yanına açılarak, Nâm-ı Celîl-i İlâhî'yi bayraklaştırma, ruh-i revan-ı Muhammedî'nin dört bir yanda şehbal açmasını sağlama, ruh ve mânâ köklerimizden süzülüp gelen değerleri bütün dünyaya duyurma karar ve azmi içinde bulunur ve bu konuda samimî davranırsınız. Hatta böyle bir şey aklınıza geldiği an gözleriniz dolar ve yüreğiniz çatlayacak hâle gelir. Aynı zamanda bu mefkûrenizi gerçekleştirme adına elinize geçen bütün fırsatları değerlendirirsiniz. Fakat şartlar müsait olmadığından, baştaki niyetinizi gerçekleştiremezsiniz. İşte böyle bir durumdaki mü'min için Resûl-i Ekrem Efendimiz (aleyhissalâtü vesselâm), onun niyetinin amelinden daha hayırlı olduğunu ve bu niyeti sayesinde o kişinin bu ameli yapmış gibi sevaba nail olacağını ifade buyurmaktadır.

Kâmil Niyetin Özellikleri - 2

Niyet, insanın ebedî saadeti adına çok önemlidir. Ancak necat vesilesi olan niyet, amele sevk eden niyettir. Başka bir ifadeyle kâmil niyet, ameli ikmal eden bir unsurdur ve bu hâliyle o, sınırlı dünya hayatında sınırsızlığa kapılar açan esrarlı bir anahtar gibidir. Mesela bir insan, Cenâb-ı Hakk'ın mü'minleri mükellef tuttuğu namaz, oruç gibi ibadetleri eda etmeye çalışıyor ve O'nun izni ve inayetiyle bu ibadetleri elinden geldiğince yerine getiriyorsa, onun yaptığı bütün bu ibadetleri ona, yirmiye, hatta yüze katlasanız Cenâb-ı Hakk'ın Cennet'te lütfedeceği nimetlerin öşrüne bile tekabül etmeyecektir. Çünkü Cennet, gözlerin görmediği, kulakların işitmediği, insan aklının tahayyül edemeyeceği nimetlerle donatılmış bir mekândır.[293] Hazreti Pîr de, dünya hayatının binlerce senesinin Cennet'in bir saatine mukabil gelmeyeceğini ifade etmiştir.[294] Kur'ân-ı Kerim ve Sünnet-i Sahiha'da anlatılan Cennet nimetleri de, üzerinde az buçuk düşünebilmesi ve bize bir fikir vermesi açısından bir vahid-i kıyasî ve mikyas nevindendir.[295] Yoksa oradaki nimetler tasavvur ve tahayyülleri çok aşkındır. İşte sizin yaptığınız ibadet ü taatinizle

---

[293] Buhârî, bed'ü'l-halk 8, tefsîru sûre (32) 1, tevhîd 35; Müslim, îmân 312, cennet 2-5.
[294] Bkz.: Bediüzzaman, Mektubat s.260 (Yirminci Mektup, Birinci Makam, On Birinci Kelime).
[295] Bkz.: Bakara sûresi, 2/25; Âl-i İmrân sûresi, 3/198; Kehf sûresi, 18/31...

böyle bir Cennet'i peylemeniz, ona istihkak kesbetmeniz müm-
kün değildir. Fakat diyelim ki siz dünyada ömrünüz vefa ettiği
sürece Allah'ın emirlerini yerine getirip nehiylerinden içtinap et-
meye çalışıyor; namaz kılıyor, oruç tutuyor, doğru söylüyor, is-
tikamet içinde bulunuyor, zekât veriyor, hacca gidiyor ve din-i
mübin-i İslâm'ın i'lâsı istikametinde elinizden gelen gayreti or-
taya koyuyorsunuz. Cennet'in kıymeti açısından bakıldığında,
bütün bunlar Cennet'i kazanma yolunda çok küçük amellerdir.
Fakat siz niyet ve tavırlarınızla âdeta diyorsunuz ki, "Yâ Rabbi!
Sultana sultanlık, gedaya da gedalık yaraşır. Âciz bir kul olarak
benim elimden gelen budur." İşte sizin bu engin niyetinize mu-
kabil Allah da (celle celâluhu) sizin için âdeta şöyle diyecektir:
"Benim bu kulum altmış sene yaşadı ve ömrünü Bana itaat yo-
lunda geçirdi. Eğer o, bin sene, bir milyon sene yaşasaydı yine
hayatını aynı istikamette sürdürecekti. Ben de onu bu kadar sü-
re bana ibadet etmiş gibi kabul ediyorum." Yani Cenâb-ı Hak,
insanın niyetini ameli yerine koyacak ve onun niyetini amelin-
den daha hayırlı sayacaktır.

Başlangıçtaki Halis Niyetin Muhafazası

Niyetin amelden daha hayırlı olmasının bir diğer sebebi de
şudur: Kişi başta niyetinde samimi ve halis olabilir. Fakat o ni-
yet, amele dökülürken, bazen işin içine riya, ucb ve kibir karı-
şabilir. Niyet için ise bu mevzuda amelde olduğu ölçüde bir risk
söz konusu değildir. Çünkü niyette, kalbin kastı vardır. Buna
da kimsenin muttali olması mümkün değildir. Mesela bir insan,
"Cenâb-ı Hakk'ın bin kere canımı almasına razıyım, yeter ki,
şu beldelerde nâm-ı celîl-i Muhammedî dalgalansın." diyebilir.
Fakat onun en yakın arkadaşları bile kalbdeki bu hissiyat ve he-
yecanı tam olarak bilemezler. Evet, O'nsuz dünyanın her yeri-
ni karanlık görme, her yerin O'nunla aydınlanacağına inanma,
âdeta sinesine bir hançer saplanmış gibi bunun ızdırabıyla kıv-
ranıp durma, "Sana karşı vefalı davranamadım Yâ Resûlallah!"
deyip inleme ve sürekli bunun derdiyle dertlenme... İşte kalbde-
ki ihlâs mahfazasıyla örtülü bu niyet ve mülâhazaların içine riya,

süm'a, ucb, fahir ve kibir giremeyeceğinden dolayı, Allah katında bunların değeri çok büyüktür. Bu itibarla denebilir ki, içteki bu duygu ve düşünceler, kendisini delecek, kıracak ve parçalayacak olumsuz mülâhazalardan uzak oldukları için, Allah onları yerine getirilmiş birer amel gibi kabul buyuracak, amelle doldurulamayan boşlukları onlarla dolduracak ve onlar karşılığında kişiye ebedî saadeti ihsan edecektir.

İnsan, tevbe ve inabe ile hata ve günahlarını silebilir. Fakat günahlar silinmiş olsa da, insanın amel defterinde bazı boşluklar meydana gelir. Bu boşlukları dolduracak olan sırlı sermaye ise insanın halis niyetleri, önemli teveccühleri ve pratiğe geçmeye müheyya gibi görünen azim ve cehdleridir. Evet, öyle ümit ediyoruz ki, Allah (celle celâluhu) bütün bunları bir amel gibi kabul buyurup defterin boş kalan hanelerini bunlarla dolduracak, böylece kulunu ötede utandırıp mahcup etmeyecektir. Bu açıdan büyükler niyete çok önem vermişlerdir.

İlâhî İnayete Sunulan En Beliğ Bir Davetiye

Bir de eğer niyet, niyet edilen meseleyi realize etme istikametinde Cenâb-ı Hakk'ın meşiet ve teveccühüne sunulan bir çağrı ve davet ise, insan hiçbir zaman onu ortaya koymaktan dûr olmamalıdır. Evet, insanın, yapılacak işlerin çokluğu karşısında, ümitsizlik içinde veya miskin miskin bir kenara çekilip oturması yerine, niyet ederek bir yerden başlaması ve yapabileceği kadarını yapması, Allah Teâlâ'nın nâmütenâhî kudret ve meşietiyle tecellî buyurup insanın gerçekleşmesini arzu ettiği işleri gerçekleştirmesi istikametinde çok önemli bir çağrı ve davettir. Öyleyse insanın şart-ı adî planında malik olduğu bu kadar küçük bir işi ihmal etmesi doğru değildir. Evet, insan, hiç olmazsa niyetinde büyüklük yolunda olmalı ve çıtayı hep yüksek tutmalıdır. Bunun yanında arzu edilen şeylerin hepsinin birden realize edilememesi karşısında da, inkisara düşmemeli, âdet-i ilâhînin cereyanına saygılı olmalı ve yapılması gerekenler yapıldıktan sonra yapılamayanlar için de vakt-i merhunu beklemelidir.

İmkânları Aşan Niyetler

Tasarladığı işleri, aşamayacağı meşru bir kısım mazeretlerden dolayı gerçekleştiremeyenlere gelince onlar niyetlerinin enginliğine göre muamele göreceklerdir. Mesela Kur'ân-ı Kerim, imkân bulamadıklarından dolayı Tebük Seferi için infakta bulunamayan sahabî efendilerimizin durumlarını şu ifadelerle takdir ve tebcil buyurur: تَوَلَّوْا وَأَعْيُنُهُمْ تَفِيضُ مِنَ الدَّمْعِ حَزَنًا أَلَّا يَجِدُوا مَا يُنْفِقُونَ "*İnfak edecek bir şey bulamamaları sebebiyle gözyaşı döke döke dönüp gittiler.*"[296] Bir yönüyle verenler verdiklerinden dolayı takdir edilirken, bunlar da niyetlerinin safveti, gönüllerinin derinliği ve hislerinin enginliğiyle takdir edilmiştir. Resûl-i Ekrem Efendimiz (sallallâhu aleyhi ve sellem) de, ya özürlü olduğundan ya bineği bulunmadığından ya da geride bakıma muhtaç yakınları olduğundan dolayı kendisiyle sefere iştirak edemeyenler için, "*Medine'de geride kalan öyle kimseler var ki, siz hangi yolu geçseniz, hangi vadiyi aşsanız onlar da (niyetleri sebebiyle) sizinle birlikte gibidirler.*"[297] buyurarak, geride kalanların da sevap, mükâfat ve ilahî teveccühte sefere çıkanlarla müşterek olduğunu müjdelemiştir. Diğer bir ifadeyle, hadis-i şerifte geride kalanlar için şöyle bir kanaat serdedilmiştir: Sizin sahip olduğunuz imkânlara sahip olsa ve sizinle aynı şartları paylaşsalardı, onlar da sizinle beraber koşturacak ve pratikte sizin elde ettiğiniz şeyleri elde edeceklerdi. Hatta bu açıdan Asr-ı Saadet'e bakıldığında şöyle bir uygulamayla karşılaşıyoruz: Hazreti Ruh-u Seyyidi'l-Enâm (aleyhi elfü elfi salâtin ve selâm), bir mazeretinden dolayı Bedir Gazvesi'ne katılamayarak Medine'de kalan Hazreti Osman için ganimetten pay ayırmış ve böylece onun nâm-ı celîli de Ashab-ı Bedir arasına girmiştir.[298]

Görüldüğü gibi, maruz kaldığı bir kısım mazeretler ve aşamayacağı engellerden dolayı istediklerini yapamayan, arzu ettiği işi tam olarak gerçekleştiremeyen kişinin hâli Kur'ân ve Sünnet

---

[296] Tevbe sûresi, 9/92.
[297] Buhârî, *meğâzî* 81; Müslim, *imâret* 159.
[298] İbn Ebî Şeybe, *el-Musannef* 6/361; İbn Sa'd, *et-Tabakâtü'l-kübrâ* 3/56; *el-Beyhakî*, *es-Sünenü'l-kübrâ* 9/174.

nazarında mazur görülmüş ve böyle bir kimse niyet ettiklerini îfa etmiş gibi kabul edilmiştir. Günümüzde de, dünyanın değişik yerlerinde, hayatın değişik birimlerinde vazife yapan öyle insanlar vardır ki, bunlar, tepeden tırnağa pür heyecandırlar. Onlar, her gün heyecanla oturup heyecanla kalkmakta, kendilerine düşen vazifeyi yerine getirmeye her an âmâde bulunmaktadırlar. İşte bu kişiler Allah'ın izniyle her gün mücahede ediyor gibi sevap kazanırlar. Onların niyetleri, azim, gayret ve kararlılıkları öbür tarafta öyle sürprizler şeklinde karşılarına çıkar ki, çokları Allah'ın onlara lütfettiği nimetler karşısında imrenmekten kendilerini alamazlar. Bu itibarla niyet ve himmetler her zaman âli tutulmalı ve asla unutulmamalıdır ki, kimin himmeti milleti ise o tek başına bir millet,[299] hatta daha ötesinde kimin himmeti bütün insanlık ise o kocaman bir insanlıktır.

---

[299] Bkz.: Bediüzzaman, *Tarihçe-i Hayat* s.95 (İlk Hayatı).

Hazımsızlık

S **oru:** *Hazımsızlık ve çekememezlik gibi tavırlar karşısında üslubumuz nasıl olmalıdır?*

Cevap: Öncelikle hazımsızlığın, halledilmesi çok zor ruhî bir maraz olduğunun bilinmesi gerekir. Şeytanın insan karşısındaki hazımsızlığı ve bu sebeple tepetaklak yuvarlanıp gitmesi bu hakikatin en çarpıcı bir misalini teşkil eder. Kur'ân-ı Kerim'de değişik yerlerde geçen şeytanın konuşmalarına bakılacak olursa, onun, Allah'ı bilen bir varlık olduğu anlaşılır. Fakat buna rağmen o, göz göre göre, sırf kıskançlık ve hazımsızlığından dolayı Hazreti Âdem'e secde etmemişti. Kur'ân-ı Kerim onun, secde mevzuundaki muhalefetini anlatırken hep [300] أَبَى fiilini kullanır ki, bu da onun bu konudaki ısrarını ifade eder. Yani şeytan kat'iyen ve kâtıbeten Hazreti Âdem'e secde etmeme inat ve temerrüdü içindeydi. Mahiyeti kin ve nefretle dopdolu olduğundan, bu durum onun olumlu ve güzel şeyleri görmesine, düşünmesine fırsat vermiyordu. Kıskançlık ve hazımsızlığın yenilmesi, ortadan kaldırılması kolayca mümkün olsaydı, belki de şeytan böyle feci bir akıbete maruz kalmayacaktı. İhtimal, Hazreti

---

[300] *"Dayattı, kaçındı, emre itaatsizlikte diretti."* (Bkz.: Bakara sûresi, 2/34; Hicr sûresi, 15/31; Tâhâ sûresi, 20/116)

Âdem'in Allah'la münasebeti ve melâike-i kiramın onu tazimi, şeytan için bir mânâ ifade eder ve böylece o, bu tablo karşısında dersini alır ve yola girerdi. Fakat kıskançlık ve hasedin kurbanı bu zavallı varlık, tepetaklak yuvarlanıp gitmiştir ve hâlâ da yuvarlanmaya devam etmektedir. Bir menkıbede şöyle anlatılır: Şeytan, Cenâb-ı Hakk'a: "Bu kadar çok insanı affediyorsun. Benim ceza ve çilem –sanki çile çekiyormuş gibi– daha bitmedi mi?" diye sorar. Cenâb-ı Hak da ona: "Senin ilk imtihan olduğun hususu bir kere daha hatırlatıyorum. Git ve Hazreti Âdem'in mezarına secde et. Ben de seni bağışlayayım." der. Fakat şeytan nasıl bir haset ve hazımsızlığa kilitlenmiş ki, yine de red ve inkârına devam eder. Demek ki, hasedin öyle muzaaf ve mük'ab bir kısmı var ki, bunun sonucunda şeytan kendisini göz göre göre balıklamasına küfrün içine atmıştır.

Hazımsızlıktan Kardeş Katline

Öte yandan Cenâb-ı Hak, Mâide Sûresi'nde, kıskançlık ve hazımsızlığın insanı nasıl bir akıbete sürüklediğini gösterme adına Hazreti Âdem'in iki evladının kıssasını anlatır.[301] Kur'ân-ı Kerim ve Sünnet-i Sahiha'da Hazreti Âdem'in bu iki oğlunun isimleri tasrih edilmese de, kütüb-ü sâlifede bunların isimlerinin Habil ve Kâbil olduğu ifade edilir.[302] Evet, sağanak sağanak vahyin yağdığı bir evde neş'et eden, bir yönüyle Efendimiz'in (sallallâhu aleyhi ve sellem) nüvesi olan ve Safiyullah unvanıyla yâd edilen Hazreti Âdem'in bu iki evladından birisi diğerini hazmedememiş, kardeşinin hayatına kıyacak kadar gözü dönmüş ve neticede onun kanına girmiştir.

Tarih süzüldüğünde onun usaresinden buna benzer daha pek çok hadiseyi müşahede etmek mümkündür. Bütün bu hadiselerde karşımıza çıkan netice ise, hasedin nicelerini tepetaklak baş aşağı getirdiğidir. Hatta kimseyi gül kadar incitmeyen ve sorgulanacak hiçbir yanı olmayan İnsanlığın İftihar Tablosu bile

---

301 Bkz.: Mâide sûresi, 5/27-31.
302 Bkz.: Kitab-ı Mukaddes (Türkçe tercüme), Eski Ahit, Yaratılış, Bâb: 4, Cümle: 1-2.

bazı insanlar tarafından kin ve haset kaynaklı tavırlara maruz kalmıştır. Mesela bir seferinde Ebû Cehil'in Muğîre İbn Şu'be'ye şu sözleriyle açıktan açığa bu hazımsızlığını ifade ettiğini görüyoruz: "O'nun getirdiği haberlerin hepsi doğru. O yalan söylemez. Çünkü şimdiye kadar hiç yalanına şahit olmadık. Fakat Abdülmuttaliboğulları: 'Sikâye (Hacılara zemzem dağıtma hizmeti) bizden, sidâne (Kâbe'nin kilitlerini muhafaza hizmeti) bizden, rifâde (Hacılara yemek dağıtma hizmeti) bizden' diyorlar; bir de kalkıp 'Peygamber de bizden.' derlerse ben bunu içime sindiremem."[303] Bedir'de devrileceği[304] ana kadar her gününü Allah Resûlü'ne düşmanlıkla geçiren bu bedbaht insan, haset ve hazımsızlık duygusunun cenderesinde ebedî felâkete sürüklenmiştir. Vefatından birkaç dakika önce, "Ben şu ana kadar kıskançlık ve hasedimden dolayı hep Senin yaptığın işleri yıkmaya çalıştım. Şimdi özür diliyorum." diyerek kelime-i şehadet getirseydi belki de ilâhî affa mazhar olacaktı. Fakat o, öylesine haset ve hazımsızlığa kilitlenmişti ki, ölüm hırıltıları esnasında dahi gurur, kibir ve hasetle dopdoluydu.

Şimdi düşünelim; eğer Efendiler Efendisi'nin büyüleyici atmosferinde bile buz dağı mesabesindeki bu hazımsızlık duygusu erimiyor, kırılmıyor ve parçalanmıyorsa, kanaatimce kimilerinin size olan hasetlerinin kırılmaması ve erimemesi çok zorunuza gitmemeli ve bir mânâda bu hâli tabiî ve normal görmelisiniz.

Cennet'e Merdiven Dayasanız Dahi...

Bazıları, hayırlı bir faaliyetin başlatılması, planlanması, realize edilmesi gibi aşamalarda kendisi olmadığı için, o iş, ne kadar önemli, faydalı ve güzel olursa olsun, onun yıkılmasını isteyebilir. Mesela, son yıllarda ülkemizde dünyanın dört bir tarafından gelen öğrencilerin katılımıyla dil olimpiyatları yapılmaktadır. Böyle bir organizasyonun arkasında kendini eğitime adamış öğretmenler, civanmert rehberler ve fedakâr mütevellîleriyle

---

303 İbn İshak, *es-Sîre* 4/191; İbn Ebî Şeybe, *el-Musannef* 7/255-256.
304 Bkz.: İbn Hişâm, *es-Sîratü'n-nebeviyye* 3/183; İbn Kesîr, *el-Bidâye ve'n-Nihâye* 3/287-289.

Anadolu insanı bulunmaktadır. Yani dil olimpiyatları ülkemizdeki pek çok fedakâr insanın cehd ve gayretinin bir ürünüdür. Hatta bu vesileyle, dünyanın dört bir yanındaki talebelere sadece dil öğretilmekle kalmıyor, bunun yanında, kendi kültür ve değerlerimiz de onların beğenilerine sunuluyor. Misyonerlik yapılmaksızın, dayatma olmaksızın kendi ruh ve mânâ köklerimizden süzülüp gelen değerler manzumesi onların nazarına takdim ediliyor. Çünkü her dil, siz farkına varsanız da varmasanız da, dayandığı kültür ve düşünce dünyasını yanında beraber götürür. Tarihimizde çok güçlü olduğumuz dönemlerde bile bu çapta bir faaliyet gerçekleştirmeye muvaffak olamamışken, ekonomik krizlerin yaşandığı bir dönemde sizin civanmert insanınız bu yolda bütün zorluklara göğüs germiş, değişik yerlerdeki eksik ve gediği gidererek Allah'ın izni ve inayetiyle bu çok önemli misyonu eda etmiştir/etmektedir. Ne var ki, bakıyorsunuz aynı hava ve atmosferi paylaştığınız bir insan bile kalkıp, "Siz de bu meseleyi çok büyütüyorsunuz." diyerek rahatsızlığını dile getirebiliyor. Bir başkası, gazetedeki köşesinde, yapılan bütün bu hizmetleri "şov" olarak nitelendirerek ayrı bir ithamda bulunuyor.

Görüldüğü gibi gözyaşları ve çilelerle ortaya konulan bütün bu faaliyetleri kimi insanlar içlerine sindiremiyor ve farklı şekillerde karalamalara gidiyorlar. Hatta bazen, yapılan bütün güzel işlerin yıkılıp gitmesini arzu edecek derecede haset ve hazımsızlığa giriyorlar. Kimi zaman içlerindeki bu hazımsızlık hissi fiiliyata dökülüyor ve sizi, asılsız itham ve isnatlarla sağa sola gammazlıyorlar. Öyle ki, gidilen değişik ülkelerdeki hizmetlerin oradan sökülüp atılması için ellerinden geleni yapmaya başlıyorlar. Gayz ve kinin bu dereceye ulaşmış hâline herhâlde haset demek bile yetersiz kalır. Evet, zannediyorum haset bile, "ben bu kategoriye girmiyorum" diyecektir. Çünkü böyle bir tahribat ancak bir kâfir sıfatı olabilir. Gerçi bu insanlara kâfir denemez. Münafık demeye de bizim dilimiz varmaz. Fakat onların ruhlarını öyle bir hazımsızlık ve çekememezlik hissi sarmıştır ki, siz bir merdiven koyup onları Cennet'e ulaştırsanız dahi, onlar yine de bu nuranî merdiveni yıkmak için ellerinden gelen her şeyi yapacaklardır.

Hazımsızlığı Hazmetmek

Öyleyse bu tür haset ve hazımsızlıkların her zaman yaşanabileceğini hesaba katmamız gerekir. Nasıl ki uzaktakiler küfürlerinin muktezasını yerine getiriyorlarsa, yakında duran, sizinle aynı duygu ve düşünceyi paylaşan, hatta ellerinde aynı eserleri dolaştıran insanlar da yer yer hazımsızlık ve çekememezliklerini ortaya koyacaklardır. Bu durumda size düşen vazife, bütün bunları beşer tabiatının muktezası görerek hazmetmek ve herkesi bağrınıza basmaktır. وَالْكَاظِمِينَ الْغَيْظَ وَالْعَافِينَ عَنِ النَّاسِ *"Kızdıklarında öfkelerini yutar, insanların kusurlarını affederler."*[305] âyet-i kerimesi gereğince, gayzınızı yutacak, insanları affedecek ve karşı taraftan kötülük gelse bile, siz, bu kötülüğü tek taraflı bırakacaksınız. Zira duran bir vasıtaya, başka bir vasıta gelip çarptığı zaman tahribat yarıya iner. Fakat iki vasıta da süratle birbirine çarptıklarında ikisi de orada preslenirler. Aynen bunun gibi siz de kötülükleri tek başına bırakmak suretiyle, tahribatı yarıya indirmeli ve karşı tarafın haset ve hazımsızlığını erimeye mahkûm etmelisiniz.

Öte yandan bu tür problemlerin üstesinden gelme adına, sürekli çevrenizdeki insanlara imanda derinleşme yollarını göstermeli, ihlâs ve uhuvveti nazara vermeli, onları sürekli sohbet-i cânanla rehabilite etmeli ve böylece onların nefis ve enaniyet cihetiyle fena bularak kalbî ve ruhî hayatları itibarıyla yeniden bekâ billâha mazhar olmaları istikametinde cehd ve gayret göstermelisiniz. Sohbetlerinizin birinci gündem maddesi, Allah'la münasebetlerimizi, durmamız gereken yerde tam durup durmadığımızı, düşünce dünyamız itibarıyla Kur'ânî çizgide olup olmadığımızı bir kere daha gözden geçirme olmalıdır. Her seferinde sohbet-i cânanla yeniden canlanmalı, bir kere daha dolmalı ve tekrar şarj olmalıyız. Böyle büyük bir mesele karşısında falan yerde okul açma, filân yerde üniversite açma gibi işler çok küçük kalır. İşte bu zaviyeden meseleye bakınca, nerede eksiğimiz olduğunu görmek mümkündür. Biz oturup kalkıp sürekli

---

305 Âl-i İmrân sûresi, 3/131.

sohbet-i cânan demediğimizden, sözleri evirip çevirip Allah ve Resûlullah'a (sallallâhu aleyhi ve sellem) getiremediğimizden, sürekli tahkikî iman etrafında tahşidatta bulunamadığımızdan haset ve hazımsızlık denilen o canavarın ağzına fermuar vuramıyoruz. Ağzına fermuar vuramadığımız için de bu canavar Müslümanları yamuk yumuk konuşturuyor ve yamuk yumuk davranışlar içine itiyor.

Karma İndeks

K

Kâbe 133, 134, 135, 287
Ka'b İbn Mâlik (r.a.) 260
kabiliyetlerin doğru okunması 62
kadere taş atma 36
Kadirî yolu 38
kaht-ı rical 141
kalak 254
kalbin kastı 277
kalb-i selim 63
kalb ve ruh hayatı 57
kalb ve ruh ufku 277
kamu malı 46
Kant 273
Kanuni Sultan Süleyman 90, 91, 156, 158
Karaman 23
karayılan 31
Karun 88
kasdü'l-kalb 69
Kayseri 23
kebâir 46
kendi güzelliklerimiz 25
keşke 36
Kırkıncı Hoca 106
Kırklareli 23
kıskançlık 39, 126, 154, 177, 182, 212, 285, 286, 287
kıssa-yı Musa 100
kıyas 177, 270
Kızıl Deniz 206
kibir 220, 281, 282, 287
Kimse Yok mu 50
kolektif şuur 62
Konya 23, 253
korku 201
Kosova Muharebesi 157
kötü arkadaş 31

Kur'ân ahlâkı 164
kurban 64, 67
kurban eti 67, 69
kurban hizmeti 68
kurbanın eti 64, 68
kurban ibadeti 69, 70
kurban kesme 66
kurban kesmeyen 66
kurban mevsimi 65
kurban sahipleri 65
kurban taahhüdü 68
kurbet 69
Kureyş 133
kuvve-i mâneviye 23, 154
küheylan 56
kültür alışverişi 25
küreselleşen dünya 24
küsleri barıştırma 44
küsme 33, 34, 37, 38, 40
küsmeme 37

L

Lût Gölü 20

M

maallah 19
mahviyet 78, 129, 196, 220, 222, 223, 224, 233, 241, 244
maiyyet arzusu 16
makam 38
Makam-ı Mahmud 192
makam sevgisi 201
Malik İbn Nebi 91
mâneviyat büyükleri 28
mansıp 38
Marcus 248

Kaynakların Tespitinde Faydalanılan Eserler

Abd İbn Humeyd, Ebû Muhammed Muhammed b. Fütûh b. Abdillah el-Mayurkî el-Ezdî (v. 249 h.); **el-Müsned,** [Tahkîk: Subhî el-Bedrî es-Sâmerrâî, Mahmud Muhammed Halil es-Saîdî], Mektebetü's-sünne, Kahire, 1408/1988.

Abdurrezzak, Ebû Bekir Abdurrezzak b. Hemmam (v. 211 h.); **el-Musannef,** I-XI, [Tahkîk: Habiburrahman el-Âzamî], el-Mektebü'l-İslâmî, Beyrut, 1403 h.

Ahmed İbn Hanbel, Ebû Abdillah Ahmed b. Muhammed eş-Şeybanî (164-241 h.); **el-Müsned,** I-VI, Müessesetü Kurtuba, Mısır, tsz.

el-Aclûnî, İsmail b. Muhammed (1087-1162 h.); Keşfü'l-hafâ ve müzîlü'l-ilbâs, I-II, Müessesetü'r-risale, Beyrut, 1405.

Aliyyülkârî, Ebu'l-Hasan Nureddin Ali b. Sultan Muhammed (v. 1014/ 1606); **el-Esrâru'l-merfûa fi'l-ahbâri'l-mevdûa,** [Tahkîk: Muhammed b. Lütfi es-Sabbâğ], Dâru'l-emâne- Müessesetü'r-risâle, Beyrut, 1391/1971.

_____; **el-Masnû fî mârifeti hadîsi'l-mevdû',** [Tahkik: Abdülfettah Ebû Gudde], Mektebü'l-matbûati'l-İslâmî, Kahire, 1984.

_____; **Mirkâtü'l-mefâtîh şerhu mişkâti'l-mesâbih,** I-XI, Dâru'l-kütübi'l-ilmiyye, Beyrut, 2001.

_____; **Şerhu kitabi'l-Fıkhi'l-ekber,** [Tahkik: Ali Muhammed Dandel], Dâru'l-kütübi'l-ilmiyye, Beyrut, 1416/1995.

el-Alûsî, Ebu's-Senâ, Şihâbüddin Mahmud b. Abdillah (v. 1270 /1854); **Rûhu'l-meânî fî tefsîri'l-Kur'âni'l-azîm ve's-seb'u'l-mesânî,** I-XXX, Dâru ihyâi't-türâsi'l-Arabî, Beyrut, tsz.

el-Âmidî, Ebu'l-Hasan Seyfüddin Ali b. Muhammed b. Salim (551/631) **el-İhkâm fî usûli'l-ahkâm,** IV, Dâru'l-kikabil-Arabî, Beyrut, 1404.

Bediüzzaman, Said Nursî (1877-1960); **Barla Lâhikası,** Şahdamar Yay., İstanbul, 2010.

_____; **Emirdağ Lâhikası,** Şahdamar Yayınları, İstanbul, 2010.

_____; **Kastamonu Lâhikası,** Şahdamar Yayınları, İstanbul, 2010.

_____; **Lem'alar,** Şahdamar Yayınları, İstanbul, 2010.

_____; **Mektubat,** Şahdamar Yayınları, İstanbul, 2010.

_____; **Mesnevî-i Nuriye,** Şahdamar Yayınları, İstanbul, 2010.

_____; **Muhakemat,** Şahdamar Yay., İstanbul, 2010.

_____; **Münazarat,** *[Sadeleştirme ve açıklama: Abdullah Aymaz],* Şahdamar Yayınları, İstanbul, 2006.

_____; **Sözler,** Şahdamar Yayınları, İstanbul, 2010.

_____; **Şuâlar,** Şahdamar Yayınları, İstanbul, 2010.

_____; **Tarihçe-i Hayat,** Şahdamar Yayınları, İstanbul, 2010.

el-Beğavî, Ebû Muhammed Muhyissünne Hüseyin İbn Mes'ud, (v. 516/1122); **Meâlimü't-tenzîl,** I-IIX, *[Tahkîk: Hâlid Abdurrahman el-Ak],* Dâru'l-ma'rife, 1407/1987.

el-Beyhakî, Ebû Bekir Ahmed İbnu'l-Hüseyin (384-458 h.); **Şuabü'l-îmân,** I-IX, *[Tahkîk: Muhammed es-Saîd Besyûnî ez-Zağlûl],* Dâru'l-kütübi'l-ilmiyye, Beyrut, 1410/1990.

el-Bezzâr, Ebû Bekir Ahmed b. Amr b. Abdilhâlık (215-292 h.); **el-Müsned,** I-IX, *[Tahkîk: Mahfûzurrahman Zeynullah],* Müessesetü ulûmi'l-Kur'ân/Müessesetü'l-ulûmi ve'l-hikem, Beyrut/Medine, 1409 h.

el-Buhârî, Ebû Abdillah, Muhammed İbn İsmail (v. 256 h.); **el-Edebü'l-müfred,** I-VIII, *[Tahkîk: Muhammed Fuad Abdulbakî],* Dâru'l-beşâiri'l-İslâmiyye, Beyrut, 1409/1989.

_____; **Sahîhu'l-Buhârî,** I-VIII, el-Mektebetü'l-İslâmiyye, İstanbul, 1979.

ed-Dârimî, Abdullah b. Abdirrahman (181-255 h.); **es-Sünen,** I-II, Dâru'l-kitâbi'l-Arabî, Beyrut, 1407/1987.

ed-Deylemî, Ebû Şucâ' Şîreveyh b. Şehredâr (445-509 h.); **el-Müsnedü'l-firdevs bi me'sûri'l-hitâb,** I-V, *[Tahkîk: Muhammed es-Saîd Besyûnî ez-Zağlûl],* Dâru'l-kütübi'l-ilmiyye, Beyrut, 1406/1986.

Ebû Dâvûd, Süleyman b. Eş'as es-Sicistânî (202-275 h.); **es-Sünen,** I-V, Çağrı Yayınları, 2. baskı, İstanbul, 1413/1992.

Ebû Nuaym, Ahmed b. Abdillah el-İsbehânî (v. 430 h.); **Hilyetü'l-evliyâ ve tabakâtü'l-asfiyâ,** I-X, Dâru'l-kitâbi'l-Arabî, Beyrut, 1405 h.

Ebû Ubeyd Kasım b. Sellâm, el-Herevî el-Ezdî (v. 224/838); **el-Emvâl,** Dâru'l-fikr, Beyrut, 1408/1998.

Ebû Ya'lâ, Ahmed b. Ali b. Müsennâ el-Mevsılî et-Temîmî (v. 307 h.); **el-Müsned,** I-XIII, *[Tahkîk: Hüseyin Selim Esed],* Dâru'l-Me'mun li't-türâs, Dimaşk, 1404/1984.

el-Gazzâlî, Ebû Hâmid Muhammed b. Muhammed (450-505 h.); *İhyâu ulûmi'd-dîn,* I-IV, Dâru'l-ma'rife, Beyrut, tsz.

_____; *el-Vasît fî'l-mezheb,* I-VII, *[Tahkîk: Ahmed Mahmud İbrahim, Muhammed Muhammed Tamir],* Dâru's-selâm, Kahire, 1417/ 1997.

Gülen, M. Fethullah; *Kırık Mızrap,* Nil Yayınları, İstanbul, 2011.

el-Hakîm et-Tirmizî, Ebû Abdillah Muhammed b. Ali b. Hasan (v. 360 h.), *Nevâdiru'l-usûl fî ehâdîsi'r-Resûl,* I-IV, Dâru'l-Cîl, 1. baskı, *[Tahkik: D. Abdurrahman Umeyre],* Beyrut, 1992.

el-Halebî, Ali b. Burhaneddin (v.1044 h.); *İnsanü'l-uyûn fî sîreti'l-Emîni'l-Me'mûn (Sîret-i Halebiyye),* I-III, Dâru'l-ma'rife, Beyrut, 1400.

el-Humeydî, Ebû Bekr Abdullah İbnu'z-Zübeyr (v. 219 h.); *el-Müsned,* I-II, *[Tahkik: Habîburrrahman el-A'zamî],* Dâru'l-kütübi'l-ilmiyye-Mektebetü'l-Mütenebbî, Beyrut-Kahire, tsz.

İbn Arabî, Muhammed b. Ali Muhyiddîn (v. 638/1240); el-Fütûhâtü'l-Mekkiyye, I-VIII, el-Meclisü'l-a'lâ li's-sekâfe, Kahire, 1403/1983.

_____; *eş-Şeceretü'n-Nu'mâniyye bi Şerhi Sadriddin el-Konevî* Dâru'l-kütübi'l-ilmiyye, Beyrut, 1425/2004.

İbnü'l-Cevzî, Ebu'l-Ferec Abdurrahman b. Ali b. Muhammed (508-597 h.); *el-Muntazam fî târîhi'l-mülûki ve'l-ümem,* Dâru sâdir, Beyrut, 1358 h.

İbn Ebî Şeybe, Ebû Bekir Abdullah b. Muhammed (v. 235 h.); *el-Musannef fî'l-ehâdîs ve'l-âsâr,* I-VII, *[Tahkîk: Kemal Yusuf el-Hût],* Mektebetü'r-Rüşd, Riyad, 1409 h.

İbn Hacer, Ebu'l-Fazl Şehabeddin Ahmed b. Ali el-Askalanî (773-852 h.); *Telhîsu'l-habîr, [Tahkik: Abdullah Hâşim el-Yemânî],* Medine, 1384/1964.

İbn Hallikan, Ebu'l-Abbas Şemsüddin Ahmed b. Muhammed b. Ebî Bekir b. Hallikan (v. 681 h.); *Vefeyâtü'l-a'yân ve enbâi ebnâi'z-zaman,* I-VIII, *[Tahkik: İhsan Abbas],* Dâru's-sekâfe, Beyrut, tsz.

İbn Hibbân, Ebû Hâtim Muhammed b. Hibban b. Ahmed et-Temîmî el-Bustî (v. 354 h.); *Sahîhu İbn Hibbân,* I-XVI, *[Tahkîk: Şuayb el-Arnavut],* Müessesetü'r-risale, Beyrut, 1414/1993.

İbn Hişâm, Abdülmelik b. Hişâm b. Eyyûb el-Himyerî (v. 213/828); *es-Sîratü'n-nebeviyye,* I-VI, *[Tahkîk: Tâhâ Abdurrauf Sa'd],* Dâru'l-cîl, Beyrut, 1411.

İbn Huzeyme, Ebû Bekir Muhammed İbn İshak es-Sülemî en-Neysabûrî (223-311 h.); *es-Sahîh,* I-IV, *[Tahkik: Muhammed Mustafa el-A'zamî],* el-Mektebu'l-İslâmî, Beyrut, 1390/1970.

İbn İshak, Muhammed İbn İshâk İbn Yesâr; *Sîretü İbn İshâk,* I-III, *[Tahkîk: Muhammed Hamîdullah],* Ma'hedü dirâsât ve'l-ebhâs li't-ta'rîf, Beyrut, tsz.

İbn Kesîr, Ebu'l-Fidâ İsmail b. Ömer b. Kesîr ed-Dimaşkî (v. 774 h.); *el-Bidâye ve'n-nihâye,* I-XIV, Mektebetü'l-meârif, Beyrut, tsz.

_____; *Tuhfetü't-tâlib,* Dâru Hirâ, Mekke, 1406 h.

İbn Mâce, Muhammed b. Yezîd el-Kazvînî (207-275 h.); *es-Sünen,* I-II, Çağrı Yayınları, 2. baskı, İstanbul, 1413/1992.

İbnü'l-Mübârek, Ebû Abdirrahman Abdullah İbnü'l-Mübârek (v. 181/797); *Kitâbü'z-Zühd ve'r-rekâik, [Tahkîk: Habîb el-A'zamî],* Dâru'l-kütübi'l-ilmiyye, Beyrut, tsz.

İbn Nüceym, Zeynüddin Zeyn b. İbrahim b. Muhammed el-Mısrî el-Hanefî (v. 970/1563); *el-Bahru'r-râik şerhu Kenzi'd-dekâik,* I-VIII, Dâru'l-ma'rife, Beyrut, tsz.

İmam Rabbânî, Ahmed İbn Abdilahad İbn Zeynilâbidîn Serhendî (1034/1624); *el-Mektûbât,* I-II, Fazilet Neşriyat, İstanbul, tsz.

İbn Sa'd, Ebû Abdillah Muhammed b. Sa'd ez-Zührî (v. 230 h.), *et-Tabakâtü'l-Kübrâ,* I-VIII, Dâru sâdır, Beyrut, tsz.

el-Kelâbâzî, Ebû Bekir Muhammed b. İbrahim (v. 380/990); *et-Taarruf li mezhebi ehli't-tasavvuf,* Dâru'l-kütübi'l-ilmiyye, Beyrut, 1400 h.

el-Kurtubî, Muhammed b. Ahmed b. Ebî Bekir b. Ferah (v. 670 h.); *el-Câmi' li ahkâmi'l-Kur'ân,* I-XX, Dâru'ş-şa'b, Kahire, 1372 h.

Mâlik b. Enes, Ebû Abdillah el-Esbahî (93-179 h.); *el-Muvatta,* I-II, Dâru'l-hadis, Kahire, 1993.

el-Merğînânî, Ebu'l-Hüseyin Ali b. Ebî Bekir b. Abdilcelîl (v. 593 h.); *el-Hidâye şerhu'l-Bidâye,* I-IV, el-Mektebetü'l-İslâmiyye, Beyrut, tsz.

Müslim, Ebu'l-Hüseyn el-Haccâc en-Neysâbûrî (206-261 h.); *Sahîhu Müslim,* I-V, *[Tahkîk: Muhammed Fuad Abdulbakî],* Dâru ihyâi't-türâsi'l-Arabî, Beyrut, tsz.

el-Hâkim, Ebû Abdillah Muhammed b. Abdillah en-Neysâbûrî (v. 405 h.); *el-Müstedrek ale's-Sahîhayn,* I-IV, *[Tahkîk: Mustafa Abdülkadir Atâ],* Dâru'l-kütübi'l-ilmiyye, Beyrut, 1990.

en-Nesâî, Ebû Abdirrahman Ahmed b. Şuayb (215-303 h.); *es-Sünen,* I-VIII, Çağrı Yayınları, 2. baskı, İstanbul, 1413/1992.

_____; *es-Sünenü'l-kübrâ,* I-VI, *[Tahkîk: Abdulğaffâr Süleyman el-Bündârî],* Dâru'l-kütübi'l-ilmiyye, Beyrut, 1411/1991.

er-Râzî, Ebû Abdillah Fahruddin Muhammed b. Ömer b. Hüseyin (v. 606/1210);

er-Râzî, Muhammed b. Ömer b. el-Hüseyin (544-606 h.); *el-Mahsûl,* I-V, Câmiatü'l-İmam Muhammed b. Suûd el-İslâmiyye, Riyad, 1400 h.

_____; *Mefâtîhu'l-gayb,* I-XXXII, Dâru'l-kütübi'l-ilmiyye, Beyrut, 1421/2000.

es-Safedî, Ebu's-Safâ Salahuddin Halil b. Aybek b. Abdillah (764/1363); *el-Vâfî bi'l-vefeyât,* XXIX, *[Tahkîk: Ahmed el-Arnavut],* Dâru ihyâi't-türâsi'l-Arabî, Beyrut, 1420/2000.

es-Sa'lebî, Ebû İshâk Ahmed b. Muhammed b. İbrahim en-Neysâbûrî (427/1035), *el-Keşf ve'l-beyân fî tefsiri'l-Kur'ân;* I-X, *[Tahkîk: Muhammed İbn Âşûr],* Dâru ihyâi't-türâsi'l-Arabî, Beyrut, 1422/2002.

es-Sehâvî, Ebu'l-Hayr Şemsüddin Muhammed b. Abdurrahman (v. 902/1497); *el-Makâsıdü'l-hasene,* *[Tahkik: Muhammed Osman]* Dâru'l-kitâbi'l-Arabî, Beyrut, 1405/1985.

es-Semerkandî, Ebü'l-Leys İmamü'l-hüdâ Nasr b. Muhammed b. Ahmed (373/983); *Tenbîhü'l-gâfilîn fî'l-mev'izeti bi ehâdîsi Seyyidi'l-enbiyâ,* Müessesetü'l-kütübi's-sekâfiyye, Beyrut, 1409/1988.

es-Serahsî, Ebû Bekir Muhammed b. Sehl (v. 483/1090); *el-Mebsût,* I-XXX, Dâru'l-ma'rife, Beyrut, tsz.

s-Süyûtî, Abdurrahman b. el-Kemal Celâleddîn (849-911 h.); *el-Hâvî li'l-fetâvâ fî'l-fıkh ve ulûmî't-tefsîr,* I-II, *[Tahkik: Abdüllatif Hasan Abdurrahman],* Dâru'l-kütübi'l-ilmiyye, Beyrut, 1421/ 200.

_____; (Abdulğani ve Fahru'l-Hüsn ed-Dehlevî ile birlikte) *Şerhu Süneni İbni Mâce,* Kadîm-i kütüphane, Karaçi, tsz.

et-Taberânî, Ebu'l-Kasım Süleyman b. Ahmed (260-360 h.); *el-Mu'cemü'l-evsat,* I-IX, *Tahkik: Tarık b. Ivazillah b. Muhammed, Abdülmuhsin b. İbrahim el-Huseynî],* Dâru'l-Harameyn, Kahire, 1415.

_____; *el-Mu'cemü'l-kebîr,* I-XXV, *[Tahkîk: Hamdi b. Abdülmecîd es-Selefî],* Mektebetü'z-Zehra, Musul, 1404/1983.

et-Taberî, Muhammed İbn Cerir İbn Yezid İbn Halid (224-310 h.); *Câmiu'l-beyân fî tefsîri'l-Kur'ân,* I-XXX, Dâru'l-fikr, Beyrut, 1405 h.

_____; *Hülâsatü siyeri Seyyidi'l-beşer,* Mekbetü nizâr Mustafâ el-Bâz, Mekke, 1418/1997.

_____; *Târîhu'l-ümem ve'l-mülûk (Tarîhu't-Taberî),* I-V, Dâru'l-kütübi'l-ilmiyye, Beyrut, 1407 h.

et-Tayâlisî, Ebû Dâvûd Süleymân b. Dâvûd (v. 204 h.); *el-Müsned,* Dâru'l-ma'rife, Beyrut, tsz.

et-Teftâzânî, Sa'düddin Mesud İbn Ömer İbn Abdillah, (v. 792/1390); *Şerhu'l-Mekâsıd,* Dâru'l-meârifi'n-nu'mâniyye, Pakistan, 1041/1981.

et-Tirmizî, Ebû Îsâ Muhammed b. Îsâ b. Sevre (209-279 h.); *el-Câmiu's-Sahîh,* I-V, Çağrı Yayınları, 2. baskı, İstanbul, 1413/1992.

el-Vâkıdî, Ebû Abdillah Muhammed b. Ömer b. Vâkıd el-Eslemî (v. 207/823); *Kitâbü'l-megâzî,* I-III, [Tahkîk: Marsden Jones], Âlemü'l-kütüb, Beyrut, 1966.

ez-Zehebî, Şemsüddîn Muhammed Ahmed (v. 748/1347); *Târîhu'l-İslâm,* [Tahkîk: Ömer Abdüsselâm], Dâru'l-kitâbi'l-Arabî, Beyrut, 1407/1987.

ez-Zemahşerî, Ebu'l-Kasım Cârullah Mahmud b. Ömer b. Muhammed (v. 538/1144); *el-Keşşâf an hakâiki gavâmizi't-tenzîl ve uyûni'l-ekâvil fî vücûhi't-te'vîl,* I-IV, [Tahkîk: Abdürrezzâk el-Mehdî], Dâru ihyâi't-türâsi'l-Arabî, Beyrut, tsz.